GOETHE'S FAUST

PART II

R–M. S. HEFFNER
University of Wisconsin

HELMUT REHDER
University of Illinois

W. F. TWADDELL
Brown University

D. C. HEATH AND COMPANY
BOSTON

6 A 6

FOREWORD

As WE finish proofreading this second volume of our Student's Edition of FAUST, we complete our contribution to this enterprise that has been our chief extra-curricular activity for many years, interrupted only by occasional competing urgent deadlines for one or another of us, or by postponements due to printing schedules. The Vocabulary was worked on, intermittently, 1944–1947. The preparation of printer's copy for Volumes I and II occupied 1947–1951; proofreading and final adjustments occurred during 1953 and 1954.

We record our thanks to colleagues for suggestions and advice, and to the host of other FAUST scholars whose research, intuitions, and judgments have found their way into our edition. We owe much to D. C. Heath and Company, and particularly to Dr. Vincenzo Cioffari and Dr. Frank M. Chambers of its editorial staff, for their enlightened diligence and invaluable helpfulness in the preparation of these volumes.

For the sake of accuracy, and to help any of our successors who may use our work in the preparation of later editions, we note here the changes in our printed text of Part I which we would recommend, to correct typographical oversights or inconsistencies in the light of the total text. Pending the correction of the plates of Part I the following changes should be made in the lines indicated:

100	Solch	3269	kuriert.
1111	o	3796	die
1306	Entsproßnen	3972	geschunden.
1308	Gegoßnen	4043	stillen
2550	und	4179	ein

Finally, for the students who use this edition, we wish a long-lasting enrichment and joy in their acquaintance with a work of a great human spirit — a work whose power and fascination has sustained us through much of drudgery and vexation, but more of excitement and rewarding insights, during our decade with FAUST.

R–M. S. Heffner
Helmut Rehder
W. F. Twaddell

December 1954

FAUST

Der Tragödie zweiter Teil
in fünf Akten

Erster Akt

28   Anmutige Gegend

Faust, auf blumigen Rasen gebettet, ermüdet, unruhig, schlaf-suchend.

Dämmerung.

Geisterkreis, schwebend bewegt; anmutige, kleine Gestalten.

ARIEL: *Gesang von Äolsharfen begleitet.*
Wenn der Blüten Frühlingsregen
über alle schwebend sinkt,
4615 wenn der Felder grüner Segen
allen Erdgebornen blinkt, —
kleiner Elfen Geistergröße
eilet, wo sie helfen kann;
ob er heilig, ob er böse,
4620 jammert sie der Unglücksmann.

Die ihr dies Haupt umschwebt im luft'gen Kreise,
erzeigt euch hier nach edler Elfen Weise!
Besänftiget des Herzens grimmen Strauß,
entfernt des Vorwurfs glühend bittre Pfeile,
4625 sein Innres reinigt von erlebtem Graus!
    Vier sind die Pausen nächtiger Weile;
nun ohne Säumen füllt sie freundlich aus!
Erst senkt sein Haupt aufs kühle Polster nieder,
dann badet ihn im Tau aus Lethes Flut;
4630 gelenk sind bald die krampferstarrten Glieder,
wenn er gestärkt dem Tag entgegen ruht.
Vollbringt der Elfen schönste Pflicht:
gebt ihn zurück dem heiligen Licht!

3

CHOR: *einzeln, zu zweien und vielen, abwechselnd und gesammelt.*

Wenn sich lau die Lüfte füllen
4635 um den grünumschränkten Plan,
süße Düfte, Nebelhüllen
senkt die Dämmerung heran,
lispelt leise süßen Frieden,
wiegt das Herz in Kindesruh
4640 und den Augen dieses Müden
schließt des Tages Pforte zu.

Nacht ist schon hereingesunken,
schließt sich heilig Stern an Stern;
große Lichter, kleine Funken
4645 glitzern nah und glänzen fern,
glitzern hier im See sich spiegelnd,
glänzen droben klarer Nacht.
Tiefsten Ruhens Glück besiegelnd,
herrscht des Mondes volle Pracht.

4650 Schon verloschen sind die Stunden,
hingeschwunden Schmerz und Glück.
Fühl es vor! Du wirst gesunden;
traue neuem Tagesblick!
Täler grünen, Hügel schwellen,
4655 buschen sich zu Schattenruh;
und in schwanken Silberwellen
wogt die Saat der Ernte zu.

Wunsch um Wünsche zu erlangen,
schaue nach dem Glanze dort!
4660 Leise bist du nur umfangen;
Schlaf ist Schale, wirf sie fort!
Säume nicht, dich zu erdreisten,
wenn die Menge zaudernd schweift!
Alles kann der Edle leisten,
4665 der versteht und rasch ergreift.

Ungeheures Getöse verkündet das Herannahen der Sonne.

ARIEL

Horchet! Horcht dem Sturm der Horen!
Tönend wird für Geistesohren

schon der neue Tag geboren.
Felsentore knarren rasselnd,
4670 Phöbus' Räder rollen prasselnd, —
welch Getöse bringt das Licht!
Es trommetet, es posaunet,
Auge blinzt und Ohr erstaunet,
Unerhörtes hört sich nicht. —
4675 Schlüpfet zu den Blumenkronen,
tiefer, tiefer still zu wohnen,
in die Felsen, unters Laub!
Trifft es euch, so seid ihr taub.

      Faust

Des Lebens Pulse schlagen frisch lebendig,
4680 ätherische Dämmerung milde zu begrüßen. —
Du, Erde, warst auch diese Nacht beständig
und atmest neu erquickt zu meinen Füßen,
beginnest schon mit Lust mich zu umgeben;
du regst und rührst ein kräftiges Beschließen,
4685 zum höchsten Dasein immerfort zu streben.

In Dämmerschein liegt schon die Welt erschlossen,
der Wald ertönt von tausendstimmigem Leben;
Tal aus, Tal ein ist Nebelstreif ergossen,
doch senkt sich Himmelsklarheit in die Tiefen,
4690 und Zweig' und Äste, frisch erquickt, entsprossen
dem duft'gen Abgrund, wo versenkt sie schliefen;
auch Farb' an Farbe klärt sich los vom Grunde,
wo Blum' und Blatt von Zitterperle triefen:
ein Paradies wird um mich her die Runde!

4695 Hinaufgeschaut! — Der Berge Gipfelriesen
verkünden schon die feierlichste Stunde;
sie dürfen früh des ewigen Lichts genießen,
das später sich zu uns hernieder wendet.
Jetzt zu der Alpe grüngesenkten Wiesen
4700 wird neuer Glanz und Deutlichkeit gespendet,
und stufenweis herab ist es gelungen . . .
Sie tritt hervor! — Und, leider schon geblendet,
kehr' ich mich weg, vom Augenschmerz durchdrungen.

So ist es also, wenn ein sehnend Hoffen
4705 dem höchsten Wunsch sich traulich zugerungen,
Erfüllungspforten findet flügeloffen.

Nun aber bricht aus jenen ewigen Gründen
ein Flammenübermaß, wir stehn betroffen:
des Lebens Fackel wollten wir entzünden,
4710 ein Feuermeer umschlingt uns, — welch ein Feuer!
Ist's Lieb', ist's Haß, die glühend uns umwinden,
mit Schmerz' und Freuden wechselnd ungeheuer? —
so daß wir wieder nach der Erde blicken,
zu bergen uns in jugendlichstem Schleier.

4715 So bleibe denn die Sonne mir im Rücken!
Der Wassersturz, das Felsenriff durchbrausend,
ihn schau' ich an mit wachsendem Entzücken.
Von Sturz zu Sturzen wälzt er jetzt in tausend,
dann abertausend Strömen sich ergießend,
4720 hoch in die Lüfte Schaum an Schäume sausend.
Allein wie herrlich, diesem Sturm entsprießend,
wölbt sich des bunten Bogens Wechseldauer,
bald rein gezeichnet, bald in Luft zerfließend,
umher verbreitend duftig kühle Schauer.
4725 Der spiegelt ab das menschliche Bestreben.
Ihm sinne nach, und du begreifst genauer:
am farbigen Abglanz haben wir das Leben.

Kaiserliche Pfalz

29 Saal des Thrones

Staatsrat in Erwartung des Kaisers.

Trompeten. Hofgesinde aller Art, prächtig gekleidet, tritt vor.

Der Kaiser gelangt auf den Thron, zu seiner Rechten der Astrolog.

KAISER

Ich grüße die Getreuen, Lieben,
versammelt aus der Näh' und Weite. —
4730 Den Weisen seh' ich mir zur Seite,
allein wo ist der Narr geblieben?

JUNKER

Gleich hinter deiner Mantelschleppe
stürzt' er zusammen auf der Treppe.
Man trug hinweg das Fettgewicht, —
4735 tot oder trunken? — Weiß man nicht.

ZWEITER JUNKER

Sogleich mit wunderbarer Schnelle
drängt sich ein andrer an die Stelle.
Gar köstlich ist er aufgeputzt,
doch fratzenhaft, daß jeder stutzt.
4740 Die Wache hält ihm an der Schwelle
kreuzweis die Hellebarden vor —
Da ist er doch, der kühne Tor!

MEPHISTOPHELES, *am Throne knieend.*

Was ist verwünscht und stets willkommen?
Was ist ersehnt und stets verjagt?
4745 Was immerfort in Schutz genommen?
Was hart gescholten und verklagt?
Wen darfst du nicht herbeiberufen?
Wen höret jeder gern genannt?
Was naht sich deines Thrones Stufen?
4750 Was hat sich selbst hinweggebannt?

KAISER

Für diesmal spare deine Worte!
Hier sind die Rätsel nicht am Orte,
das ist die Sache dieser Herrn. —
Da löse du! Das hört' ich gern.
4755 Mein alter Narr ging, fürcht' ich, weit ins Weite:
nimm seinen Platz und komm an meine Seite!

Mephistopheles steigt hinauf und stellt sich zur Linken.

GEMURMEL DER MENGE

Ein neuer Narr — Zu neuer Pein —
Wo kommt er her? — Wie kam er ein? —
Der alte fiel — Der hat vertan —
4760 Es war ein Faß — Nun ist's ein Span —

KAISER

Und also, ihr Getreuen, Lieben,
willkommen aus der Näh' und Ferne!
Ihr sammelt euch mit günstigem Sterne;
da droben ist uns Glück und Heil geschrieben.
4765 Doch sagt, warum in diesen Tagen,
wo wir der Sorgen uns entschlagen,
Schönbärte mummenschänzlich tragen
und Heitres nur genießen wollten,
warum wir uns ratschlagend quälen sollten!
4770 Doch weil ihr meint, es ging' nicht anders an,
geschehen ist's, so sei's getan.

KANZLER

Die höchste Tugend, wie ein Heiligenschein,
umgibt des Kaisers Haupt, nur er allein
vermag sie gültig auszuüben:
4775 Gerechtigkeit! — Was alle Menschen lieben,
was alle fordern, wünschen, schwer entbehren,
es liegt an ihm, dem Volk es zu gewähren.
  Doch ach! Was hilft dem Menschengeist Verstand,
dem Herzen Güte, Willigkeit der Hand,
4780 wenn's fieberhaft durchaus im Staate wütet,
und Übel sich in Übeln überbrütet?
Wer schaut hinab von diesem hohen Raum
ins weite Reich, ihm scheint's ein schwerer Traum,
wo Mißgestalt in Mißgestalten schaltet,
4785 das Ungesetz gesetzlich überwaltet,
und eine Welt des Irrtums sich entfaltet.

Der raubt sich Herden, der ein Weib,
Kelch, Kreuz und Leuchter vom Altare,
berühmt sich dessen manche Jahre
4790 mit heiler Haut, mit unverletztem Leib.
Jetzt drängen Kläger sich zur Halle,
der Richter prunkt auf hohem Pfühl;
indessen wogt in grimmigem Schwalle
des Aufruhrs wachsendes Gewühl.
4795 Der darf auf Schand' und Frevel pochen,
der auf Mitschuldigste sich stützt;
und „Schuldig!" hörst du ausgesprochen,
wo Unschuld nur sich selber schützt.
So will sich alle Welt zerstückeln,
4800 vernichtigen, was sich gebührt;
wie soll sich da der Sinn entwickeln,
der einzig uns zum Rechten führt?
Zuletzt ein wohlgesinnter Mann
neigt sich dem Schmeichler, dem Bestecher;
4805 ein Richter, der nicht strafen kann,
gesellt sich endlich zum Verbrecher. —
Ich malte schwarz; doch dichtern Flor
zög' ich dem Bilde lieber vor.

Pause.

Entschlüsse sind nicht zu vermeiden;
4810 wenn alle schädigen, alle leiden,
geht selbst die Majestät zu Raub.

HEERMEISTER

Wie tobt's in diesen wilden Tagen!
Ein jeder schlägt und wird erschlagen,
und fürs Kommando bleibt man taub.
4815 Der Bürger hinter seinen Mauern,
der Ritter auf dem Felsennest
verschwuren sich, uns auszudauern,
und halten ihre Kräfte fest.
Der Mietsoldat wird ungeduldig,
4820 mit Ungestüm verlangt er seinen Lohn;
und wären wir ihm nichts mehr schuldig,
er liefe ganz und gar davon.
Verbiete wer, was alle wollten,
der hat ins Wespennest gestört;

4825 das Reich, das sie beschützen sollten,
es liegt geplündert und verheert.
Man läßt ihr Toben wütend hausen,
schon ist die halbe Welt vertan.
Es sind noch Könige da draußen,
4830 doch keiner denkt, es ging' ihn irgend an.

SCHATZMEISTER

Wer wird auf Bundsgenossen pochen!
Subsidien, die man uns versprochen,
wie Röhrenwasser bleiben aus.
Auch, Herr, in deinen weiten Staaten
4835 an wen ist der Besitz geraten?
Wohin man kommt, da hält ein Neuer Haus,
und unabhängig will er leben;
zusehen muß man, wie er's treibt.
Wir haben so viel Rechte hingegeben,
4840 daß uns auf nichts ein Recht mehr übrigbleibt.
    Auch auf Parteien, wie sie heißen,
ist heutzutage kein Verlaß;
sie mögen schelten oder preisen,
gleichgültig wurden Lieb' und Haß.
4845 Die Ghibellinen wie die Guelfen
verbergen sich, um auszuruhn.
Wer jetzt will seinem Nachbar helfen?
Ein jeder hat für sich zu tun.
Die Goldespforten sind verrammelt,
4850 ein jeder kratzt und scharrt und sammelt,
und unsre Kassen bleiben leer.

MARSCHALK

Welch Unheil muß auch ich erfahren!
Wir wollen alle Tage sparen
und brauchen alle Tage mehr,
4855 und täglich wächst mir neue Pein.
Den Köchen tut kein Mangel wehe:
Wildschweine, Hirsche, Hasen, Rehe,
Welschhühner, Hühner, Gäns' und Enten,
die Deputate, sichre Renten,
4860 sie gehen noch so ziemlich ein, —
jedoch am Ende fehlt's an Wein.

Wenn sonst im Keller Faß an Faß sich häufte,
der besten Berg' und Jahresläufte,
so schlürft unendliches Gesäufte
4865 der edlen Herrn den letzten Tropfen aus.
Der Stadtrat muß sein Lager auch verzapfen,
man greift zu Humpen, greift zu Napfen,
und unterm Tische liegt der Schmaus.
    Nun soll ich zahlen, alle lohnen!
4870 Der Jude wird mich nicht verschonen:
der schafft Antizipationen,
die speisen Jahr um Jahr voraus.
Die Schweine kommen nicht zu Fette,
verpfändet ist der Pfühl im Bette,
4875 und auf den Tisch kommt vorgegessen Brot.

     KAISER, *nach einigem Nachdenken, zu Mephistopheles.*

Sag, weißt du Narr nicht auch noch eine Not?

     MEPHISTOPHELES

Ich? Keineswegs! Den Glanz umher zu schauen,
dich und die Deinen! — Mangelte Vertrauen,
wo Majestät unweigerlich gebeut,
4880 bereite Macht Feindseliges zerstreut,
wo guter Wille, kräftig durch Verstand,
und Tätigkeit, vielfältige, zur Hand?
Was könnte da zum Unheil sich vereinen,
zur Finsternis, wo solche Sterne scheinen?

     GEMURMEL

4885 Das ist ein Schalk — Der's wohl versteht —
Er lügt sich ein — Solang es geht —
Ich weiß schon — Was dahinter steckt —
Und was denn weiter? — Ein Projekt —

     MEPHISTOPHELES

Wo fehlt's nicht irgendwo auf dieser Welt?
4890 Dem dies, dem das; hier aber fehlt das Geld.
Vom Estrich zwar ist es nicht aufzuraffen,
doch Weisheit weiß das Tiefste herzuschaffen:
in Bergesadern, Mauergründen
ist Gold gemünzt und ungemünzt zu finden,
4895 und fragt ihr mich, wer es zutage schafft:
begabten Manns Natur- und Geisteskraft,

KANZLER

„Natur und Geist"! — So spricht man nicht zu Christen!
Deshalb verbrennt man Atheisten,
weil solche Reden höchst gefährlich sind.
4900 Natur ist Sünde, Geist ist Teufel!
Sie hegen zwischen sich den Zweifel,
ihr mißgestaltet Zwitterkind.

Uns nicht so! — Kaisers alten Landen
sind zwei Geschlechter nur entstanden,
4905 sie stützen würdig seinen Thron:
die Heiligen sind es und die Ritter!
Sie stehen jedem Ungewitter
und nehmen Kirch' und Staat zum Lohn.

Dem Pöbelsinn verworrner Geister
4910 entwickelt sich ein Widerstand:
die Ketzer sind's, die Hexenmeister,
und sie verderben Stadt und Land!
Die willst du nun mit frechen Scherzen
in diese hohen Kreise schwärzen: —
4915 ihr hegt euch an verderbtem Herzen;
dem Narren sind sie nah verwandt.

MEPHISTOPHELES

Daran erkenn' ich den gelehrten Herrn!
Was ihr nicht tastet, steht euch meilenfern;
was ihr nicht faßt, das fehlt euch ganz und gar;
4920 was ihr nicht rechnet, glaubt ihr, sei nicht wahr;
was ihr nicht wägt, hat für euch kein Gewicht;
was ihr nicht münzt, das, meint ihr, gelte nicht.

KAISER

Dadurch sind unsre Mängel nicht erledigt.
Was willst du jetzt mit deiner Fastenpredigt?
4925 Ich habe satt das ewige Wie und Wenn.
Es fehlt an Geld: nun gut, so schaff es denn!

MEPHISTOPHELES

Ich schaffe, was ihr wollt, und schaffe mehr!
Zwar ist es leicht, doch ist das Leichte schwer;
es liegt schon da, doch um es zu erlangen, —
4930 das ist die Kunst! — Wer weiß es anzufangen?
Bedenkt doch nur: in jenen Schreckensläuften,
wo Menschenfluten Land und Volk ersäuften,

wie der und der, so sehr es ihn erschreckte,
sein Liebstes da- und dortwohin versteckte.
4935 So war's von je in mächtiger Römer Zeit,
und so fortan, bis gestern, ja bis heut.
Das alles liegt im Boden still begraben:
der Boden ist des Kaisers, der soll's haben!

SCHATZMEISTER

Für einen Narren spricht er gar nicht schlecht;
4940 das ist fürwahr des alten Kaisers Recht.

KANZLER

Der Satan legt euch goldgewirkte Schlingen!
Es geht nicht zu mit frommen, rechten Dingen.

MARSCHALK

Schafft' er uns nur zu Hof willkommne Gaben,
ich wollte gern ein bißchen unrecht haben.

HEERMEISTER

4945 Der Narr ist klug, verspricht, was jedem frommt;
fragt der Soldat doch nicht, woher es kommt.

MEPHISTOPHELES

Und glaubt ihr euch vielleicht durch mich betrogen,
hier steht ein Mann! Da, fragt den Astrologen!
In Kreis' um Kreise kennt er Stund' und Haus. —
4950 So sage denn: wie sieht's am Himmel aus?

GEMURMEL

Zwei Schelme sind's — Verstehn sich schon —
Narr und Phantast — So nah dem Thron —
Ein mattgesungen — Alt Gedicht —
Der Tor bläst ein — Der Weise spricht —

ASTROLOG *spricht, Mephistopheles bläst ein:*

4955 Die Sonne selbst, sie ist ein lautres Gold;
Merkur, der Bote, dient um Gunst und Sold;
Frau Venus hat's euch allen angetan,
so früh als spat blickt sie euch lieblich an;
die keusche Luna launet grillenhaft;
4960 Mars, trifft er nicht, so dräut euch seine Kraft;
und Jupiter bleibt doch der schönste Schein;
Saturn ist groß, dem Auge fern und klein, —
ihn als Metall verehren wir nicht sehr:
an Wert gering, doch im Gewichte schwer.

4965 Ja, wenn zu Sol sich Luna fein gesellt,
zum Silber Gold, dann ist es heitre Welt.
Das übrige ist alles zu erlangen:
Paläste, Gärten, Brüstlein, rote Wangen!
Das alles schafft der hochgelahrte Mann,
4970 der das vermag, was unser keiner kann.

KAISER

Ich höre doppelt, was er spricht,
und dennoch überzeugt's mich nicht.

GEMURMEL

Was soll uns das? — Gedroschner Spaß —
Kalenderei — Chymisterei —
4975 Das hört' ich oft — Und falsch gehofft —
Und kommt er auch — So ist's ein Gauch —

MEPHISTOPHELES

Da stehen sie umher und staunen,
vertrauen nicht dem hohen Fund;
der eine faselt von Alraunen,
4980 der andre von dem schwarzen Hund.
Was soll es, daß der eine witzelt,
ein andrer Zauberei verklagt,
wenn ihm doch auch einmal die Sohle kitzelt,
wenn ihm der sichre Schritt versagt?

4985 Ihr alle fühlt geheimes Wirken
der ewig waltenden Natur,
und aus den untersten Bezirken
schmiegt sich herauf lebend'ge Spur.
Wenn es in allen Gliedern zwackt,
4990 wenn es unheimlich wird am Platz,
nur gleich entschlossen grabt und hackt:
da liegt der Spielmann, liegt der Schatz!

GEMURMEL

Mir liegt's im Fuß wie Bleigewicht —
Mir krampft's im Arme — Das ist Gicht —
4995 Mir krabbelt's an der großen Zeh' —
Mir tut der ganze Rücken weh —
Nach solchen Zeichen wäre hier
das allerreichste Schatzrevier.

KAISER

Nur eilig! Du entschlüpfst nicht wieder:
5000 erprobe deine Lügenschäume
und zeig uns gleich die edlen Räume!
Ich lege Schwert und Zepter nieder
und will mit eignen hohen Händen,
wenn du nicht lügst, das Werk vollenden, —
5005 dich, wenn du lügst, zur Hölle senden!

MEPHISTOPHELES

Den Weg dahin wüßt' allenfalls zu finden! —
Doch kann ich nicht genug verkünden,
was überall besitzlos harrend liegt.
Der Bauer, der die Furche pflügt,
5010 hebt einen Goldtopf mit der Scholle;
Salpeter hofft er von der Leimenwand
und findet golden-goldne Rolle
erschreckt, erfreut, in kümmerlicher Hand.
Was für Gewölbe sind zu sprengen,
5015 in welchen Klüften, welchen Gängen
muß sich der Schatzbewußte drängen
zur Nachbarschaft der Unterwelt!
In weiten, altverwahrten Kellern,
von goldnen Humpen, Schüsseln, Tellern
5020 sieht er sich Reihen aufgestellt.
Pokale stehen aus Rubinen;
und will er deren sich bedienen,
daneben liegt uraltes Naß.
Doch — werdet ihr dem Kundigen glauben? —
5025 verfault ist längst das Holz der Dauben;
der Weinstein schuf dem Wein ein Faß!
Essenzen solcher edlen Weine,
Gold und Juwelen nicht alleine,
umhüllen sich mit Nacht und Graus.
5030 Der Weise forscht hier unverdrossen;
am Tag erkennen, das sind Possen:
im Finstern sind Mysterien zu Haus.

KAISER

Die lass' ich dir! Was will das Düstre frommen?
Hat etwas Wert, es muß zutage kommen.
5035 Wer kennt den Schelm in tiefer Nacht genau?
Schwarz sind die Kühe, so die Katzen grau.

Die Töpfe drunten, voll von Goldgewicht,
zieh deinen Pflug und ackre sie ans Licht!

MEPHISTOPHELES

Nimm Hack' und Spaten, grabe selber!
5040   Die Bauernarbeit macht dich groß,
und eine Herde goldner Kälber,
sie reißen sich vom Boden los.
Dann ohne Zaudern, mit Entzücken
kannst du dich selbst, wirst die Geliebte schmücken:
5045   ein leuchtend Farb- und Glanzgestein erhöht
die Schönheit wie die Majestät.

KAISER

Nur gleich, nur gleich! Wie lange soll es währen?

ASTROLOG, *wie oben.*

Herr, mäßige solch dringendes Begehren!
Laß erst vorbei das bunte Freudenspiel!
5050   Zerstreutes Wesen führt uns nicht zum Ziel.
Erst müssen wir in Fassung uns versühnen,
das Untre durch das Obere verdienen.
Wer Gutes will, der sei erst gut;
wer Freude will, besänftige sein Blut;
5055   wer Wein verlangt, der keltre reife Trauben;
wer Wunder hofft, der stärke seinen Glauben.

KAISER

So sei die Zeit in Fröhlichkeit vertan!
Und ganz erwünscht kommt Aschermittwoch an.
Indessen feiern wir, auf jeden Fall,
5060   nur lustiger das wilde Karneval.

Trompeten. Exeunt.

MEPHISTOPHELES

Wie sich Verdienst und Glück verketten,
das fällt den Toren niemals ein;
wenn sie den Stein der Weisen hätten,
der Weise mangelte dem Stein.

30 Weitläufiger Saal

mit Nebengemächern, verziert und aufgeputzt zur Mummen-schanz.

HEROLD

5065 Denkt nicht, ihr seid in deutschen Grenzen
von Teufels-, Narren- und Totentänzen;
ein heitres Fest erwartet euch.
Der Herr, auf seinen Römerzügen,
hat, sich zu Nutz, euch zum Vergnügen,
5070 die hohen Alpen überstiegen,
gewonnen sich ein heitres Reich.
Der Kaiser, er, an heiligen Sohlen
erbat sich erst das Recht zur Macht;
und als er ging, die Krone sich zu holen,
5075 hat er uns auch die Kappe mitgebracht.
Nun sind wir alle neugeboren;
ein jeder weltgewandte Mann
zieht sie behaglich über Kopf und Ohren;
sie ähnlet ihn verrückten Toren,
5080 er ist darunter weise, wie er kann.
Ich sehe schon, wie sie sich scharen,
sich schwankend sondern, traulich paaren;
zudringlich schließt sich Chor an Chor.
Herein, hinaus, nur unverdrossen!
5085 Es bleibt doch endlich nach wie vor
mit ihren hunderttausend Possen
die Welt ein einzig großer Tor.

GÄRTNERINNEN: *Gesang, begleitet von Mandolinen.*

Euren Beifall zu gewinnen,
schmückten wir uns diese Nacht,
5090 junge Florentinerinnen,
folgten deutschen Hofes Pracht;

tragen wir in braunen Locken
mancher heitern Blume Zier;
Seidenfäden, Seidenflocken
5095 spielen ihre Rolle hier.

17

Denn wir halten es verdienstlich,
lobenswürdig ganz und gar;
unsere Blumen, glänzend künstlich,
blühen fort das ganze Jahr.

5100 Allerlei gefärbten Schnitzeln
ward symmetrisch Recht getan;
mögt ihr Stück für Stück bewitzeln,
doch das Ganze zieht euch an.

Niedlich sind wir anzuschauen,
5105 Gärtnerinnen und galant;
denn das Naturell der Frauen
ist so nah mit Kunst verwandt.

HEROLD

Laßt die reichen Körbe sehen,
die ihr auf den Häupten traget,
5110 die sich bunt am Arme blähen!
Jeder wähle, was behaget!
Eilig, daß in Laub' und Gängen
sich ein Garten offenbare!
Würdig sind sie zu umdrängen,
5115 Krämerinnen wie die Ware.

GÄRTNERINNEN

Feilschet nun am heitern Orte,
doch kein Markten finde statt!
Und mit sinnig kurzem Worte
wisse jeder, was er hat.

OLIVENZWEIG MIT FRÜCHTEN

5120 Keinen Blumenflor beneid' ich,
allen Widerstreit vermeid' ich;
mir ist's gegen die Natur:
bin ich doch das Mark der Lande
und, zum sichern Unterpfande,
5125 Friedenszeichen jeder Flur.
Heute, hoff' ich, soll mir's glücken,
würdig schönes Haupt zu schmücken.

ÄHRENKRANZ, *golden.*

Ceres' Gaben, euch zu putzen,
werden hold und lieblich stehn:
5130 das Erwünschteste dem Nutzen
sei als eure Zierde schön.

PHANTASIEKRANZ

Bunte Blumen, Malven ähnlich,
aus dem Moos ein Wunderflor!
Der Natur ist's nicht gewöhnlich,
5135 doch die Mode bringt's hervor.

PHANTASIESTRAUSS

Meinen Namen euch zu sagen
würde Theophrast nicht wagen;
und doch hoff' ich, wo nicht allen,
aber mancher zu gefallen,
5140 der ich mich wohl eignen möchte,
wenn sie mich ins Haar verflöchte,
wenn sie sich entschließen könnte,
mir am Herzen Platz vergönnte.

ROSENKNOSPEN: *Ausforderung.*

Mögen bunte Phantasien
5145 für des Tages Mode blühen,
wunderseltsam sein gestaltet,
wie Natur sich nie entfaltet!
Grüne Stiele, goldne Glocken,
blickt hervor aus reichen Locken! —
5150 Doch wir halten uns versteckt;
glücklich, wer uns frisch entdeckt.

Wenn der Sommer sich verkündet,
Rosenknospe sich entzündet,
wer mag solches Glück entbehren?
5155 Das Versprechen, das Gewähren,
das beherrscht in Florens Reich
Blick und Sinn und Herz zugleich.

*Unter grünen Laubgängen putzen die Gärtnerinnen zierlich
ihren Kram auf.*

GÄRTNER: *Gesang, begleitet von Theorben.*

Blumen sehet ruhig sprießen,
reizend euer Haupt umzieren!
5160 Früchte wollen nicht verführen,
kostend mag man sie genießen.

Bieten bräunliche Gesichter
Kirschen, Pfirschen, Königspflaumen;
kauft! Denn gegen Zung' und Gaumen
5165 hält sich Auge schlecht als Richter.

Kommt, von allerreifsten Früchten
mit Geschmack und Lust zu speisen!
Über Rosen läßt sich dichten,
in die Äpfel muß man beißen.

5170 Sei's erlaubt, uns anzupaaren
eurem reichen Jugendflor,
und wir putzen reifer Waren
Fülle nachbarlich empor.

Unter lustigen Gewinden,
5175 in geschmückter Lauben Bucht,
alles ist zugleich zu finden:
Knospe, Blätter, Blume, Frucht.

> *Unter Wechselgesang, begleitet von Gitarren und Theorben,
> fahren beide Chöre fort, ihre Waren stufenweis in die Höhe
> zu schmücken und auszubieten.*

> *Mutter und Tochter treten auf.*

MUTTER

Mädchen, als du kamst ans Licht,
schmückt' ich dich im Häubchen;
5180 warst so lieblich von Gesicht
und so zart am Leibchen,
dachte dich sogleich als Braut,
gleich dem Reichsten angetraut,
dachte dich als Weibchen.

5185 Ach, nun ist schon manches Jahr
ungenützt verflogen,
der Sponsierer bunte Schar
schnell vorbeigezogen.
Tanztest mit dem einen flink,
5190 gabst dem andern feinen Wink
mit dem Ellenbogen.

Welches Fest man auch ersann,
ward umsonst begangen,
Pfänderspiel und Dritter Mann
5195 wollten nicht verfangen.
Heute sind die Narren los,
Liebchen, öffne deinen Schoß!
Bleibt wohl einer hangen.

> *Gespielinnen, jung und schön, gesellen sich hinzu, ein ver-
> trauliches Geplauder wird laut.*

Fischer und Vogelsteller mit Netzen, Angeln und Leimruten,
auch sonstigem Geräte, treten auf, mischen sich unter die
schönen Kinder. Wechselseitige Versuche zu gewinnen, zu
fangen, zu entgehen und festzuhalten, geben zu den angenehm-
sten Dialogen Gelegenheit.

HOLZHAUER, *treten ein, ungestüm und ungeschlacht*

Nur Platz! Nur Blöße!
5200 Wir brauchen Räume!
Wir fällen Bäume,
die krachen, schlagen;
und wenn wir tragen,
da gibt es Stöße.
5205 Zu unserm Lobe
bringt dies ins reine;
denn wirkten Grobe
nicht auch im Lande,
wie kämen Feine
5210 für sich zustande,
so sehr sie witzten?
Des seid belehret!
Denn ihr erfröret,
wenn wir nicht schwitzten.

PULCINELLE, *täppisch, fast läppisch.*

5215 Ihr seid die Toren,
gebückt geboren;
wir sind die Klugen,
die nie was trugen.
Denn unsre Kappen,
5220 Jacken und Lappen
sind leicht zu tragen;
und mit Behagen
wir immer müßig,
pantoffelfüßig,
5225 durch Markt und Haufen
einherzulaufen,
gaffend zu stehen,
uns anzukrähen;
auf solche Klänge
5230 durch Drang und Menge
aalgleich zu schlüpfen,
gesamt zu hüpfen,
vereint zu toben. —

Ihr mögt uns loben,
5235 ihr mögt uns schelten,
wir lassen's gelten.

PARASITEN, *schmeichelnd-lüstern.*

Ihr wackern Träger
und eure Schwäger,
die Kohlenbrenner,
5240 sind unsre Männer.
Denn alles Bücken,
bejah'ndes Nicken,
gewundne Phrasen,
das Doppelblasen,
5245 das wärmt und kühlet,
wie's einer fühlet,
was könnt' es frommen?
Es möchte Feuer
selbst ungeheuer
5250 vom Himmel kommen,
gäb' es nicht Scheite
und Kohlentrachten,
die Herdesbreite
zur Glut entfachten.
5255 Da brät's und prudelt's,
da kocht's und strudelt's!
Der wahre Schmecker,
der Tellerlecker,
er riecht den Braten,
5260 er ahnet Fische:
das regt zu Taten
an Gönners Tische.

TRUNKNER, *unbewußt.*

Sei mir heute nichts zuwider!
Fühle mich so frank und frei;
5265 frische Lust und heitre Lieder,
holt' ich selbst sie doch herbei.
Und so trink' ich! Trinke, trinke!
Stoßet an, ihr! Tinke, Tinke!
Du dort hinten, komm heran!
5270 Stoßet an, so ist's getan.

Schrie mein Weibchen doch entrüstet,
rümpfte diesem bunten Rock
und, wie sehr ich mich gebrüstet,
schalt mich einen Maskenstock.
5275 Doch ich trinke! Trinke, trinke!
Angeklungen! Tinke, Tinke!
Maskenstöcke, stoßet an!
Wenn es klingt, so ist's getan!

Saget nicht, daß ich verirrt bin!
5280 Bin ich doch, wo mir's behagt.
Borgt der Wirt nicht, borgt die Wirtin,
und am Ende borgt die Magd.
Immer trink' ich! Trinke, trinke!
Auf, ihr andern! Tinke, Tinke!
5285 Jeder jedem! So fortan!
Dünkt mich's doch, es sei getan.

Wie und wo ich mich vergnüge,
mag es immerhin geschehn!
Laßt mich liegen, wo ich liege,
5290 denn ich mag nicht länger stehn.

CHOR

Jeder Bruder trinke, trinke!
Toastet frisch ein Tinke, Tinke!
Sitzet fest auf Bank und Span!
Unterm Tisch dem ist's getan.

Der Herold kündigt verschiedene Poeten an: Naturdichter,
Hof- und Rittersänger, zärtliche sowie Enthusiasten. Im
Gedräng von Mitwerbern aller Art läßt keiner den andern zum
Vortrag kommen. Einer schleicht mit wenigen Worten vor-
über:

SATIRIKER

5295 Wißt ihr, was mich Poeten
erst recht erfreuen sollte?
Dürft' ich singen und reden,
was niemand hören wollte.

Die Nacht- und Grabdichter lassen sich entschuldigen, weil
sie soeben im interessantesten Gespräch mit einem frisch-
erstandenen Vampiren begriffen seien, woraus eine neue

*Dichtart sich vielleicht entwickeln könnte; der Herold muß es
gelten lassen und ruft indessen die griechische Mythologie
hervor, die, selbst in moderner Maske, weder Charakter noch
Gefälliges verliert.*

Die Grazien treten auf.

AGLAIA

Anmut bringen wir ins Leben;
5300   leget Anmut in das Geben!

HEGEMONE

Leget Anmut ins Empfangen!
Lieblich ist's, den Wunsch erlangen.

EUPHROSYNE

Und in stiller Tage Schranken
höchst anmutig sei das Danken.

Die Parzen treten auf.

ATROPOS

5305   Mich, die Älteste, zum Spinnen
hat man diesmal eingeladen;
viel zu denken, viel zu sinnen
gibt's beim zarten Lebensfaden.

Daß er euch gelenk und weich sei,
5310   wußt' ich feinsten Flachs zu sichten;
daß er glatt und schlank und gleich sei,
wird der kluge Finger schlichten.

Wolltet ihr bei Lust und Tänzen
allzu üppig euch erweisen,
5315   denkt an dieses Fadens Grenzen!
Hütet euch: er möchte reißen!

KLOTHO

Wißt, in diesen letzten Tagen
ward die Schere mir vertraut;
denn man war von dem Betragen
5320   unsrer Alten nicht erbaut.

Zerrt unnützeste Gespinste
lange sie an Licht und Luft,
Hoffnung herrlichster Gewinste
schleppt sie schneidend zu der Gruft.

5325 Doch auch ich, im Jugendwalten,
irrte mich schon hundertmal;
heute mich im Zaum zu halten,
Schere steckt im Futteral.

Und so bin ich gern gebunden,
5330 blicke freundlich diesem Ort;
ihr in diesen freien Stunden
schwärmt nur immer fort und fort!

LACHESIS

Mir, die ich allein verständig,
blieb das Ordnen zugeteilt;
5335 meine Weife, stets lebendig,
hat noch nie sich übereilt.

Fäden kommen, Fäden weifen,
jeden lenk' ich seine Bahn,
keinen lass' ich überschweifen,
5340 füg' er sich im Kreis heran.

Könnt' ich einmal mich vergessen,
wär' es um die Welt mir bang;
Stunden zählen, Jahre messen, —
und der Weber nimmt den Strang.

HEROLD

5345 Die jetzo kommen, werdet ihr nicht kennen,
wärt ihr noch so gelehrt in alten Schriften;
sie anzusehn, die so viel Übel stiften,
ihr würdet sie willkommne Gäste nennen.

Die Furien sind es, — niemand wird uns glauben —
5350 hübsch, wohlgestaltet, freundlich, jung von Jahren!
Laßt euch mit ihnen ein, ihr sollt erfahren,
wie schlangenhaft verletzen solche Tauben.

Zwar sind sie tückisch, doch am heutigen Tage,
wo jeder Narr sich rühmet seiner Mängel,
5355 auch sie verlangen nicht den Ruhm als Engel,
bekennen sich als Stadt- und Landesplage.

Die Furien treten auf.

ALEKTO

Was hilft es euch? Ihr werdet uns vertrauen,
denn wir sind hübsch und jung und Schmeichelkätzchen;
hat einer unter euch ein Liebeschätzchen,
5360 wir werden ihm so lang die Ohren krauen,

bis wir ihm sagen dürfen, Aug' in Auge,
daß sie zugleich auch dem und jenem winke,
im Kopfe dumm, im Rücken krumm, und hinke
und, wenn sie seine Braut ist, gar nichts tauge.

5365 So wissen wir die Braut auch zu bedrängen:
es hat sogar der Freund, vor wenig Wochen,
Verächtliches von ihr zu d e r gesprochen! —
Versöhnt man sich, so bleibt doch etwas hängen.

MEGÄRA

Das ist nur Spaß! Denn, sind sie erst verbunden,
5370 ich nehm' es auf und weiß in allen Fällen
das schönste Glück durch Grille zu vergällen.
Der Mensch ist ungleich, ungleich sind die Stunden,

und niemand hat Erwünschtes fest in Armen,
der sich nicht nach Erwünschterem törig sehnte
5375 vom höchsten Glück, woran er sich gewöhnte:
die Sonne flieht er, will den Frost erwarmen.

Mit diesem allen weiß ich zu gebaren
und führe her Asmodi, den Getreuen,
zu rechter Zeit Unseliges auszustreuen, —
5380 verderbe so das Menschenvolk in Paaren.

TISIPHONE

Gift und Dolch statt böser Zungen
misch' ich, schärf' ich dem Verräter!
Liebst du andre, früher, später
hat Verderben dich durchdrungen,

5385 muß der Augenblicke Süßtes
sich zu Gischt und Galle wandeln! —
Hier kein Markten, hier kein Handeln:
wie er es beging, er büßt es.

Singe keiner vom Vergeben!
5390 Felsen klag' ich meine Sache,
Echo — horch! — erwidert: ,,Rache!''
Und wer wechselt, soll nicht leben.

HEROLD

Belieb' es euch, zur Seite wegzuweichen!
Denn was jetzt kommt, ist nicht von euresgleichen.
5395 Ihr seht, wie sich ein Berg herangedrängt,
mit bunten Teppichen die Weichen stolz behängt,
ein Haupt mit langen Zähnen, Schlangenrüssel —
geheimnisvoll, doch zeig' ich euch den Schlüssel.
Im Nacken sitzt ihm zierlich-zarte Frau,
5400 mit feinem Stäbchen lenkt sie ihn genau;
die andre, droben stehend herrlich-hehr,
umgibt ein Glanz, der blendet mich zu sehr.
Zur Seite gehn gekettet edle Frauen,
die eine bang, die andre froh zu schauen;
5405 die eine wünscht, die andre fühlt sich frei.
Verkünde jede, wer sie sei!

FURCHT

Dunstige Fackeln, Lampen, Lichter
dämmern durchs verworrne Fest;
zwischen diese Truggesichter
5410 bannt mich, ach, die Kette fest.

Fort, ihr lächerlichen Lacher!
Euer Grinsen gibt Verdacht;
alle meine Widersacher
drängen mich in dieser Nacht.

5415 Hier! Ein Freund ist Feind geworden,
seine Maske kenn' ich schon!
Jener wollte mich ermorden,
nun entdeckt schleicht er davon.

Ach, wie gern in jeder Richtung
5420 flöh' ich zu der Welt hinaus;
doch von drüben droht Vernichtung,
hält mich zwischen Dunst und Graus.

HOFFNUNG

Seid gegrüßt, ihr lieben Schwestern!
Habt ihr euch schon heut und gestern
5425 in Vermummungen gefallen,
weiß ich doch gewiß von allen:
morgen wollt ihr euch enthüllen.
Und wenn wir bei Fackelscheine
uns nicht sonderlich behagen,
5430 werden wir in heitern Tagen,
ganz nach unserm eignen Willen,

bald gesellig, bald alleine,
frei durch schöne Fluren wandeln,
nach Belieben ruhn und handeln
5435 und in sorgenfreiem Leben
nie entbehren, stets erstreben;
überall willkommne Gäste,
treten wir getrost hinein:
sicherlich, es muß das Beste
5440 irgendwo zu finden sein.

KLUGHEIT

Zwei der größten Menschenfeinde,
Furcht und Hoffnung, angekettet,
halt' ich ab von der Gemeinde;
Platz gemacht! — Ihr seid gerettet.

5445 Den lebendigen Kolossen
führ' ich, seht ihr, turmbeladen,
und er wandelt unverdrossen
Schritt vor Schritt auf steilen Pfaden.

Droben aber auf der Zinne
5450 jene Göttin mit behenden,
breiten Flügeln, zum Gewinne
allerseits sich hinzuwenden, —

rings umgibt sie Glanz und Glorie,
leuchtend fern nach allen Seiten;
5455 und sie nennet sich Viktorie,
Göttin aller Tätigkeiten.

ZOILO-THERSITES

Hu! Hu! Da komm' ich eben recht!
Ich schelt' euch allzusammen schlecht!
Doch was ich mir zum Ziel ersah,
5460 ist oben Frau Viktoria.
Mit ihrem weißen Flügelpaar
sie dünkt sich wohl, sie sei ein Aar,
und wo sie sich nur hingewandt,
gehör' ihr alles Volk und Land.
5465 Doch, wo was Rühmliches gelingt,
es mich sogleich in Harnisch bringt.
Das Tiefe hoch, das Hohe tief,
das Schiefe grad, das Grade schief, —
das ganz allein macht mich gesund,
5470 so will ich's auf dem Erdenrund.

HEROLD

So treffe dich, du Lumpenhund,
des frommen Stabes Meisterstreich!
Da krümm und winde dich sogleich! —
Wie sich die Doppelzwerggestalt
5475 so schnell zum eklen Klumpen ballt! —
Doch Wunder! — Klumpen wird zum Ei,
das bläht sich auf und platzt entzwei.
Nun fällt ein Zwillingspaar heraus,
die Otter und die Fledermaus!
5480 Die eine fort im Staube kriecht,
die andre schwarz zur Decke fliegt.
Sie eilen draußen zum Verein;
da möcht' ich nicht der dritte sein.

GEMURMEL

Frisch! Dahinten tanzt man schon —
5485 Nein! Ich wollt', ich wär' davon —
Fühlst du, wie uns das umflicht,
das gespenstische Gezücht? —
Saust es mir doch übers Haar —
Ward ich's doch am Fuß gewahr —
5490 Keiner ist von uns verletzt —
Alle doch in Furcht gesetzt —
Ganz verdorben ist der Spaß —
Und die Bestien wollten das.

HEROLD

Seit mir sind bei Maskeraden
5495 Heroldspflichten aufgeladen,
wach' ich ernstlich an der Pforte,
daß euch hier am lustigen Orte
nichts Verderbliches erschleiche,
weder wanke, weder weiche.
5500 Doch ich fürchte, durch die Fenster
ziehen luftige Gespenster,
und von Spuk und Zaubereien
wüßt' ich euch nicht zu befreien.
Machte sich der Zwerg verdächtig,
5505 nun, dort hinten strömt es mächtig.
Die Bedeutung der Gestalten
möcht' ich amtsgemäß entfalten.

Aber was nicht zu begreifen,
wüßt' ich auch nicht zu erklären;
5510 helfet alle mich belehren!
    Seht ihr's durch die Menge schweifen?
Vierbespannt, ein prächtiger Wagen
wird durch alles durchgetragen;
doch er teilet nicht die Menge,
5515 nirgend seh' ich ein Gedränge.
Farbig glitzert's in der Ferne,
irrend leuchten bunte Sterne
wie von magischer Laterne,
schnaubt heran mit Sturmgewalt. —
5520 Platz gemacht! Mich schaudert's!

KNABE WAGENLENKER

                          Halt!
Rosse, hemmet eure Flügel,
fühlet den gewohnten Zügel,
meistert euch, wie ich euch meistre,
rauschet hin, wenn ich begeistre! —
5525 Diese Räume laßt uns ehren!
Schaut umher, wie sie sich mehren,
die Bewundrer, Kreis um Kreise! —
Herold, auf, nach deiner Weise,
ehe wir von euch entfliehen,
5530 uns zu schildern, uns zu nennen!
Denn wir sind Allegorien,
und so solltest du uns kennen.

HEROLD

Wüßte nicht, dich zu benennen,
eher könnt' ich dich beschreiben.

KNABE LENKER

5535 So probier's!

HEROLD

                Man muß gestehn:
erstlich bist du jung und schön.
Halbwüchsiger Knabe bist du; doch die Frauen,
sie möchten dich ganz ausgewachsen schauen.
Du scheinest mir ein künftiger Sponsierer,
5540 recht so von Haus aus ein Verführer.

KNABE LENKER

Das läßt sich hören! Fahre fort,
erfinde dir des Rätsels heitres Wort!

HEROLD

Der Augen schwarzer Blitz, die Nacht der Locken,
erheitert von juwelnem Band!
5545 Und welch ein zierliches Gewand
fließt dir von Schultern zu den Socken,
mit Purpursaum und Glitzertand!
Man könnte dich ein Mädchen schelten;
doch würdest du, zu Wohl und Weh,
5550 auch jetzo schon bei Mädchen gelten:
sie lehrten dich das ABC.

KNABE LENKER

Und dieser, der als Prachtgebilde
hier auf dem Wagenthrone prangt?

HEROLD

Er scheint ein König, reich und milde;
5555 wohl dem, der seine Gunst erlangt!
Er hat nichts weiter zu erstreben;
wo's irgend fehlte, späht sein Blick,
und seine reine Lust zu geben
ist größer als Besitz und Glück.

KNABE LENKER

5560 Hiebei darfst du nicht stehen bleiben,
du mußt ihn recht genau beschreiben.

HEROLD

Das Würdige beschreibt sich nicht.
Doch das gesunde Mondgesicht,
ein voller Mund, erblühte Wangen,
5565 die unterm Schmuck des Turbans prangen,
im Faltenkleid ein reich Behagen!
Was soll ich von dem Anstand sagen?
Als Herrscher scheint er mir bekannt.

KNABE LENKER

Plutus, des Reichtums Gott genannt!
5570 Derselbe kommt in Prunk daher,
der hohe Kaiser wünscht ihn sehr.

HEROLD

Sag von dir selber auch das Was und Wie!

KNABE LENKER

Bin die Verschwendung, bin die Poesie;
bin der Poet, der sich vollendet,
5575 wenn er sein eigenst Gut verschwendet.
Auch ich bin unermeßlich reich
und schätze mich dem Plutus gleich,
beleb' und schmück' ihm Tanz und Schmaus;
das, was ihm fehlt, das teil' ich aus.

HEROLD

5580 Das Prahlen steht dir gar zu schön,
doch laß uns deine Künste sehn!

KNABE LENKER

Hier seht mich nur ein Schnippchen schlagen,
schon glänzt's und glitzert's um den Wagen.
Da springt eine Perlenschnur hervor!
Immerfort umherschnippend.
5585 Nehmt goldne Spange für Hals und Ohr;
auch Kamm und Krönchen ohne Fehl,
in Ringen köstlichstes Juwel!
Auch Flämmchen spend' ich dann und wann,
erwartend, wo es zünden kann.

HEROLD

5590 Wie greift und hascht die liebe Menge!
Fast kommt der Geber ins Gedränge.
Kleinode schnippt er wie ein Traum,
und alles hascht im weiten Raum.
Doch da erleb' ich neue Pfiffe:
5595 was einer noch so emsig griffe,
des hat er wirklich schlechten Lohn,
die Gabe flattert ihm davon.
Es löst sich auf das Perlenband,
ihm krabbeln Käfer in der Hand,
5600 er wirft sie weg, der arme Tropf,
und sie umsummen ihm den Kopf.
Die andern, statt solider Dinge,
erhaschen frevle Schmetterlinge.
Wie doch der Schelm so viel verheißt
5605 und nur verleiht, was golden gleißt!

KNABE LENKER

Zwar Masken, merk' ich, weißt du zu verkünden;
allein der Schale Wesen zu ergründen
sind Herolds Hofgeschäfte nicht;
das fordert schärferes Gesicht.
5610 Doch hüt' ich mich vor jeder Fehde;
an dich, Gebieter, wend' ich Frag' und Rede.

Zu Plutus gewendet.

Hast du mir nicht die Windesbraut
des Viergespannes anvertraut?
Lenk' ich nicht glücklich, wie du leitest?
5615 Bin ich nicht da, wohin du deutest?
Und wußt' ich nicht auf kühnen Schwingen
für dich die Palme zu erringen?
Wie oft ich auch für dich gefochten,
mir ist es jederzeit geglückt:
5620 wenn Lorbeer deine Stirne schmückt,
hab' ich ihn nicht mit Sinn und Hand geflochten?

PLUTUS

Wenn's nötig ist, daß ich dir Zeugnis leiste,
so sag' ich gern: bist Geist von meinem Geiste.
Du handelst stets nach meinem Sinn,
5625 bist reicher, als ich selber bin.
Ich schätze, deinen Dienst zu lohnen,
den grünen Zweig vor allen meinen Kronen.
Ein wahres Wort verkünd' ich allen:
mein lieber Sohn, an dir hab' ich Gefallen.

KNABE LENKER, *zur Menge.*

5630 Die größten Gaben meiner Hand,
seht, hab' ich ringsumher gesandt:
auf dem und jenem Kopfe glüht
ein Flämmchen, das ich angesprüht;
von einem zu dem andern hüpft's,
5635 an diesem hält sich's, dem entschlüpft's,
gar selten aber flammt's empor
und leuchtet rasch in kurzem Flor;
doch vielen, eh' man's noch erkannt,
verlischt es, traurig ausgebrannt.

WEIBERGEKLATSCH

5640 Da droben auf dem Viergespann,
das ist gewiß ein Scharlatan,
gekauzt da hintendrauf, Hanswurst,
doch abgezehrt von Hunger und Durst,
wie man ihn niemals noch erblickt;
5645 er fühlt wohl nicht, wenn man ihn zwickt.

DER ABGEMAGERTE

Vom Leibe mir, ekles Weibsgeschlecht!
Ich weiß, dir komm' ich niemals recht. —
Wie noch die Frau den Herd versah,
da hieß ich *Avaritia;*
5650 da stand es gut um unser Haus:
nur viel herein und nichts hinaus!
Ich eiferte für Kist' und Schrein;
das sollte wohl gar ein Laster sein!
Doch als in allerneusten Jahren
5655 das Weib nicht mehr gewohnt zu sparen
und, wie ein jeder böser Zahler,
weit mehr Begierden hat als Taler,
da bleibt dem Manne viel zu dulden:
wo er nur hinsieht, da sind Schulden.
5660 Sie wendet's, kann sie was erspulen,
an ihren Leib, an ihren Buhlen;
auch speist sie besser, trinkt noch mehr
mit der Sponsierer leidigem Heer;
das steigert mir des Goldes Reiz:
5665 bin männlichen Geschlechts — DER GEIZ!

HAUPTWEIB

Mit Drachen mag der Drache geizen;
ist's doch am Ende Lug und Trug!
Er kommt, die Männer aufzureizen;
sie sind schon unbequem genug.

WEIBER, *in Masse.*

5670 Der Strohmann! Reich ihm eine Schlappe!
Was will das Marterholz uns dräun?
Wir sollen seine Fratze scheun!
Die Drachen sind von Holz und Pappe.
Frisch an und dringt auf ihn hinein!

HEROLD

5675 Bei meinem Stabe! Ruh gehalten! —
Doch braucht es meiner Hülfe kaum:
seht, wie die grimmen Ungestalten,
bewegt im rasch gewonnenen Raum,
das Doppel-Flügelpaar entfalten!
5680 Entrüstet schütteln sich der Drachen
umschuppte, feuerspeiende Rachen;
die Menge flieht, rein ist der Platz.

Plutus steigt vom Wagen.

HEROLD

Er tritt herab, wie königlich!
Er winkt, die Drachen rühren sich,
5685 die Kiste haben sie vom Wagen
mit Gold und Geiz herangetragen,
sie steht zu seinen Füßen da:
ein Wunder ist es, wie's geschah.

PLUTUS, *zum Lenker*.

Nun bist du los der allzulästigen Schwere,
5690 bist frei und frank; nun frisch zu deiner Sphäre!
Hier ist sie nicht! Verworren, scheckig, wild
umdrängt uns hier ein fratzenhaft Gebild.
Nur wo du klar ins holde Klare schaust,
dir angehörst und dir allein vertraust,
5695 dorthin, wo Schönes, Gutes nur gefällt, —
zur Einsamkeit! — Da schaffe deine Welt!

KNABE LENKER

So acht' ich mich als werten Abgesandten,
so lieb' ich dich als nächsten Anverwandten.
Wo du verweilst, ist Fülle; wo ich bin,
5700 fühlt jeder sich im herrlichsten Gewinn.
Auch schwankt er oft im widersinnigen Leben:
soll er sich dir, soll er sich mir ergeben?
Die Deinen freilich können müßig ruhn,
doch wer mir folgt, hat immer was zu tun.
5705 Nicht insgeheim vollführ' ich meine Taten;
ich atme nur, und schon bin ich verraten. —
So lebe wohl! Du gönnst mir ja mein Glück;
doch ldisple leis, und gleich bin ich zurück.

Ab, wie er kam.

PLUTUS

Nun ist es Zeit, die Schätze zu entfesseln!
5710 Die Schlösser treff' ich mit des Herolds Rute.
Es tut sich auf! Schaut her! In ehrnen Kesseln
entwickelt sich's und wallt von goldnem Blute,
zunächst der Schmuck von Kronen, Ketten, Ringen;
es schwillt und droht, ihn schmelzend zu verschlingen.

WECHSELGESCHREI DER MENGE

5715 Seht hier! — O hin! — Wie's reichlich quillt,
die Kiste bis zum Rande füllt! —
Gefäße, goldne, schmelzen sich,
gemünzte Rollen wälzen sich. —
Dukaten hüpfen wie geprägt,
5720 o, wie mir das den Busen regt! —
Wie schau' ich alle mein Begehr!
Da kollern sie am Boden her. —
Man bietet's euch, benutzt's nur gleich
und bückt euch nur und werdet reich! —
5725 Wir andern, rüstig wie der Blitz,
wir nehmen den Koffer in Besitz!

HEROLD

Was soll's? Ihr Toren! Soll mir das?
Es ist ja nur ein Maskenspaß.
Heut abend wird nicht mehr begehrt;
5730 glaubt ihr, man geb' euch Gold und Wert?
Sind doch für euch in diesem Spiel
selbst Rechenpfennige zu viel!
Ihr Täppischen! Ein artiger Schein
soll gleich die plumpe Wahrheit sein.
5735 Was soll euch Wahrheit? Dumpfen Wahn
packt ihr an allen Zipfeln an! —
Vermummter Plutus, Maskenheld,
schlag dieses Volk mir aus dem Feld!

PLUTUS

Dein Stab ist wohl dazu bereit,
5740 verleih ihn mir auf kurze Zeit! —
Ich tauch' ihn rasch in Sud und Glut. —
Nun, Masken, seid auf eurer Hut!
Wie's blitzt und platzt, in Funken sprüht!
Der Stab, schon ist er angeglüht.

5745 Wer sich zu nah herangedrängt,
ist unbarmherzig gleich versengt. —
Jetzt fang' ich meinen Umgang an.

GESCHREI und GEDRÄNG

O weh! Es ist um uns getan! —
Entfliehe, wer entfliehen kann! —
5750 Zurück, zurück, du Hintermann! —
Mir sprüht es heiß ins Angesicht. —
Mich drückt des glühenden Stabs Gewicht. —
Verloren sind wir all' und all'! —
Zurück, zurück, du Maskenschwall!
5755 Zurück, zurück, unsinniger Hauf!
O, hätt' ich Flügel, flög' ich auf. —

PLUTUS

Schon ist der Kreis zurückgedrängt,
und niemand, glaub' ich, ist versengt.
Die Menge weicht,
5760 sie ist verscheucht. —
Doch solcher Ordnung Unterpfand
zieh' ich ein unsichtbares Band.

HEROLD

Du hast ein herrlich Werk vollbracht;
wie dank' ich deiner klugen Macht!

PLUTUS

5765 Noch braucht es, edler Freund, Geduld:
es droht noch mancherlei Tumult.

GEIZ

So kann man doch, wenn es beliebt,
vergnüglich diesen Kreis beschauen;
denn immerfort sind vornenan die Frauen,
5770 wo's was zu gaffen, was zu naschen gibt.
Noch bin ich nicht so völlig eingerostet!
Ein schönes Weib ist immer schön, —
und heute, weil es mich nichts kostet,
so wollen wir getrost sponsieren gehn.
5775 Doch weil am überfüllten Orte
nicht jedem Ohr vernehmlich alle Worte,
versuch' ich klug und hoff', es soll mir glücken,
mich pantomimisch deutlich auszudrücken.

Hand, Fuß, Gebärde reicht mir da nicht hin,
5780 da muß ich mich um einen Schwank bemühn:
wie feuchten Ton will ich das Gold behandeln,
denn dies Metall läßt sich in alles wandeln.

HEROLD

Was fängt der an, der magre Tor!
Hat so ein Hungermann Humor?
5785 Er knetet alles Gold zu Teig,
ihm wird es untern Händen weich;
wie er es drückt und wie es ballt,
bleibt's immer doch nur ungestalt.
Er wendet sich zu den Weibern dort,
5790 sie schreien alle, möchten fort,
gebärden sich gar widerwärtig;
der Schalk erweist sich übelfertig.
Ich fürchte, daß er sich ergötzt,
wenn er die Sittlichkeit verletzt.
5795 Dazu darf ich nicht schweigsam bleiben·
gib meinen Stab, ihn zu vertreiben.

PLUTUS

Er ahnet nicht, was uns von außen droht;
laß ihn die Narrenteidung treiben!
Ihm wird kein Raum für seine Possen bleiben;
5800 Gesetz ist mächtig, mächtiger ist die Not.

GETÜMMEL und GESANG

Das wilde Heer, es kommt zumal
von Bergeshöh' und Waldestal,
unwiderstehlich schreitet's an:
sie feiern ihren großen Pan.
5805 Sie wissen doch, was keiner weiß,
und drängen in den leeren Kreis.

PLUTUS

Ich kenn' euch wohl und euren großen Pan!
Zusammen habt ihr kühnen Schritt getan.
Ich weiß recht gut, was nicht ein jeder weiß,
5810 und öffne schuldig diesen engen Kreis. —
Mag sie ein gut Geschick begleiten!
Das Wunderlichste kann geschehn;
sie wissen nicht, wohin sie schreiten,
sie haben sich nicht vorgesehn.

WILDGESANG

5815 Geputztes Volk du, Flitterschau!
Sie kommen roh, sie kommen rauh,
in hohem Sprung, in raschem Lauf;
sie treten derb und tüchtig auf.

FAUNEN

Die Faunenschar
5820 im lustigen Tanz,
den Eichenkranz
im krausen Haar!
Ein feines, zugespitztes Ohr
dringt an dem Lockenkopf hervor,
5825 ein stumpfes Näschen, ein breit Gesicht, —
das schadet alles bei Frauen nicht:
dem Faun, wenn er die Patsche reicht,
versagt die Schönste den Tanz nicht leicht.

SATYR

Der Satyr hüpft nun hinterdrein
5830 mit Ziegenfuß und dürrem Bein,
ihm sollen sie mager und sehnig sein,
und gemsenartig auf Bergeshöh'n
belustigt er sich umherzusehn.
In Freiheitsluft erquickt alsdann,
5835 verhöhnt er Kind und Weib und Mann,
die tief in Tales Dampf und Rauch
behaglich meinen, sie lebten auch,
da ihm doch rein und ungestört
die Welt dort oben allein gehört.

GNOMEN

5840 Da trippelt ein die kleine Schar,
sie hält nicht gern sich Paar und Paar;
im moosigen Kleid mit Lämplein hell
bewegt sich's durcheinander schnell,
wo jedes für sich selber schafft,
5845 wie Leuchtameisen wimmelhaft,
und wuselt emsig hin und her,
beschäftigt in die Kreuz und Quer.

Den frommen Gütchen nah verwandt,
als Felschirurgen wohlbekannt,
5850 die hohen Berge schröpfen wir,
aus vollen Adern schöpfen wir;

Metalle stürzen wir zuhauf,
mit Gruß getrost: „Glückauf! Glückauf!"
Das ist von Grund aus wohlgemeint:
5855 wir sind der guten Menschen Freund'.
Doch bringen wir das Gold zutag',
damit man stehlen und kuppeln mag,
nicht Eisen fehle dem stolzen Mann,
der allgemeinen Mord ersann.
5860 Und wer die drei Gebot' veracht't,
sich auch nichts aus den andern macht.
Das alles ist nicht unsre Schuld,
drum habt so fort, wie wir, Geduld!

RIESEN

Die wilden Männer sind s' genannt,
5865 am Harzgebirge wohlbekannt,
natürlich-nackt in aller Kraft,
sie kommen sämtlich riesenhaft,
den Fichtenstamm in rechter Hand
und um den Leib ein wulstig Band,
5870 den derbsten Schurz von Zweig und Blatt, —
Leibwache, wie der Papst nicht hat.

NYMPHEN: *im Chor.*

Sie umschließen den großen Pan.

Auch kommt er an! —
Das All der Welt
wird vorgestellt
5875 im großen Pan.
Ihr Heitersten, umgebet ihn,
im Gaukeltanz umschwebet ihn!
Denn weil er ernst und gut dabei,
so will er, daß man fröhlich sei.
5880 Auch unterm blauen Wölbedach
verhielt' er sich beständig wach;
doch rieseln ihm die Bäche zu,
und Lüftlein wiegen ihn mild in Ruh.
Und wenn er zu Mittage schläft,
5885 sich nicht das Blatt am Zweige regt;
gesunder Pflanzen Balsamduft
erfüllt die schweigsam stille Luft;
die Nymphe darf nicht munter sein,
und wo sie stand, da schläft sie ein.

5890 Wenn unerwartet mit Gewalt
dann aber seine Stimm' erschallt
wie Blitzesknattern, Meergebraus,
dann niemand weiß, wo ein noch aus,
zerstreut sich tapfres Heer im Feld,
5895 und im Getümmel bebt der Held.
So Ehre dem, dem Ehre gebührt,
und Heil ihm, der uns hergeführt!

DEPUTATION DER GNOMEN AN DEN GROSSEN PAN

Wenn das glänzend-reiche Gute
fadenweis durch Klüfte streicht,
5900 nur der klugen Wünschelrute
seine Labyrinthe zeigt,

wölben wir in dunklen Grüften
troglodytisch unser Haus,
und an reinen Tageslüften
5905 teilst du Schätze gnädig aus.

Nun entdecken wir hieneben
eine Quelle wunderbar,
die bequem verspricht zu geben,
was kaum zu erreichen war.

5910 Dies vermagst du zu vollenden,
nimm es, Herr, in deine Hut:
jeder Schatz in deinen Händen
kommt der ganzen Welt zugut.

PLUTUS, *zum Herold.*

Wir müssen uns im hohen Sinne fassen
5915 und, was geschieht, getrost geschehen lassen;
du bist ja sonst des stärksten Mutes voll.
Nun wird sich gleich ein Greulichstes eräugnen,
hartnäckig wird es Welt und Nachwelt leugnen.
Du! Schreib es treulich in dein Protokoll!

HEROLD, *den Stab anfassend, welchen Plutus in der Hand*
behält.

5920 Die Zwerge führen den großen Pan
zur Feuerquelle sacht heran;
sie siedet auf vom tiefsten Schlund,
dann sinkt sie wieder hinab zum Grund,
und finster steht der offne Mund, —
5925 wallt wieder auf in Glut und Sud.

Der große Pan steht wohlgemut,
freut sich des wundersamen Dings,
und Perlenschaum sprüht rechts und links.
Wie mag er solchem Wesen traun?
5930 Er bückt sich tief hineinzuschaun. —
Nun aber fällt sein Bart hinein! —
Wer mag das glatte Kinn wohl sein?
Die Hand verbirgt es unserm Blick.
Nun folgt ein großes Ungeschick:
5935 der Bart entflammt und fliegt zurück,
entzündet Kranz und Haupt und Brust;
zu Leiden wandelt sich die Lust! —
Zu löschen läuft die Schar herbei,
doch keiner bleibt von Flammen frei,
5940 und wie es patscht und wie es schlägt,
wird neues Flammen aufgeregt;
verflochten in das Element,
ein ganzer Maskenklump verbrennt!

Was aber, hör' ich, wird uns kund
5945 von Ohr zu Ohr, von Mund zu Mund?
O ewig unglücksel'ge Nacht,
was hast du uns für Leid gebracht!
Verkünden wird der nächste Tag,
was niemand willig hören mag;
5950 doch hör' ich allerorten schrein:
„Der Kaiser leidet solche Pein!"
O, wäre doch ein andres wahr!
Der Kaiser brennt und seine Schar!
Sie sei verflucht, die ihn verführt,
5955 in harzig Reis sich eingeschnürt,
zu toben her mit Brüllgesang
zu allerseitigem Untergang!
O Jugend, Jugend, wirst du nie
der Freude reines Maß bezirken?
5960 O Hoheit, Hoheit, wirst du nie
vernünftig wie allmächtig wirken?

Schon geht der Wald in Flammen auf,
sie züngeln leckend spitz hinauf
zum holzverschränkten Deckenband:
5965 uns droht ein allgemeiner Brand.

Des Jammers Maß ist übervoll,
ich weiß nicht, wer uns retten soll.
Ein Aschenhaufen einer Nacht
liegt morgen reiche Kaiserpracht.

PLUTUS

5970 Schrecken ist genug verbreitet,
Hülfe sei nun eingeleitet! —
Schlage, heil'gen Stabs Gewalt,
daß der Boden bebt und schallt!
Du, geräumig weite Luft,
5975 fülle dich mit kühlem Duft!
Zieht heran, umherzuschweifen,
Nebeldünste, schwangre Streifen,
deckt ein flammendes Gewühl!
Rieselt, säuselt, Wölkchen kräuselt,
5980 schlüpfet wallend, leise dämpfet,
löschend überall bekämpfet,
ihr, die lindernden, die feuchten,
wandelt in ein Wetterleuchten
solcher eitlen Flamme Spiel! —
5985 Drohen Geister uns zu schädigen,
soll sich die Magie betätigen.

Morgensonne.

Der Kaiser. Hofleute.

Faust und Mephistopheles, anständig, nicht auffallend, nach Sitte gekleidet. Beide knieen.

FAUST

Verzeihst du, Herr, das Flammengaukelspiel?

KAISER, *zum Aufstehen winkend.*

Ich wünsche mir dergleichen Scherze viel. —
Auf einmal sah ich mich in glühnder Sphäre,
5990 es schien mir fast, als ob ich Pluto wäre.
Aus Nacht und Kohlen lag ein Felsengrund,
von Flämmchen glühend. Dem und jenem Schlund
aufwirbelten viel tausend wilde Flammen
und flackerten in ein Gewölb' zusammen.
5995 Zum höchsten Dome züngelt' es empor,
der immer ward und immer sich verlor.
Durch fernen Raum gewundner Feuersäulen
sah ich bewegt der Völker lange Zeilen,
sie drängten sich im weiten Kreis heran
6000 und huldigten, wie sie es stets getan.
Von meinem Hof erkannt' ich ein' und andern;
ich schien ein Fürst von tausend Salamandern.

MEPHISTOPHELES

Das bist du, Herr, weil jedes Element
die Majestät als unbedingt erkennt.
6005 Gehorsam Feuer hast du nun erprobt;
wirf dich ins Meer, wo es am wildsten tobt,
und kaum betrittst du perlenreichen Grund,
so bildet wallend sich ein herrlich Rund, —
siehst auf und ab lichtgrüne, schwanke Wellen
6010 mit Purpursaum zur schönsten Wohnung schwellen
um dich, den Mittelpunkt. Bei jedem Schritt,
wohin du gehst, gehn die Paläste mit.

Die Wände selbst erfreuen sich des Lebens,
pfeilschnellen Wimmlens, Hin- und Widerstrebens.
6015 Meerwunder drängen sich zum neuen, milden Schein,
sie schießen an, und keines darf herein.
Da spielen farbig goldbeschuppte Drachen,
der Haifisch klafft: du lachst ihm in den Rachen.
Wie sich auch jetzt der Hof um dich entzückt,
6020 hast du doch nie ein solch Gedräng' erblickt.
Doch bleibst du nicht vom Lieblichsten geschieden:
es nahen sich neugierige Nereiden
der prächt'gen Wohnung in der ew'gen Frische, —
die jüngsten scheu und lüstern wie die Fische,
6025 die spätern klug. Schon wird es Thetis kund,
dem zweiten Peleus reicht sie Hand und Mund.
— Den Sitz alsdann auf des Olymps Revier . . .

KAISER

Die luft'gen Räume, die erlass' ich dir:
noch früh genug besteigt man jenen Thron.

MEPHISTOPHELES

6030 Und, höchster Herr, die Erde hast du schon!

KAISER

Welch gut Geschick hat dich hieher gebracht,
unmittelbar aus Tausend-Einer-Nacht?
Gleichst du an Fruchtbarkeit Scheherazaden,
versichr' ich dich der höchsten aller Gnaden.
6035 Sei stets bereit, wenn eure Tageswelt,
wie's oft geschieht, mir widerlichst mißfällt.

MARSCHALK, *tritt eilig auf.*

Durchlauchtigster, ich dacht' in meinem Leben
vom schönsten Glück Verkündung nicht zu geben
als diese, die mich hoch beglückt,
6040 in deiner Gegenwart entzückt:
Rechnung für Rechnung ist berichtigt,
die Wucherklauen sind beschwichtigt,
los bin ich solcher Höllenpein;
im Himmel kann's nicht heitrer sein!

HEERMEISTER, *folgt eilig.*

6045 Abschläglich ist der Sold entrichtet,
das ganze Heer aufs neu' verpflichtet,
der Lanzknecht fühlt sich frisches Blut,
und Wirt und Dirnen haben's gut.

KAISER

Wie atmet eure Brust erweitert!
6050 Das faltige Gesicht erheitert!
Wie eilig tretet ihr heran!

SCHATZMEISTER, *der sich einfindet.*

Befrage diese, die das Werk getan!

FAUST

Dem Kanzler ziemt's, die Sache vorzutragen.

KANZLER, *der langsam herankommt.*

Beglückt genug in meinen alten Tagen. —
6055 So hört und schaut das schicksalschwere Blatt,
das alles Weh in Wohl verwandelt hat.

Er liest.

,,Zu wissen sei es jedem, der's begehrt:
der Zettel hier ist tausend Kronen wert.
Ihm liegt gesichert, als gewisses Pfand,
6060 Unzahl vergrabnen Guts im Kaiserland.
Nun ist gesorgt, damit der reiche Schatz,
sogleich gehoben, diene zum Ersatz.''

KAISER

Ich ahne Frevel, ungeheuren Trug!
Wer fälschte hier des Kaisers Namenszug?
6065 Ist solch Verbrechen ungestraft geblieben?

SCHATZMEISTER

Erinnre dich! Hast selbst es unterschrieben,
erst heute nacht! Du standst als großer Pan,
der Kanzler sprach mit uns zu dir heran:
,,Gewähre dir das hohe Festvergnügen,
6070 des Volkes Heil, mit wenig Federzügen!''
Du zogst sie rein, dann ward's in dieser Nacht
durch Tausendkünstler schnell vertausendfacht.
Damit die Wohltat allen gleich gedeihe,
so stempelten wir gleich die ganze Reihe:
6075 Zehn, Dreißig, Funfzig, Hundert sind parat.
Ihr denkt euch nicht, wie wohl's dem Volke tat.
Seht eure Stadt, sonst halb im Tod verschimmelt,
wie alles lebt und lustgenießend wimmelt!
Obschon dein Name längst die Welt beglückt,
6080 man hat ihn nie so freundlich angeblickt.
Das Alphabet ist nun erst überzählig:
in diesem Zeichen wird nun jeder selig.

KAISER

Und meinen Leuten gilt's für gutes Gold?
Dem Heer, dem Hofe g'nügt's zu vollem Sold?
6085 So sehr mich's wundert, muß ich's gelten lassen.

MARSCHALK

Unmöglich wär's, die Flüchtigen einzufassen;
mit Blitzeswink zerstreute sich's im Lauf.
Die Wechslerbänke stehen sperrig auf,
man honoriert daselbst ein jedes Blatt
6090 durch Gold und Silber — freilich mit Rabatt.
Nun geht's von da zum Fleischer, Bäcker, Schenken.
Die halbe Welt scheint nur an Schmaus zu denken,
wenn sich die andre neu in Kleidern bläht.
Der Krämer schneidet aus, der Schneider näht.
6095 Bei ,,Hoch dem Kaiser!" sprudelt's in den Kellern,
dort kocht's und brät's und klappert mit den Tellern.

MEPHISTOPHELES

Wer die Terrassen einsam abspaziert,
gewahrt die Schönste, herrlich aufgeziert,
ein Aug' verdeckt vom stolzen Pfauenwedel.
6100 Sie schmunzelt uns und blickt nach solcher Schedel;
und hurt'ger als durch Witz und Redekunst
vermittelt sich die reichste Liebesgunst.
Man wird sich nicht mit Börs' und Beutel plagen:
ein Blättchen ist im Busen leicht zu tragen,
6105 mit Liebesbrieflein paart's bequem sich hier;
der Priester trägt's andächtig im Brevier;
und der Soldat, um rascher sich zu wenden,
erleichtert schnell den Gürtel seiner Lenden. —
Die Majestät verzeihe, wenn ins Kleine
6110 das hohe Werk ich zu erniedern scheine.

FAUST

Das Übermaß der Schätze, das, erstarrt,
in deinen Landen tief im Boden harrt,
liegt ungenutzt. Der weiteste Gedanke
ist solchen Reichtums kümmerlichste Schranke;
6115 die Phantasie, in ihrem höchsten Flug,
sie strengt sich an und tut sich nie genug.
Doch fassen Geister, würdig, tief zu schauen,
zum Grenzenlosen grenzenlos Vertrauen.

MEPHISTOPHELES

Ein solch Papier, an Gold und Perlen Statt,
6120 ist so bequem: man weiß doch, was man hat;
man braucht nicht erst zu markten noch zu tauschen,
kann sich nach Lust in Lieb' und Wein berauschen.
Will man Metall, ein Wechsler ist bereit,
und fehlt es da, so gräbt man eine Zeit.
6125 Pokal und Kette wird verauktioniert,
und das Papier, sogleich amortisiert,
beschämt den Zweifler, der uns frech verhöhnt.
Man will nichts anders, ist daran gewöhnt.
So bleibt von nun an allen Kaiserlanden
6130 an Kleinod, Gold, Papier genug vorhanden.

KAISER

Das hohe Wohl verdankt euch unser Reich;
womöglich sei der Lohn dem Dienste gleich.
Vertraut sei euch des Reiches innrer Boden:
ihr seid der Schätze würdigste Kustoden.
6135 Ihr kennt den weiten, wohlverwahrten Hort,
und wenn man gräbt, so sei's auf euer Wort. —
Vereint euch nun, ihr Meister unsres Schatzes,
erfüllt mit Lust die Würden eures Platzes,
wo mit der obern sich die Unterwelt,
6140 in Einigkeit beglückt, zusammenstellt.

SCHATZMEISTER

Soll zwischen uns kein fernster Zwist sich regen!
Ich liebe mir den Zaubrer zum Kollegen.

Ab mit Faust.

KAISER

Beschenk' ich nun bei Hofe Mann für Mann,
gesteh' er mir, wozu er's brauchen kann.

PAGE, *empfangend.*

6145 Ich lebe lustig, heiter, guter Dinge.

EIN ANDRER, *gleichfalls.*

Ich schaffe gleich dem Liebchen Kett' und Ringe.

KÄMMERER, *annehmend.*

Von nun an trink' ich doppelt bess're Flasche.

EIN ANDRER, *gleichfalls.*

Die Würfel jucken mich schon in der Tasche.

BANNERHERR, *mit Bedacht.*

Mein Schloß und Feld, ich mach' es schuldenfrei.

EIN ANDRER, *gleichfalls.*

6150 Es ist ein Schatz, den leg' ich Schätzen bei.

KAISER

Ich hoffte Lust und Mut zu neuen Taten;
doch wer euch kennt, der wird euch leicht erraten.
Ich merk' es wohl: bei aller Schätze Flor,
wie ihr gewesen, bleibt ihr nach wie vor.

NARR, *herbeikommend.*

6155 Ihr spendet Gnaden, gönnt auch mir davon!

KAISER

Und lebst du wieder, du vertrinkst sie schon.

NARR

Die Zauberblätter! Ich versteh's nicht recht.

KAISER

Das glaub' ich wohl, denn du gebrauchst sie schlecht.

NARR

Da fallen andere; weiß nicht, was ich tu'.

KAISER

6160 Nimm sie nur hin, sie fielen dir ja zu.

Ab.

NARR

Fünftausend Kronen wären mir zuhanden!

MEPHISTOPHELES

Zweibeiniger Schlauch, bist wieder auferstanden?

NARR

Geschieht mir oft, doch nicht so gut als jetzt!

MEPHISTOPHELES

Du freust dich so, daß dich's in Schweiß versetzt.

NARR

6165 Da seht nur her! Ist das wohl Geldes wert?

MEPHISTOPHELES

Du hast dafür, was Schlund und Bauch begehrt.

NARR

Und kaufen kann ich Acker, Haus und Vieh?

MEPHISTOPHELES

Versteht sich! Biete nur, das fehlt dir nie.

NARR

Und Schloß, mit Wald und Jagd und Fischbach?

MEPHISTOPHELES

                                                 Traun!

6170 Ich möchte dich gestrengen Herrn wohl schaun!

NARR

Heut abend wieg' ich mich im Grundbesitz! —

Ab.

MEPHISTOPHELES, *solus.*

Wer zweifelt noch an unsres Narren Witz!

Faust. Mephistopheles.

MEPHISTOPHELES

Was ziehst du mich in diese düstern Gänge?
Ist nicht da drinnen Lust genug,
6175 im dichten, bunten Hofgedränge
Gelegenheit zu Spaß und Trug?

FAUST

Sag mir das nicht! Du hast's in alten Tagen
längst an den Sohlen abgetragen;
doch jetzt dein Hin- und Widergehn
6180 ist nur, um mir nicht Wort zu stehn.
Ich aber bin gequält zu tun,
der Marschalk und der Kämmrer treibt mich nun.
Der Kaiser will, — es muß sogleich geschehn —
will Helena und Paris vor sich sehn:
6185 das Musterbild der Männer so der Frauen
in deutlichen Gestalten will er schauen.
Geschwind ans Werk! Ich darf mein Wort nicht brechen.

MEPHISTOPHELES

Unsinnig war's, leichtsinnig zu versprechen.

FAUST

Du hast, Geselle, nicht bedacht,
6190 wohin uns deine Künste führen:
erst haben wir ihn reich gemacht,
nun sollen wir ihn amüsieren.

MEPHISTOPHELES

Du wähnst, es füge sich sogleich!
Hier stehen wir vor steilern Stufen:
6195 greifst in ein fremdestes Bereich,
machst frevelhaft am Ende neue Schulden,
denkst Helenen so leicht hervorzurufen
wie das Papiergespenst der Gulden! —
Mit Hexen-Fexen, mit Gespenst-Gespinsten,
6200 kielkröpfigen Zwergen steh' ich gleich zu Diensten;
doch Teufelsliebchen, wenn auch nicht zu schelten,
sie können nicht für Heroinen gelten.

51

FAUST

Da haben wir den alten Leierton!
Bei dir gerät man stets ins Ungewisse.
6205 Der Vater bist du aller Hindernisse,
für jedes Mittel willst du neuen Lohn.
Mit wenig Murmeln, weiß ich, ist's getan;
wie man sich umschaut, bringst du sie zur Stelle.

MEPHISTOPHELES

Das Heidenvolk geht mich nichts an,
6210 es haust in seiner eignen Hölle.
Doch gibt's ein Mittel . . .

FAUST

Sprich, und ohne Säumnis!

MEPHISTOPHELES

Ungern entdeck' ich höheres Geheimnis. —
Göttinnen thronen hehr in Einsamkeit,
um sie kein Ort, noch weniger eine Zeit;
6215 von ihnen sprechen ist Verlegenheit.
Die M ü t t e r sind es!

FAUST, *aufgeschreckt.*

Mütter!

MEPHISTOPHELES

Schaudert's dich?

FAUST

Die Mütter! Mütter! — 's klingt so wunderlich.

MEPHISTOPHELES

Das ist es auch. Göttinnen, ungekannt
euch Sterblichen, von uns nicht gern genannt!
6220 Nach ihrer Wohnung magst ins Tiefste schürfen;
du selbst bist schuld, daß ihrer wir bedürfen.

FAUST

Wohin der Weg?

MEPHISTOPHELES

Kein Weg! Ins Unbetretene,
nicht zu Betretende! Ein Weg ans Unerbetene,
nicht zu Erbittende! Bist du bereit? —
6225 Nicht Schlösser sind, nicht Riegel wegzuschieben,
von Einsamkeiten wirst umhergetrieben.
Hast du Begriff von Öd' und Einsamkeit?

FAUST

Du spartest, dächt' ich, solche Sprüche!
Hier wittert's nach der Hexenküche,
6230 nach einer längst vergangnen Zeit. —
Mußt' ich nicht mit der Welt verkehren,
das Leere lernen, Leeres lehren?
Sprach ich vernünftig, wie ich's angeschaut,
erklang der Widerspruch gedoppelt laut;
6235 mußt' ich sogar vor widerwärtigen Streichen
zur Einsamkeit, zur Wildernis entweichen
und, um nicht ganz versäumt, allein zu leben,
mich doch zuletzt dem Teufel übergeben!

MEPHISTOPHELES

Und hättest du den Ozean durchschwommen,
6240 das Grenzenlose dort geschaut,
so sähst du dort doch Well' auf Welle kommen,
selbst wenn es dir vorm Untergange graut.
Du sähst doch etwas: sähst wohl in der Grüne
gestillter Meere streichende Delphine;
6245 sähst Wolken ziehen, Sonne, Mond und Sterne —
nichts wirst du sehn in ewig leerer Ferne,
den Schritt nicht hören, den du tust,
nichts Festes finden, wo du ruhst.

FAUST

Du sprichst als erster aller Mystagogen,
6250 die treue Neophyten je betrogen, —
nur umgekehrt. Du sendest mich ins Leere,
damit ich dort so Kunst als Kraft vermehre, —
behandelst mich, daß ich, wie jene Katze,
dir die Kastanien aus den Gluten kratze.
6255 Nur immer zu! Wir wollen es ergründen;
in deinem Nichts hoff' ich das All zu finden.

MEPHISTOPHELES

Ich rühme dich, eh' du dich von mir trennst,
und sehe wohl, daß du den Teufel kennst;
hier diesen Schlüssel nimm!

FAUST

                                      Das kleine Ding!

MEPHISTOPHELES

6260 Erst faß ihn an und schätz ihn nicht gering!

FAUST

Er wächst in meiner Hand! Er leuchtet, blitzt!

MEPHISTOPHELES

Merkst du nun bald, was man an ihm besitzt?
Der Schlüssel wird die rechte Stelle wittern;
folg ihm hinab! Er führt dich zu den Müttern.

FAUST, *schaudernd.*

6265 Den Müttern! Trifft's mich immer wie ein Schlag!
Was ist das Wort, das ich nicht hören mag?

MEPHISTOPHELES

Bist du beschränkt, daß neues Wort dich stört?
Willst du nur hören, was du schon gehört?
Dich störe nichts, wie es auch weiter klinge,
6270 schon längst gewohnt der wunderbarsten Dinge.

FAUST

Doch im Erstarren such' ich nicht mein Heil,
das Schaudern ist der Menschheit bestes Teil;
wie auch die Welt ihm das Gefühl verteure,
ergriffen, fühlt er tief das Ungeheure.

MEPHISTOPHELES

6275 Versinke denn! Ich könnt' auch sagen: „Steige!"
's ist einerlei. Entfliehe dem Entstandnen
in der Gebilde losgebundne Reiche!
Ergötze dich am längst nicht mehr Vorhandnen!
Wie Wolkenzüge schlingt sich das Getreibe:
6280 den Schlüssel schwinge, halte sie vom Leibe!

FAUST, *begeistert.*

Wohl! Fest ihn fassend, fühl' ich neue Stärke!
Die Brust erweitert! — Hin zum großen Werke!

MEPHISTOPHELES

Ein glühnder Dreifuß tut dir endlich kund,
du seist im tiefsten, allertiefsten Grund.
6285 Bei seinem Schein wirst du die Mütter sehn.
Die einen sitzen, andre stehn und gehn,
wie's eben kommt: Gestaltung, Umgestaltung,
des ewigen Sinnes ewige Unterhaltung.
Umschwebt von Bildern aller Kreatur,
6290 sie sehn dich nicht, denn Schemen sehn sie nur.

Da faß ein Herz, denn die Gefahr ist groß,
und gehe grad auf jenen Dreifuß los,
berühr ihn mit dem Schlüssel!

> *Faust macht eine entschieden gebietende Attitüde mit dem*
> *Schlüssel.*

MEPHISTOPHELES, *ihn betrachtend.*

           So ist's recht!
Er schließt sich an, er folgt als treuer Knecht;
6295 gelassen steigst du, dich erhebt das Glück,
und eh' sie's merken, bist mit ihm zurück.
Und hast du ihn einmal hierher gebracht,
so rufst du Held und Heldin aus der Nacht,
der erste, der sich jener Tat erdreistet;
6300 sie ist getan, und du hast es geleistet.
Dann muß fortan, nach magischem Behandeln,
der Weihrauchsnebel sich in Götter wandeln.

FAUST

Und nun was jetzt?

MEPHISTOPHELES

           Dein Wesen strebe nieder;
versinke stampfend, stampfend steigst du wieder.

> *Faust stampft und versinkt.*

MEPHISTOPHELES

6305 Wenn ihm der Schlüssel nur zum besten frommt!
Neugierig bin ich, ob er wiederkommt.

Kaiser und Fürsten. Hof in Bewegung.

KÄMMERER, *zu Mephistopheles.*

Ihr seid uns noch die Geisterszene schuldig;
macht euch daran! Der Herr ist ungeduldig.

MARSCHALK

Soeben fragt der Gnädigste darnach;
6310 ihr, zaudert nicht der Majestät zur Schmach!

MEPHISTOPHELES

Ist mein Kumpan doch deshalb weggegangen!
Er weiß schon, wie es anzufangen,
und laboriert verschlossen still,
muß ganz besonders sich befleißen;
6315 denn wer den Schatz, das Schöne, heben will,
bedarf der höchsten Kunst, Magie der Weisen.

MARSCHALK

Was ihr für Künste braucht, ist einerlei,
der Kaiser will, daß alles fertig sei.

BLONDINE, *zu Mephistopheles.*

Ein Wort, mein Herr! Ihr seht ein klar Gesicht,
6320 jedoch so ist's im leidigen Sommer nicht!
Da sprossen hundert bräunlich-rote Flecken,
die zum Verdruß die weiße Haut bedecken.
Ein Mittel!

MEPHISTOPHELES

          Schade, so ein leuchtend Schätzchen,
im Mai getupft wie eure Pantherkätzchen!
6325 Nehmt Froschlaich, Krötenzungen, kohobiert,
im vollsten Mondlicht sorglich distilliert
und, wenn er abnimmt, reinlich aufgestrichen:
der Frühling kommt, die Tupfen sind entwichen!

BRAUNE

Die Menge drängt heran, Euch zu umschranzen.
6330 Ich bitt' um Mittel! Ein erfrorner Fuß
verhindert mich am Wandeln wie am Tanzen;
selbst ungeschickt beweg' ich mich zum Gruß.

MEPHISTOPHELES

Erlaubet einen Tritt von meinem Fuß!

BRAUNE

Nun, das geschieht wohl unter Liebesleuten.

MEPHISTOPHELES

6335 Mein Fußtritt, Kind, hat Größres zu bedeuten.
Zu Gleichem Gleiches, was auch einer litt!
Fuß heilet Fuß, so ist's mit allen Gliedern.
Heran! — Gebt acht! Ihr sollt es nicht erwidern.

BRAUNE, *schreiend.*

Weh! weh! Das brennt! Das war ein harter Tritt,
6340 wie Pferdehuf!

MEPHISTOPHELES

Die Heilung nehmt Ihr mit.
Du kannst nunmehr den Tanz mit Lust verüben,
bei Tafel schwelgend füßle mit dem Lieben!

DAME, *herandringend.*

Laßt mich hindurch! — Zu groß sind meine Schmerzen,
sie wühlen siedend mir im tiefsten Herzen:
6345 bis gestern sucht er Heil in meinen Blicken,
er schwatzt mit ihr und wendet mir den Rücken.

MEPHISTOPHELES

Bedenklich ist es, aber höre mich:
an ihn heran mußt du dich leise drücken;
nimm diese Kohle, streich ihm einen Strich
6350 auf Ärmel, Mantel, Schulter, wie sich's macht:
er fühlt im Herzen holden Reuestich.
Die Kohle doch mußt du sogleich verschlingen,
nicht Wein, nicht Wasser an die Lippen bringen;
er seufzt vor deiner Tür noch heute nacht.

DAME

6355 Ist doch kein Gift?

MEPHISTOPHELES, *entrüstet.*

Respekt, wo sich's gebührt!
Weit müßtet Ihr nach solcher Kohle laufen;
sie kommt von einem Scheiterhaufen,
den wir sonst emsiger angeschürt.

PAGE

Ich bin verliebt; man hält mich nicht für voll.

MEPHISTOPHELES, *beiseite.*

6360 Ich weiß nicht mehr, wohin ich hören soll.

Zum Pagen.

Müßt Euer Glück nicht auf die Jüngste setzen.
Die Angejahrten wissen Euch zu schätzen.

Andere drängen sich herzu.

Schon wieder Neue! Welch ein harter Strauß!
Ich helfe mir zuletzt mit Wahrheit aus:
6365 der schlechteste Behelf! Die Not ist groß. —
O Mütter, Mütter! Laßt nur Fausten los!

Umherschauend.

Die Lichter brennen trübe schon im Saal,
der ganze Hof bewegt sich auf einmal.
Anständig seh' ich sie in Folge ziehn
6370 durch lange Gänge, ferne Galerien.
Nun! Sie versammeln sich im weiten Raum
des alten Rittersaals, er faßt sie kaum.
Auf breite Wände Teppiche spendiert,
mit Rüstung Eck' und Nischen ausgeziert. —
6375 Hier braucht es, dächt' ich, keine Zauberworte;
die Geister finden sich von selbst zum Orte.

34 Rittersaal

Dämmernde Beleuchtung.

Kaiser und Hof sind eingezogen.

HEROLD

Mein alt Geschäft, das Schauspiel anzukünden,
verkümmert mir der Geister heimlich Walten;
vergebens wagt man, aus verständigen Gründen
6380 sich zu erklären das verworrene Schalten.
Die Sessel sind, die Stühle schon zur Hand;
den Kaiser setzt man grade vor die Wand;
auf den Tapeten mag er da die Schlachten
der großen Zeit bequemlichstens betrachten.
6385 Hier sitzt nun alles, Herr und Hof, im Runde,
die Bänke drängen sich im Hintergrunde;
auch Liebchen hat, in düstern Geisterstunden,
zur Seite Liebchens lieblich Raum gefunden.
Und so, da alle schicklich Platz genommen,
6390 sind wir bereit: die Geister mögen kommen!

Posaunen.

ASTROLOG

Beginne gleich das Drama seinen Lauf!
Der Herr befiehlt's. Ihr Wände, tut euch auf!
Nichts hindert mehr, hier ist Magie zur Hand:
die Tepp'che schwinden, wie gerollt vom Brand;
6395 die Mauer spaltet sich, sie kehrt sich um,
ein tief Theater scheint sich aufzustellen,
geheimnisvoll ein Schein uns zu erhellen,
und ich besteige das Proszenium.

MEPHISTOPHELES, *aus dem Souffleurloche auftauchend.*

Von hier aus hoff' ich allgemeine Gunst:
6400 Einbläsereien sind des Teufels Redekunst.

Zum Astrologen.

Du kennst den Takt, in dem die Sterne gehn,
und wirst mein Flüstern meisterlich verstehn.

ASTROLOG

Durch Wunderkraft erscheint allhier zur Schau,
massiv genug, ein alter Tempelbau.
6405 Dem Atlas gleich, der einst den Himmel trug,
stehn reihenweis der Säulen hier genug;
sie mögen wohl der Felsenlast genügen,
da zweie schon ein groß Gebäude trügen.

ARCHITEKT

Das wär' antik! Ich wüßt' es nicht zu preisen!
6410 Es sollte plump und überlästig heißen.
Roh nennt man edel, unbehülflich groß.
Schmalpfeiler lieb' ich, strebend, grenzenlos;
spitzbögiger Zenith erhebt den Geist:
solch ein Gebäu erbaut uns allermeist.

ASTROLOG

6415 Empfangt mit Ehrfurcht sterngegönnte Stunden!
Durch magisch Wort sei die Vernunft gebunden;
dagegen weit heran bewege frei
sich herrliche, verwegne Phantasei!
Mit Augen schaut nun, was ihr kühn begehrt!
6420 Unmöglich ist's, drum eben glaubenswert.

Faust steigt auf der andern Seite des Proszeniums herauf.

ASTROLOG

Im Priesterkleid, bekränzt, ein Wundermann,
der nun vollbringt, was er getrost begann!
Ein Dreifuß steigt mit ihm aus hohler Gruft,
schon ahn' ich aus der Schale Weihrauchduft,
6425 Er rüstet sich, das hohe Werk zu segnen;
es kann fortan nur Glückliches begegnen.

FAUST, *großartig.*

In eurem Namen, Mütter, die ihr thront
im Grenzenlosen, ewig einsam wohnt —
und doch gesellig! Euer Haupt umschweben
6430 des Lebens Bilder, regsam, ohne Leben.
Was einmal war, in allem Glanz und Schein,
es regt sich dort, denn es will ewig sein.
Und ihr verteilt es, allgewaltige Mächte,
zum Zelt des Tages, zum Gewölb' der Nächte.
6435 Die einen faßt des Lebens holder Lauf,
die andern sucht der kühne Magier auf;

in reicher Spende läßt er, voll Vertrauen,
was jeder wünscht, das Wunderwürdige, schauen.

ASTROLOG

Der glühnde Schlüssel rührt die Schale kaum,
6440 ein dunstiger Nebel deckt sogleich den Raum;
er schleicht sich ein, er wogt nach Wolkenart,
gedehnt, geballt, verschränkt, geteilt, gepaart.
Und nun erkennt ein Geister-Meister-Stück:
sowie sie wandeln, machen sie Musik!
6445 Aus luft'gen Tönen quillt ein Weißnichtwie,
indem sie ziehn, wird alles Melodie.
Der Säulenschaft, auch die Triglyphe klingt, —
ich glaube gar, der ganze Tempel singt.
Das Dunstige senkt sich; aus dem leichten Flor
6450 ein schöner Jüngling tritt im Takt hervor.
Hier schweigt mein Amt, ich brauch' ihn nicht zu nennen:
wer sollte nicht den holden Paris kennen!

Paris tritt hervor.

DAME

O, welch ein Glanz aufblühender Jugendkraft!

ZWEITE

Wie eine Pfirsche frisch und voller Saft!

DRITTE

6455 Die fein gezognen, süß geschwollnen Lippen!

VIERTE

Du möchtest wohl an solchem Becher nippen?

FÜNFTE

Er ist gar hübsch, wenn auch nicht eben fein.

SECHSTE

Ein bißchen könnt' er doch gewandter sein.

RITTER

Den Schäferknecht glaub' ich allhier zu spüren,
6460 vom Prinzen nichts und nichts von Hofmanieren.

ANDRER

Eh nun! Halb nackt ist wohl der Junge schön,
doch müßten wir ihn erst im Harnisch sehn!

DAME

Er setzt sich nieder, weichlich, angenehm.

RITTER

Auf seinem Schoße wär' Euch wohl bequem?

ANDRE

6465 Er lehnt den Arm so zierlich übers Haupt.

KÄMMERER

Die Flegelei! Das find' ich unerlaubt!

DAME

Ihr Herren wißt an allem was zu mäkeln.

DERSELBE

In Kaisers Gegenwart sich hinzuräkeln!

DAME

Er stellt's nur vor! Er glaubt sich ganz allein.

DERSELBE

6470 Das Schauspiel selbst, hier sollt' es höflich sein.

DAME

Sanft hat der Schlaf den Holden übernommen.

DERSELBE

Er schnarcht nun gleich; natürlich ist's, vollkommen!

JUNGE DAME, *entzückt.*

Zum Weihrauchsdampf was duftet so gemischt,
das mir das Herz zum innigsten erfrischt?

ÄLTERE

6475 Fürwahr! Es dringt ein Hauch tief ins Gemüte;
er kommt von ihm!

ÄLTESTE

                              Es ist des Wachstums Blüte,
im Jüngling als Ambrosia bereitet
und atmosphärisch ringsumher verbreitet.

Helena tritt hervor.

MEPHISTOPHELES

Das wär' sie denn! Vor dieser hätt' ich Ruh!
6480 Hübsch ist sie wohl, doch sagt sie mir nicht zu.

ASTROLOG

Für mich ist diesmal weiter nichts zu tun,
als Ehrenmann gesteh', bekenn' ich's nun.
Die Schöne kommt, und hätt' ich Feuerzungen! —
Von Schönheit ward von jeher viel gesungen;

6485 wem sie erscheint, wird aus sich selbst entrückt;
wem sie gehörte, ward zu hoch beglückt.

FAUST

Hab' ich noch Augen? Zeigt sich tief im Sinn
der Schönheit Quelle reichlichstens ergossen?
Mein Schreckensgang bringt seligsten Gewinn.
6490 Wie war die Welt mir nichtig, unerschlossen!
Was ist sie nun seit meiner Priesterschaft?
Erst wünschenswert, gegründet, dauerhaft!
Verschwinde mir des Lebens Atemkraft,
wenn ich mich je von dir zurückgewöhne! —
6495 Die Wohlgestalt, die mich voreinst entzückte,
in Zauberspiegelung beglückte,
war nur ein Schaumbild solcher Schöne! —
Du bist's, der ich die Regung aller Kraft,
den Inbegriff der Leidenschaft,
6500 dir Neigung, Lieb', Anbetung, Wahnsinn zolle!

MEPHISTOPHELES, *aus dem Kasten.*

So faßt Euch doch, und fallt nicht aus der Rolle!

ÄLTERE DAME

Groß, wohlgestaltet, — nur der Kopf zu klein.

JÜNGERE

Seht nur den Fuß! Wie könnt' er plumper sein!

DIPLOMAT

Fürstinnen hab' ich dieser Art gesehn;
6505 mich deucht, sie ist vom Kopf zum Fuße schön.

HOFMANN

Sie nähert sich dem Schläfer listig-mild.

DAME

Wie häßlich neben jugendreinem Bild!

POET

Von ihrer Schönheit ist er angestrahlt.

DAME

Endymion und Luna! Wie gemalt!

DERSELBE

6510 Ganz recht! Die Göttin scheint herabzusinken,
sie neigt sich über, seinen Hauch zu trinken.
Beneidenswert! — Ein Kuß! — Das Maß ist voll!

DUENNA

Vor allen Leuten! Das ist doch zu toll!

FAUST

Furchtbare Gunst dem Knaben! —

MEPHISTOPHELES

　　　　　　　　　　Ruhig! Still!

6515 Laß das Gespenst doch machen, was es will.

HOFMANN

Sie schleicht sich weg, leichtfüßig; er erwacht.

DAME

Sie sieht sich um! Das hab' ich wohl gedacht.

HOFMANN

Er staunt! Ein Wunder ist's, was ihm geschieht.

DAME

Ihr ist kein Wunder, was sie vor sich sieht.

HOFMANN

6520 Mit Anstand kehrt sie sich zu ihm herum.

DAME

Ich merke schon, sie nimmt ihn in die Lehre.
In solchem Fall sind alle Männer dumm;
er glaubt wohl auch, daß er der erste wäre.

RITTER

Laßt mir sie gelten! Majestätisch fein! —

DAME

6525 Die Buhlerin! Das nenn' ich doch gemein!

PAGE

Ich möchte wohl an seiner Stelle sein!

HOFMANN

Wer würde nicht in solchem Netz gefangen?

DAME

Das Kleinod ist durch manche Hand gegangen,
auch die Verguldung ziemlich abgebraucht.

ANDRE

6530 Vom zehnten Jahr an hat sie nichts getaugt.

RITTER

Gelegentlich nimmt jeder sich das Beste;
ich hielte mich an diese schönen Reste.

GELAHRTER

Ich seh' sie deutlich, doch gesteh' ich frei:
zu zweifeln ist, ob sie die rechte sei.
6535 Die Gegenwart verführt ins Übertriebne,
ich halte mich vor allem ans Geschriebne.
Da les' ich denn, sie habe wirklich allen
Graubärten Trojas sonderlich gefallen;
und, wie mich dünkt, vollkommen paßt das hier:
6540 ich bin nicht jung, und doch gefällt sie mir.

ASTROLOG

Nicht Knabe mehr! Ein kühner Heldenmann,
umfaßt er sie, die kaum sich wehren kann.
Gestärkten Arms hebt er sie hoch empor . . .
Entführt er sie wohl gar?

FAUST

            Verwegner Tor!
6545 Du wagst! Du hörst nicht! Halt! Das ist zu viel!

MEPHISTOPHELES

Machst du's doch selbst, das Fratzengeisterspiel!

ASTROLOG

Nur noch ein Wort! Nach allem, was geschah,
nenn' ich das Stück den Raub der Helena.

FAUST

Was Raub! Bin ich für nichts an dieser Stelle?
6550 Ist dieser Schlüssel nicht in meiner Hand?
Er führte mich durch Graus und Wog' und Welle
der Einsamkeiten her zum festen Strand.
Hier fass' ich Fuß! Hier sind es Wirklichkeiten!
Von hier aus darf der Geist mit Geistern streiten,
6555 das Doppelreich, das große, sich bereiten.
So fern sie war, wie kann sie näher sein!
Ich rette sie, und sie ist doppelt mein.
Gewagt! Ihr Mütter! Mütter! Müßt's gewähren!
Wer sie erkannt, der darf sie nicht entbehren.

ASTROLOG

6560 Was tust du, Fauste! Fauste! — Mit Gewalt
      faßt er sie an, schon trübt sich die Gestalt.
      Den Schlüssel kehrt er nach dem Jüngling zu,
      berührt ihn! — Weh uns, wehe! Nu, im Nu!

> *Explosion, Faust liegt am Boden. Die Geister gehen in Dunst*
> *auf.*

MEPHISTOPHELES, *der Fausten auf die Schulter nimmt.*

      Da habt ihr's nun! Mit Narren sich beladen,
6565 das kommt zuletzt dem Teufel selbst zu Schaden.

> *Finsternis, Tumult.*

Zweiter Akt

35 Hochgewölbtes, enges gotisches Zimmer,

ehemals Faustens, unverändert.

Mephistopheles hinter einem Vorhang hervortretend. Indem er ihn aufhebt und zurücksieht, erblickt man Fausten hingestreckt auf einem altväterischen Bette.

MEPHISTOPHELES

Hier lieg, Unseliger, verführt
zu schwergelöstem Liebesbande!
Wen Helena paralysiert,
der kommt so leicht nicht zu Verstande.

Sich umschauend.

6570 Blick' ich hinauf, hierher, hinüber,
allunverändert ist es, unversehrt!
Die bunten Scheiben sind, so dünkt mich, trüber;
die Spinneweben haben sich vermehrt;
die Tinte starrt, vergilbt ist das Papier; —
6575 doch alles ist am Platz geblieben.
Sogar die Feder liegt noch hier,
mit welcher Faust dem Teufel sich verschrieben.
Ja! — Tiefer in dem Rohre stockt
ein Tröpflein Blut, wie ich's ihm abgelockt!
6580 Zu einem solchen einzigen Stück
wünscht' ich dem größten Sammler Glück.
   Auch hängt der alte Pelz am alten Haken,
erinnert mich an jene Schnaken,
wie ich den Knaben einst belehrt,
6585 woran er noch vielleicht als Jüngling zehrt.
Es kommt mir wahrlich das Gelüsten,
rauchwarme Hülle, dir vereint,
mich als Dozent noch einmal zu erbrüsten,
wie man so völlig recht zu haben meint.
6590 Gelehrte wissen's zu erlangen,
dem Teufel ist es längst vergangen.

Er schüttelt den herabgenommenen Pelz. Zikaden, Käfer und Farfarellen fahren heraus.

CHOR DER INSEKTEN

Willkommen! Willkommen,
du alter Patron!
Wir schweben und summen
6595   und kennen dich schon.
Nur einzeln im stillen
du hast uns gepflanzt;
zu Tausenden kommen wir,
Vater, getanzt.
6600   Der Schalk in dem Busen
verbirgt sich so sehr,
vom Pelze die Läuschen
enthüllen sich eh'r.

MEPHISTOPHELES

Wie überraschend mich die junge Schöpfung freut!
6605   Man säe nur, man erntet mit der Zeit.
Ich schüttle noch einmal den alten Flaus,
noch eines flattert hier und dort hinaus. —
Hinauf! Umher! In hunderttausend Ecken
eilt euch, ihr Liebchen, zu verstecken, —
6610   dort, wo die alten Schachteln stehn,
hier im bebräunten Pergamen,
in staubigen Scherben alter Töpfe,
dem Hohlaug' jener Totenköpfe!
In solchem Wust und Moderleben
6615   muß es für ewig Grillen geben.

Schlüpft in den Pelz.

Komm, decke mir die Schultern noch einmal!
Heut bin ich wieder Prinzipal.
Doch hilft es nichts, mich so zu nennen;
wo sind die Leute, die mich anerkennen?

Er zieht die Glocke, die einen gellenden, durchdringenden Ton erschallen läßt, wovon die Hallen erbeben und die Türen aufspringen.

FAMULUS, *den langen, finstern Gang herwankend.*

6620   Welch ein Tönen! Welch ein Schauer!
Treppe schwankt, es bebt die Mauer;
durch der Fenster buntes Zittern

seh' ich wetterleuchtend Wittern.
Springt das Estrich, und von oben
6625 rieselt Kalk und Schutt verschoben.
Und die Türe, fest verriegelt,
ist durch Wunderkraft entsiegelt. —
Dort! — Wie fürchterlich! — Ein Riese
steht in Faustens altem Vliese!
6630 Seinen Blicken, seinem Winken
möcht' ich in die Kniee sinken.
Soll ich fliehen? Soll ich stehn?
Ach, wie wird es mir ergehn?

MEPHISTOPHELES, *winkend.*

Heran, mein Freund! — Ihr heißet Nikodemus?

FAMULUS

6635 Hochwürdiger Herr! So ist mein Nam'. — *Oremus!*

MEPHISTOPHELES

Das lassen wir!

FAMULUS

        Wie froh, daß Ihr mich kennt!

MEPHISTOPHELES

Ich weiß es wohl: bejahrt und noch Student!
Bemooster Herr! Auch ein gelehrter Mann
studiert so fort, weil er nicht anders kann.
6640 So baut man sich ein mäßig Kartenhaus,
der größte Geist baut's doch nicht völlig aus.

Doch Euer Meister, das ist ein Beschlagner:
wer kennt ihn nicht, den edlen Doktor Wagner,
den Ersten jetzt in der gelehrten Welt!
6645 Er ist's allein, der sie zusammenhält,
der Weisheit täglicher Vermehrer.
Allwißbegierige Horcher, Hörer
versammeln sich um ihn zuhauf.
Er leuchtet einzig vom Katheder;
6650 die Schlüssel übt er wie Sankt Peter,
das Untre so das Obre schließt er auf.
Wie er vor allen glüht und funkelt,
kein Ruf, kein Ruhm hält weiter stand,
selbst Faustus' Name wird verdunkelt;
6655 er ist es, der allein erfand.

FAMULUS

Verzeiht, hochwürdiger Herr, wenn ich Euch sage,
wenn ich zu widersprechen wage:
von allem dem ist nicht die Frage;
Bescheidenheit ist sein beschieden Teil.
6660 Ins unbegreifliche Verschwinden
des hohen Manns weiß er sich nicht zu finden;
von dessen Wiederkunft erfleht er Trost und Heil.
Das Zimmer, wie zu Doktor Faustus' Tagen,
noch unberührt, seitdem er fern,
6665 erwartet seinen alten Herrn.
Kaum wag' ich's, mich hereinzuwagen. —
Was muß die Sternenstunde sein?
Gemäuer scheint mir zu erbangen;
Türpfosten bebten, Riegel sprangen,
6670 sonst kamt Ihr selber nicht herein.

MEPHISTOPHELES

Wo hat der Mann sich hingetan?
Führt mich zu ihm! Bringt ihn heran!

FAMULUS

Ach! Sein Verbot ist gar zu scharf!
Ich weiß nicht, ob ich's wagen darf.
6675 Monatelang, des großen Werkes willen,
lebt er im allerstillsten Stillen.
Der zarteste gelehrter Männer,
er sieht aus wie ein Kohlenbrenner,
geschwärzt vom Ohre bis zur Nasen,
6680 die Augen rot vom Feuerblasen:
so lechzt er jedem Augenblick;
Geklirr der Zange gibt Musik.

MEPHISTOPHELES

Sollt' er den Zutritt mir verneinen?
Ich bin der Mann, das Glück ihm zu beschleunen!

*Der Famulus geht ab, Mephistopheles setzt sich gravitätisch
nieder.*

MEPHISTOPHELES

6685 Kaum hab' ich Posto hier gefaßt,
regt sich dort hinten, mir bekannt, ein Gast.
Doch diesmal ist er von den Neusten:
er wird sich grenzenlos erdreusten.

BACCALAUREUS, *den Gang herstürmend.*

Tor und Türe find' ich offen!
6690 Nun, da läßt sich endlich hoffen,
daß nicht, wie bisher, im Moder
der Lebendige wie ein Toter
sich verkümmere, sich verderbe
und am Leben selber sterbe.

6695 Diese Mauern, diese Wände
neigen, senken sich zum Ende;
und wenn wir nicht bald entweichen,
wird uns Fall und Sturz erreichen.
Bin verwegen wie nicht einer,
6700 aber weiter bringt mich keiner.

Doch was soll ich heut erfahren?
War's nicht hier, vor so viel Jahren,
wo ich, ängstlich und beklommen,
war als guter Fuchs gekommen,
6705 wo ich diesen Bärtigen traute,
mich an ihrem Schnack erbaute?

Aus den alten Bücherkrusten
logen sie mir, was sie wußten, —
was sie wußten, selbst nicht glaubten, —
6710 sich und mir das Leben raubten.
Wie? — Dort hinten in der Zelle
sitzt noch einer dunkel-helle!

Nahend seh' ich's mit Erstaunen:
sitzt er noch im Pelz, dem braunen,
6715 wahrlich, wie ich ihn verließ,
noch gehüllt im rauhen Vlies!
Damals schien er zwar gewandt,
als ich ihn noch nicht verstand;
heute wird es nichts verfangen.
6720 Frisch an ihn herangegangen!

Wenn, alter Herr, nicht Lethes trübe Fluten
das schiefgesenkte, kahle Haupt durchschwommen,
seht anerkennend hier den Schüler kommen,
entwachsen akademischen Ruten.
6725 Ich find' Euch noch, wie ich Euch sah;
ein anderer bin i c h wieder da.

MEPHISTOPHELES

Mich freut, daß ich Euch hergeläutet.
Ich schätzt' Euch damals nicht gering;
die Raupe schon, die Chrysalide deutet
6730 den künftigen bunten Schmetterling.
Am Lockenkopf und Spitzenkragen
empfandet Ihr ein kindliches Behagen.
— Ihr trugt wohl niemals einen Zopf? —
Heut schau' ich Euch im Schwedenkopf.
6735 Ganz resolut und wacker seht Ihr aus;
kommt nur nicht absolut nach Haus!

BACCALAUREUS

Mein alter Herr! Wir sind am alten Orte;
bedenkt jedoch erneuter Zeiten Lauf
und sparet doppelsinnige Worte!
6740 Wir passen nun ganz anders auf.
Ihr hänseltet den guten treuen Jungen;
das ist Euch ohne Kunst gelungen,
was heutzutage niemand wagt.

MEPHISTOPHELES

Wenn man der Jugend reine Wahrheit sagt,
6745 die gelben Schnäbeln keineswegs behagt,
sie aber hinterdrein nach Jahren
das alles derb an eigner Haut erfahren,
dann dünkeln sie, es käm' aus eignem Schopf, —
da heißt es denn: „Der Meister war ein Tropf."

BACCALAUREUS

6750 Ein Schelm vielleicht! — Denn welcher Lehrer spricht
die Wahrheit uns direkt ins Angesicht?
Ein jeder weiß zu mehren wie zu mindern,
bald ernst, bald heiter klug zu frommen Kindern.

MEPHISTOPHELES

Zum Lernen gibt es freilich eine Zeit;
6755 zum Lehren seid Ihr, merk' ich, selbst bereit.
Seit manchen Monden, einigen Sonnen
Erfahrungsfülle habt Ihr wohl gewonnen.

BACCALAUREUS

Erfahrungswesen! Schaum und Dust!
Und mit dem Geist nicht ebenbürtig!
6760 Gesteht! Was man von je gewußt,
es ist durchaus nicht wissenswürdig.

MEPHISTOPHELES, *nach einer Pause.*

Mich deucht es längst. Ich war ein Tor;
nun komm' ich mir recht schal und albern vor.

BACCALAUREUS

Das freut mich sehr! Da hör' ich doch Verstand;
6765 der erste Greis, den ich vernünftig fand!

MEPHISTOPHELES

Ich suchte nach verborgen-goldnem Schatze,
und schauerliche Kohlen trug ich fort.

BACCALAUREUS

Gesteht nur! Euer Schädel, Eure Glatze
ist nicht mehr wert als jene hohlen dort!

MEPHISTOPHELES, *gemütlich.*

6770 Du weißt wohl nicht, mein Freund, wie grob du bist?

BACCALAUREUS

Im Deutschen lügt man, wenn man höflich ist.

MEPHISTOPHELES, *der mit seinem Rollstuhle immer näher ins
Proszenium rückt, zum Parterre.*

Hier oben wird mir Licht und Luft benommen;
ich finde wohl bei euch ein Unterkommen?

BACCALAUREUS

Anmaßlich find' ich, daß zur schlecht'sten Frist
6775 man etwas sein will, wo man nichts mehr ist.
Des Menschen Leben lebt im Blut, und wo
bewegt das Blut sich wie im Jüngling so?
Das ist lebendig Blut in frischer Kraft,
das neues Leben sich aus Leben schafft.
6780 Da regt sich alles, da wird was getan:
das Schwache fällt, das Tüchtige tritt heran.
      Indessen wir die halbe Welt gewonnen,
was habt ihr denn getan? — Genickt, gesonnen,
geträumt, erwogen, Plan und immer Plan.
6785 Gewiß, das Alter ist ein kaltes Fieber
im Frost von grillenhafter Not.
Hat einer dreißig Jahr vorüber,
so ist er schon so gut wie tot.
Am besten wär's, euch zeitig totzuschlagen.

MEPHISTOPHELES

6790 Der Teufel hat hier weiter nichts zu sagen.

BACCALAUREUS

Wenn ich nicht will, so darf kein Teufel sein.

MEPHISTOPHELES, *abseits.*

Der Teufel stellt dir nächstens doch ein Bein.

BACCALAUREUS

Dies ist der Jugend edelster Beruf!
Die Welt, sie war nicht, eh' ich sie erschuf.
6795 Die Sonne führt' ich aus dem Meer herauf.
Mit mir begann der Mond des Wechsels Lauf.
Da schmückte sich der Tag auf meinen Wegen,
die Erde grünte, blühte mir entgegen.
Auf meinen Wink, in jener ersten Nacht,
6800 entfaltete sich aller Sterne Pracht.
Wer, außer mir, entband euch aller Schranken
philisterhaft einklemmender Gedanken?
Ich aber, frei, wie mir's im Geiste spricht,
verfolge froh mein innerliches Licht
6805 und wandle rasch, im eigensten Entzücken,
das Helle vor mir, Finsternis im Rücken.

Ab.

MEPHISTOPHELES

Original, fahr hin in deiner Pracht! —
Wie würde dich die Einsicht kränken:
wer kann was Dummes, wer was Kluges denken,
6810 das nicht die Vorwelt schon gedacht? —
Doch sind wir auch mit diesem nicht gefährdet,
in wenig Jahren wird es anders sein:
wenn sich der Most auch ganz absurd gebärdet,
es gibt zuletzt doch noch e' Wein.

Zu dem jüngern Parterre, das nicht applaudiert.

6815 Ihr bleibt bei meinem Worte kalt,
euch guten Kindern lass' ich's gehen;
bedenkt: der Teufel, der ist alt,
so werdet alt, ihn zu verstehen!

36 Laboratorium

im Sinne des Mittelalters; weitläufige, unbehülfliche Apparate zu phantastischen Zwecken.

WAGNER, *am Herde.*

Die Glocke tönt, die fürchterliche,
6820 durchschauert die berußten Mauern.
Nicht länger kann das Ungewisse
der ernstesten Erwartung dauern.
Schon hellen sich die Finsternisse;
schon in der innersten Phiole
6825 erglüht es wie lebendige Kohle,
ja, wie der herrlichste Karfunkel,
verstrahlend Blitze durch das Dunkel:
ein helles, weißes Licht erscheint!
O, daß ich's diesmal nicht verliere! —
6830 Ach Gott! Was rasselt an der Türe?

MEPHISTOPHELES, *eintretend.*

Willkommen! Es ist gut gemeint.

WAGNER, *ängstlich.*

Willkommen zu dem Stern der Stunde.

Leise.

Doch haltet Wort und Atem fest im Munde!
Ein herrlich Werk ist gleich zustandgebracht.

MEPHISTOPHELES, *leiser*.

6835 Was gibt es denn?

WAGNER, *leiser*.

Es wird ein Mensch gemacht.

MEPHISTOPHELES

Ein Mensch? Und welch verliebtes Paar
habt Ihr ins Rauchloch eingeschlossen?

WAGNER

Behüte Gott! Wie sonst das Zeugen Mode war,
erklären wir für eitel Possen.
6840 Der zarte Punkt, aus dem das Leben sprang,
die holde Kraft, die aus dem Innern drang
und nahm und gab, bestimmt, sich selbst zu zeichnen,
erst Nächstes, dann sich Fremdes anzueignen,
die ist von ihrer Würde nun entsetzt;
6845 wenn sich das Tier noch weiter dran ergötzt,
so muß der Mensch, mit seinen großen Gaben,
doch künftig höhern, höhern Ursprung haben.

Zum Herd gewendet.

Es leuchtet! Seht! — Nun läßt sich wirklich hoffen,
daß, wenn wir aus viel hundert Stoffen
6850 durch Mischung — denn auf Mischung kommt es an —
den Menschenstoff gemächlich komponieren,
in einen Kolben verlutieren
und ihn gehörig kohobieren, —
so ist das Werk im stillen abgetan.

Zum Herd gewendet.

6855 Es wird! Die Masse regt sich klarer!
Die Überzeugung wahrer, wahrer:
was man an der Natur Geheimnisvolles pries,
das wagen wir verständig zu probieren;
und was sie sonst organisieren ließ,
6860 das lassen wir kristallisieren.

MEPHISTOPHELES

Wer lange lebt, hat viel erfahren,
nichts Neues kann für ihn auf dieser Welt geschehn.
Ich habe schon, in meinen Wanderjahren,
kristallisiertes Menschenvolk gesehn.

WAGNER, *bisher immer aufmerksam auf die Phiole.*

6865 Es steigt, es blitzt, es häuft sich an,
im Augenblick ist es getan!
Ein großer Vorsatz scheint im Anfang toll;
doch wollen wir des Zufalls künftig lachen,
und so ein Hirn, das trefflich denken soll,
6870 wird künftig auch ein Denker machen.

Entzückt die Phiole betrachtend.

Das Glas erklingt von lieblicher Gewalt,
es trübt, es klärt sich; also muß es werden!
Ich seh' in zierlicher Gestalt
ein artig Männlein sich gebärden.
6875 Was wollen wir, was will die Welt nun mehr?
Denn das Geheimnis liegt am Tage.
Gebt diesem Laute nur Gehör,
er wird zur Stimme, wird zur Sprache.

HOMUNCULUS, *in der Phiole, zu Wagner.*

Nun, Väterchen! Wie steht's? Es war kein Scherz.
6880 Komm, drücke mich recht zärtlich an dein Herz!
Doch nicht zu fest, damit das Glas nicht springe!
Das ist die Eigenschaft der Dinge:
Natürlichem genügt das Weltall kaum,
was künstlich ist, verlangt geschloßnen Raum.

Zu Mephistopheles.

6885 Du aber, Schalk, Herr Vetter, bist du hier?
Im rechten Augenblick! Ich danke dir!
Ein gut Geschick führt dich zu uns herein;
dieweil ich bin, muß ich auch tätig sein.
Ich möchte mich sogleich zur Arbeit schürzen;
6890 du bist gewandt, die Wege mir zu kürzen.

WAGNER

Nur noch ein Wort! Bisher mußt' ich mich schämen,
denn alt und jung bestürmt mich mit Problemen.
Zum Beispiel nur: noch niemand konnt' es fassen,
wie Seel' und Leib so schön zusammenpassen,
6895 so fest sich halten, als um nie zu scheiden,
und doch den Tag sich immerfort verleiden.
Sodann —

MEPHISTOPHELES

    Halt ein! Ich wollte lieber fragen:
warum sich Mann und Frau so schlecht vertragen?
Du kommst, mein Freund, hierüber nie ins reine. —
6900 Hier gibt's zu tun, das eben will der Kleine.

    HOMUNCULUS

Was gibt's zu tun?

    MEPHISTOPHELES, *auf eine Seitentüre deutend.*
              Hier zeige deine Gabe!

    WAGNER, *immer in die Phiole schauend.*

Fürwahr, du bist ein allerliebster Knabe!

    *Die Seitentür öffnet sich; man sieht Faust auf dem Lager
    hingestreckt.*

    HOMUNCULUS, *erstaunt.*

Bedeutend! —

    *Die Phiole entschlüpft aus Wagners Händen, schwebt über
    Faust und beleuchtet ihn.*

            Schön umgeben! — Klar Gewässer
im dichten Haine! Fraun, die sich entkleiden, —
6905 die allerliebsten! — Das wird immer besser.
Doch eine läßt sich glänzend unterscheiden,
aus höchstem Helden-, wohl aus Götterstamme.
Sie setzt den Fuß in das durchsichtige Helle;
des edlen Körpers holde Lebensflamme
6910 kühlt sich im schmiegsamen Kristall der Welle. —
Doch welch Getöse rasch bewegter Flügel,
welch Sausen, Plätschern wühlt im glatten Spiegel?
Die Mädchen fliehn verschüchtert; doch allein
die Königin, sie blickt gelassen drein
6915 und sieht mit stolzem, weiblichem Vergnügen
der Schwäne Fürsten ihrem Knie sich schmiegen,
zudringlich-zahm. Er scheint sich zu gewöhnen. —
Auf einmal aber steigt ein Dunst empor
und deckt mit dichtgewebtem Flor
6920 die lieblichste von allen Szenen.

MEPHISTOPHELES

Was du nicht alles zu erzählen hast!
So klein du bist, so groß bist du Phantast.
Ich sehe nichts —

HOMUNCULUS

Das glaub' ich. Du aus Norden,
im Nebelalter jung geworden,
6925 im Wust von Rittertum und Pfäfferei,
wo wäre da dein Auge frei?
Im Düstern bist du nur zu Hause!

Umherschauend.

Verbräunt Gestein, bemodert, widrig,
spitzbögig, schnörkelhaftest, niedrig! —
6930 Erwacht uns dieser, gibt es neue Not:
er bleibt gleich auf der Stelle tot.
Waldquellen, Schwäne, nackte Schönen, —
das war sein ahnungsvoller Traum;
wie wollt' er sich hierher gewöhnen?
6935 Ich, der bequemste, duld' es kaum.
Nun fort mit ihm!

MEPHISTOPHELES

Der Ausweg soll mich freuen.

HOMUNCULUS

Befiehl den Krieger in die Schlacht,
das Mädchen führe du zum Reihen,
so ist gleich alles abgemacht.
6940 Jetzt eben, wie ich schnell bedacht,
ist klassische Walpurgisnacht, —
das Beste, was begegnen könnte,
bringt ihn zu seinem Elemente.

MEPHISTOPHELES

Dergleichen hab' ich nie vernommen.

HOMUNCULUS

6945 Wie wollt' es auch zu Euren Ohren kommen?
Romantische Gespenster kennt Ihr nur allein.
Ein echt Gespenst, auch klassisch hat's zu sein

MEPHISTOPHELES

Wohin denn aber soll die Fahrt sich regen?
Mich widern schon antikische Kollegen.

HOMUNCULUS

6950 Nordwestlich, Satan, ist dein Lustrevier;
südöstlich diesmal aber segeln wir. —
An großer Fläche fließt Peneios frei,
umbuscht, umbaumt, in still' und feuchten Buchten;
die Ebne dehnt sich zu der Berge Schluchten,
6955 und oben liegt Pharsalus, alt und neu.

MEPHISTOPHELES

O weh! Hinweg! Und laßt mir jene Streite
von Tyrannei und Sklaverei beiseite!
Mich langeweilt's, denn kaum ist's abgetan,
so fangen sie von vorne wieder an;
6960 und keiner merkt: er ist doch nur geneckt
von Asmodeus, der dahinter steckt.
Sie streiten sich, so heißt's, um Freiheitsrechte:
genau besehn, sind's Knechte gegen Knechte.

HOMUNCULUS

Den Menschen laß ihr widerspenstig Wesen!
6965 Ein jeder muß sich wehren, wie er kann,
vom Knaben auf; so wird's zuletzt ein Mann.
Hier fragt sich's nur, wie dieser kann genesen.
Hast du ein Mittel, so erprob es hier;
vermagst du's nicht, so überlaß es mir!

MEPHISTOPHELES

6970 Manch Brockenstückchen wäre durchzuproben,
doch Heidenriegel find' ich vorgeschoben.
Das Griechenvolk, es taugte nie recht viel!
Doch blendet's euch mit freiem Sinnenspiel,
verlockt des Menschen Brust zu heitern Sünden;
6975 die unsern wird man immer düster finden.
Und nun, was soll's?

HOMUNCULUS

                    Du bist ja sonst nicht blöde;
und wenn ich von thessalischen Hexen rede,
so, denk' ich, hab' ich was gesagt.

MEPHISTOPHELES, *lüstern.*

Thessalische Hexen! Wohl! Das sind Personen,
6980 nach denen hab' ich lang gefragt.
Mit ihnen Nacht für Nacht zu wohnen,
ich glaube nicht, daß es behagt;
doch zum Besuch! — Versuch! —

HOMUNCULUS

Den Mantel her
und um den Ritter umgeschlagen!
6985 Der Lappen wird euch, wie bisher,
den einen mit dem andern tragen.
Ich leuchte vor.

WAGNER, *ängstlich.*

Und ich?

HOMUNCULUS

Eh nun!
Du bleibst zu Hause, Wichtigstes zu tun.
Entfalte du die alten Pergamente,
6990 nach Vorschrift sammle Lebenselemente
und füge sie mit Vorsicht eins ans andre:
das W a s bedenke, mehr bedenke W i e !
Indessen ich ein Stückchen Welt durchwandre,
entdeck' ich wohl das Tüpfchen auf das *i.*
6995 Dann ist der große Zweck erreicht;
solch einen Lohn verdient ein solches Streben:
Gold, Ehre, Ruhm, gesundes langes Leben,
und Wissenschaft und Tugend — auch, vielleicht.
Leb wohl!

WAGNER, *betrübt.*

Leb wohl! Das drückt das Herz mir nieder.
7000 Ich fürchte schon, ich seh' dich niemals wieder.

MEPHISTOPHELES

Nun zum Peneios frisch hinab!
Herr Vetter ist nicht zu verachten.

Ad spectatores.

Am Ende hängen wir doch ab
von Kreaturen, die wir machten.

37   Pharsalische Felder

Finsternis.

ERICHTHO

7005 Zum Schauderfeste dieser Nacht, wie öfter schon,
tret' ich einher, Erichtho, ich, die düstere, —
nicht so abscheulich, wie die leidigen Dichter mich
im Übermaß verlästern. — Endigen sie doch nie
in Lob und Tadel! — Überbleicht erscheint mir schon
7010 von grauer Zelten Woge weit das Tal dahin,
als Nachgesicht der sorg- und grauenvollsten Nacht.
    Wie oft schon wiederholt' sich's! Wird sich immerfort
ins Ewige wiederholen. . . Keiner gönnt das Reich
dem andern; dem gönnt's keiner, der's mit Kraft erwarb
7015 und kräftig herrscht. Denn jeder, der sein innres Selbst
nicht zu regieren weiß, regierte gar zu gern
des Nachbars Willen, eignem stolzem Sinn gemäß.
    Hier aber ward ein großes Beispiel durchgekämpft:
wie sich Gewalt Gewaltigerem entgegenstellt,
7020 der Freiheit holder, tausendblumiger Kranz zerreißt,
der starre Lorbeer sich ums Haupt des Herrschers biegt.
Hier träumte Magnus früher Größe Blütentag;
dem schwanken Zünglein lauschend, wachte Cäsar dort!
Das wird sich messen. Weiß die Welt doch, wem's gelang.

7025 Wachfeuer glühen, rote Flammen spendende,
der Boden haucht vergoßnen Blutes Widerschein,
und, angelockt von seltnem Wunderglanz der Nacht,
versammelt sich hellenischer Sage Legion.
Um alle Feuer schwankt unsicher, oder sitzt
7030 behaglich, alter Tage fabelhaft Gebild. —
Der Mond, zwar unvollkommen, aber leuchtend hell,
erhebt sich, milden Glanz verbreitend überall;
der Zelten Trug verschwindet, Feuer brennen blau.

Doch, über mir! Welch unerwartet Meteor?
7035 Es leuchtet und beleuchtet körperlichen Ball.
Ich wittre Leben. Da geziemen will mir's nicht,
Lebendigem zu nahen, dem ich schädlich bin;
das bringt mir bösen Ruf und frommt mir nicht.
Schon sinkt es nieder. Weich' ich aus mit Wohlbedacht!

Entfernt sich.

Die Luftfahrer oben.

HOMUNCULUS

7040 Schwebe noch einmal die Runde
über Flamm' und Schaudergrauen;
ist es doch in Tal und Grunde
gar gespenstisch anzuschauen.

MEPHISTOPHELES

Seh' ich, wie durchs alte Fenster
7045 in des Nordens Wust und Graus,
ganz abscheuliche Gespenster,
bin ich hier wie dort zu Haus.

HOMUNCULUS

Sieh! Da schreitet eine Lange
weiten Schrittes vor uns hin.

MEPHISTOPHELES

7050 Ist es doch, als wär' ihr bange;
sah uns durch die Lüfte ziehn.

HOMUNCULUS

Laß sie schreiten! — Setz ihn nieder,
deinen Ritter, und sogleich
kehret ihm das Leben wieder,
7055 denn er sucht's im Fabelreich.

FAUST, *den Boden berührend.*

Wo ist sie? —

HOMUNCULUS

Wüßten's nicht zu sagen,
doch hier wahrscheinlich zu erfragen.
In Eile magst du, eh' es tagt,
von Flamm' zu Flamme spürend gehen:
7060 wer zu den Müttern sich gewagt,
hat weiter nichts zu überstehen.

MEPHISTOPHELES

Auch ich bin hier an meinem Teil;
doch wüßt' ich Besseres nicht zu unserm Heil
als: jeder möge durch die Feuer
7065 versuchen sich sein eigen Abenteuer.
Dann, um uns wieder zu vereinen,
laß deine Leuchte, Kleiner, tönend scheinen!

HOMUNCULUS

So soll es blitzen, soll es klingen.

Das Glas dröhnt und leuchtet gewaltig.

Nun frisch zu neuen Wunderdingen!

Ab.

FAUST, *allein.*

7070 Wo ist sie? — Frage jetzt nicht weiter nach!
Wär's nicht die Scholle, die sie trug,
die Welle nicht, die ihr entgegenschlug,
so ist's die Luft, die ihre Sprache sprach.
Hier, durch ein Wunder, hier in Griechenland!
7075 Ich fühlte gleich den Boden, wo ich stand:
wie mich, den Schläfer, frisch ein Geist durchglühte,
so steh' ich, ein Antäus an Gemüte.
Und find' ich hier das Seltsamste beisammen,
durchforsch' ich ernst dies Labyrinth der Flammen.

Entfernt sich.

MEPHISTOPHELES, *umherspürend.*

7080 Und wie ich diese Feuerchen durchschweife,
so find' ich mich doch ganz und gar entfremdet:
fast alles nackt, nur hie und da behemdet,
die Sphinxe schamlos, unverschämt die Greife,
und was nicht alles, lockig und beflügelt,
7085 von vorn und hinten sich im Auge spiegelt. —
Zwar sind auch wir von Herzen unanständig,
doch das Antike find' ich zu lebendig;
das müßte man mit neustem Sinn bemeistern
und mannigfaltig modisch überkleistern. —
7090 Ein widrig Volk! Doch darf mich's nicht verdrießen,
als neuer Gast anständig sie zu grüßen. —
Glückzu den schönen Fraun, den klugen Greisen!

GREIF, *schnarrend.*

Nicht Greisen! Greifen! — Niemand hört es gern,
daß man ihn Greis nennt. Jedem Worte klingt
7095 der Ursprung nach, wo es sich her bedingt:
grau, grämlich, griesgram, greulich, Gräber, grimmig,
etymologisch gleicherweise stimmig,
verstimmen uns.

MEPHISTOPHELES

Und doch, nicht abzuschweifen,
gefällt das „Grei-" im Ehrentitel „Greifen."

GREIF, *wie oben und immer so fort.*

7100 Natürlich! Die Verwandtschaft ist erprobt,
zwar oft gescholten, mehr jedoch gelobt.
Man greife nun nach Mädchen, Kronen, Gold;
dem Greifenden ist meist Fortuna hold.

AMEISEN, *von der kolossalen Art.*

Ihr sprecht von Gold! Wir hatten viel gesammelt,
7105 in Fels' und Höhlen heimlich eingerammelt.
Das Arimaspen-Volk hat's ausgespürt,
sie lachen dort, wie weit sie's weggeführt.

GREIFE

Wir wollen sie schon zum Geständnis bringen.

ARIMASPEN

Nur nicht zur freien Jubelnacht!
7110 Bis morgen ist's alles durchgebracht,
es wird uns diesmal wohl gelingen.

Mephistopheles hat sich zwischen die Sphinxe gesetzt.

MEPHISTOPHELES

Wie leicht und gern ich mich hierher gewöhne,
denn ich verstehe Mann für Mann!

SPHINX

Wir hauchen unsre Geistertöne,
7115 und ihr verkörpert sie alsdann. —
Jetzt nenne dich, bis wir dich weiter kennen!

MEPHISTOPHELES

Mit vielen Namen glaubt man mich zu nennen. —
Sind Briten hier? Sie reisen sonst so viel,
Schlachtfeldern nachzuspüren, Wasserfällen,
7120 gestürzten Mauern, klassisch dumpfen Stellen;

das wäre hier für sie ein würdig Ziel.
Sie zeugten auch: im alten Bühnenspiel
sah man mich dort als *Old Iniquity.*

SPHINX

Wie kam man drauf?

MEPHISTOPHELES

Ich weiß es selbst nicht, wie.

SPHINX

7125 Mag sein! — Hast du von Sternen einige Kunde?
Was sagst du zu der gegenwärt'gen Stunde?

MEPHISTOPHELES, *aufschauend.*

Stern schießt nach Stern, beschnittner Mond scheint helle,
und mir ist wohl an dieser trauten Stelle,
ich wärme mich an deinem Löwenfelle.
7130 Hinauf sich zu versteigen, wär' zum Schaden;
gib Rätsel auf, gib allenfalls Scharaden!

SPHINX

Sprich nur dich selbst aus, wird schon Rätsel sein.
Versuch einmal, dich innigst aufzulösen:
„Dem frommen Manne nötig wie dem bösen,
7135 dem ein Plastron, asketisch zu rapieren,
Kumpan dem andern, Tolles zu vollführen,
und beides nur, um Zeus zu amüsieren."

ERSTER GREIF, *schnarrend.*

Den mag ich nicht!

ZWEITER GREIF, *stärker schnarrend.*

Was will uns der?

BEIDE

Der Garstige gehöret nicht hierher!

MEPHISTOPHELES, *brutal.*

7140 Du glaubst vielleicht, des Gastes Nägel krauen
nicht auch so gut wie deine scharfen Klauen?
Versuch's einmal!

SPHINX, *milde.*

Du magst nur immer bleiben,
wird dich's doch selbst aus unsrer Mitte treiben;
in deinem Lande tust dir was zugute,
7145 doch, irr' ich nicht, hier ist dir schlecht zumute.

MEPHISTOPHELES

Du bist recht appetitlich oben anzuschauen,
doch unten hin —! Die Bestie macht mir Grauen.

SPHINX

Du Falscher kommst zu deiner bittern Buße,
denn unsre Tatzen sind gesund;
7150 dir mit verschrumpftem Pferdefuße
behagt es nicht in unserem Bund.

Sirenen präludieren oben.

MEPHISTOPHELES

Wer sind die Vögel, in den Ästen
der Stromespappeln hingewiegt?

SPHINX

Gewahrt Euch nur! Die Allerbesten
7155 hat solch ein Singsang schon besiegt.

SIRENEN

Ach, was wollt Ihr Euch verwöhnen
in dem Häßlich-Wunderbaren!
Horcht, wir kommen hier zu Scharen
und in wohlgestimmten Tönen;
7160 so geziemet es Sirenen.

SPHINXE, *sie verspottend in derselben Melodie.*

Nötigt sie herabzusteigen!
Sie verbergen in den Zweigen
ihre garstigen Habichtskrallen,
Euch verderblich anzufallen,
7165 wenn Ihr Euer Ohr verleiht.

SIRENEN

Weg das Hassen! Weg das Neiden!
Sammeln wir die klarsten Freuden,
unterm Himmel ausgestreut!
Auf dem Wasser, auf der Erde
7170 sei's die heiterste Gebärde,
die man dem Willkommnen beut.

MEPHISTOPHELES

Das sind die saubern Neuigkeiten,
wo aus der Kehle, von den Saiten
ein Ton sich um den andern flicht.

7175 Das Trallern ist bei mir verloren:
es krabbelt wohl mir um die Ohren,
allein zum Herzen dringt es nicht.

SPHINXE

Sprich nicht vom Herzen! Das ist eitel;
ein lederner, verschrumpfter Beutel,
7180 das paßt dir eher zu Gesicht.

FAUST, *herantretend.*

Wie wunderbar! Das Anschaun tut mir G'nüge:
im Widerwärtigen große, tüchtige Züge.
Ich ahne schon ein günstiges Geschick;
wohin versetzt mich dieser ernste Blick?

Auf Sphinxe bezüglich.

7185 Vor solchen hat einst Ödipus gestanden.

Auf Sirenen bezüglich.

Vor solchen krümmte sich Ulyß in hänfnen Banden.

Auf Ameisen bezüglich.

Von solchen ward der höchste Schatz gespart.

Auf Greife bezüglich.

Von diesen treu und ohne Fehl bewahrt. —

Vom frischen Geiste fühl' ich mich durchdrungen,
7190 Gestalten groß, groß die Erinnerungen.

MEPHISTOPHELES

Sonst hättest du dergleichen weggeflucht,
doch jetzo scheint es dir zu frommen;
denn, wo man die Geliebte sucht,
sind Ungeheuer selbst willkommen.

FAUST, *zu den Sphinxen.*

7195 Ihr Frauenbilder müßt mir Rede stehn:
hat eins der euren Helena gesehn?

SPHINXE

Wir reichen nicht hinauf zu ihren Tagen,
die letztesten hat Herkules erschlagen.
Von Chiron könntest du's erfragen:
7200 der sprengt herum in dieser Geisternacht;
wenn er dir steht, so hast du's weit gebracht.

SIRENEN

Sollte dir's doch auch nicht fehlen! —
Wie Ulyß bei uns verweilte,
schmähend nicht vorübereilte,
7205 wußt' er vieles zu erzählen;
würden alles dir vertrauen,
wolltest du zu unsern Gauen
dich ans grüne Meer verfügen.

SPHINX

Laß dich, Edler, nicht betrügen!
7210 Statt daß Ulyß sich binden ließ,
laß unsern guten Rat dich binden:
kannst du den hohen Chiron finden,
erfährst du, was ich dir verhieß.

Faust entfernt sich.

MEPHISTOPHELES, *verdrießlich.*

Was krächzt vorbei mit Flügelschlag,
7215 so schnell, daß man's nicht sehen mag,
und immer eins dem andern nach?
Den Jäger würden sie ermüden.

SPHINX

Dem Sturm des Winterwinds vergleichbar,
Alcides' Pfeilen kaum erreichbar, —
7220 es sind die raschen Stymphaliden,
und wohlgemeint ihr Krächzegruß,
mit Geierschnabel und Gänsefuß.
Sie möchten gern in unsern Kreisen
als Stammverwandte sich erweisen.

MEPHISTOPHELES, *wie verschüchtert.*

7225 Noch andres Zeug zischt zwischendrein.

SPHINX

Vor diesen sei Euch ja nicht bange!
Es sind die Köpfe der Lernäischen Schlange,
vom Rumpf getrennt, und glauben was zu sein.
Doch sagt, was soll nur aus Euch werden?
7230 Was für unruhige Gebärden?
Wo wollt Ihr hin? — Begebt Euch fort!
Ich sehe, jener Chorus dort
macht Euch zum Wendehals. Bezwingt Euch nicht,
geht hin! Begrüßt manch reizendes Gesicht!

7235 Die Lamien sind's, lustfeine Dirnen,
     mit Lächelmund und frechen Stirnen,
     wie sie dem Satyrvolk behagen;
     ein Bocksfuß darf dort alles wagen.

     MEPHISTOPHELES

     Ihr bleibt doch hier, daß ich euch wiederfinde?

     SPHINXE

7240 Ja! Mische dich zum luftigen Gesinde!
     Wir, von Ägypten her, sind längst gewohnt,
     daß unsereins in tausend Jahre thront.
     Und respektiert nur unsre Lage,
     so regeln wir die Mond- und Sonnentage.
7245 Sitzen vor den Pyramiden,
     zu der Völker Hochgericht
     — Überschwemmung, Krieg und Frieden —
     und verziehen kein Gesicht.

38 [Am untern Peneios]

PENEIOS, *umgeben von Gewässern und Nymphen.*

Rege dich, du Schilfgeflüster!
7250 Hauche leise, Rohrgeschwister,
säuselt, leichte Weidensträuche,
lispelt, Pappelzitterzweige,
unterbrochnen Träumen zu! —
Weckt mich doch ein grauslich Wittern,
7255 heimlich allbewegend Zittern
aus dem Wallestrom und Ruh.

FAUST, *an den Fluß tretend.*

Hör' ich recht, so muß ich glauben:
hinter den verschränkten Lauben
dieser Zweige, dieser Stauden
7260 tönt ein menschenähnlich's Lauten.
Scheint die Welle doch ein Schwätzen,
Lüftlein wie — ein Scherzergötzen.

NYMPHEN, *zu Faust.*

Am besten geschäh' dir,
du legtest dich nieder,
7265 erholtest im Kühlen
ermüdete Glieder,
genössest der immer
dich meidenden Ruh;
wir säuseln, wir rieseln,
7270 wir flüstern dir zu.

FAUST

Ich wache ja! O laßt sie walten,
die unvergleichlichen Gestalten,
wie sie dorthin mein Auge schickt.
So wunderbar bin ich durchdrungen!
7275 Sind's Träume? Sind's Erinnerungen?
Schon einmal warst du so beglückt.
    Gewässer schleichen durch die Frische
der dichten, sanft bewegten Büsche,
nicht rauschen sie, sie rieseln kaum.
7280 Von allen Seiten hundert Quellen
vereinen sich im reinlich-hellen,
zum Bade flach vertieften Raum.
    Gesunde junge Frauenglieder,
vom feuchten Spiegel doppelt wieder
7285 ergötztem Auge zugebracht!
Gesellig dann und fröhlich badend,
erdreistet schwimmend, furchtsam watend;
Geschrei zuletzt und Wasserschlacht!
    Begnügen sollt' ich mich an diesen,
7290 mein Auge sollte hier genießen;
doch immer weiter strebt mein Sinn.
Der Blick dringt scharf nach jener Hülle:
das reiche Laub der grünen Fülle
verbirgt die hohe Königin.
7295   Wundersam! Auch Schwäne kommen
aus den Buchten hergeschwommen,
majestätisch-rein bewegt,
ruhig schwebend, zart-gesellig,
aber stolz und selbstgefällig, —
7300 wie sich Haupt und Schnabel regt!
    Einer aber scheint vor allen
brüstend kühn sich zu gefallen,
segelnd rasch durch alle fort;
sein Gefieder bläht sich schwellend,
7305 Welle selbst, auf Wogen wellend,
dringt er zu dem heiligen Ort.
    Die andern schwimmen hin und wider
mit ruhig glänzendem Gefieder,
bald auch in regem prächtigen Streit,
7310 die scheuen Mädchen abzulenken,
daß sie an ihren Dienst nicht denken,
nur an die eigne Sicherheit.

NYMPHEN

Leget, Schwestern, euer Ohr
an des Ufers grüne Stufe!
7315 Hör' ich recht, so kommt mir's vor
als der Schall von Pferdes Hufe.
Wüßt' ich nur, wer dieser Nacht
schnelle Botschaft zugebracht!

FAUST

Ist mir doch, als dröhnt' die Erde
7320 schallend unter eiligem Pferde!
Dorthin mein Blick!
Ein günstiges Geschick,
soll es mich schon erreichen?
O Wunder ohnegleichen:
7325 ein Reuter kommt herangetrabt!
Er scheint von Geist und Mut begabt,
von blendend-weißem Pferd getragen.
Ich irre nicht, ich kenn' ihn schon:
der Philyra berühmter Sohn!
7330 Halt, Chiron! Halt! Ich habe dir zu sagen —

CHIRON

Was gibt's? Was ist's?

FAUST

Bezähme deinen Schritt!

CHIRON

Ich raste nicht.

FAUST

So, bitte, nimm mich mit!

CHIRON

Sitz auf! So kann ich nach Belieben fragen:
wohin des Wegs? Du stehst am Ufer hier,
7335 ich bin bereit, dich durch den Fluß zu tragen.

FAUST, *aufsitzend.*

Wohin du willst. Für ewig dank' ich's dir. —
Der große Mann, der edle Pädagog,
der, sich zum Ruhm, ein Heldenvolk erzog,
den schönen Kreis der edlen Argonauten
7340 und alle, die des Dichters Welt erbauten.

CHIRON

Das lassen wir an seinem Ort!

Selbst Pallas kommt als Mentor nicht zu Ehren;
am Ende treiben sie's nach ihrer Weise fort,
als wenn sie nicht erzogen wären.

FAUST

7345 Den Arzt, der jede Pflanze nennt,
die Wurzeln bis ins Tiefste kennt,
dem Kranken Heil, dem Wunden Lindrung schafft,
umarm' ich hier in Geist- und Körperkraft!

CHIRON

Ward neben mir ein Held verletzt,
7350 da wußt' ich Hülf' und Rat zu schaffen! —
Doch ließ ich meine Kunst zuletzt
den Wurzelweibern und den Pfaffen.

FAUST

Du bist der wahre große Mann,
der Lobeswort nicht hören kann:
7355 er sucht bescheiden auszuweichen
und tut, als gäb' es seinesgleichen.

CHIRON

Du scheinest mir geschickt zu heucheln,
dem Fürsten wie dem Volk zu schmeicheln.

FAUST

So wirst du mir denn doch gestehn:
7360 du hast die Größten deiner Zeit gesehn,
dem Edelsten in Taten nachgestrebt,
halbgöttlich ernst die Tage durchgelebt.
Doch unter den heroischen Gestalten
wen hast du für den Tüchtigsten gehalten?

CHIRON

7365 Im hehren Argonautenkreise
war jeder brav nach seiner eignen Weise;
und nach der Kraft, die ihn beseelte,
konnt' er genügen, wo's den andern fehlte.
Die Dioskuren haben stets gesiegt,
7370 wo Jugendfüll' und Schönheit überwiegt.
Entschluß und schnelle Tat zu andrer Heil,
den Boreaden ward's zum schönen Teil.
Nachsinnend, kräftig, klug, im Rat bequem,
so herrschte Jason, Frauen angenehm.

7375 Dann Orpheus, zart und immer still bedächtig,
     schlug er die Leier, allen übermächtig.
     Scharfsichtig Lynkeus, der bei Tag und Nacht
     das heil'ge Schiff durch Klipp' und Strand gebracht. —
     Gesellig nur läßt sich Gefahr erproben:
7380 wenn einer wirkt, die andern alle loben.

FAUST

Von Herkules willst nichts erwähnen?

CHIRON

O weh! Errege nicht mein Sehnen!
Ich hatte Phöbus nie gesehn,
noch Ares, Hermes, wie sie heißen;
7385 da sah ich mir vor Augen stehn,
     was alle Menschen göttlich preisen.
     So war er ein geborner König,
     als Jüngling herrlichst anzuschaun,
     dem ältern Bruder untertänig
7390 und auch den allerliebsten Fraun.
     Den zweiten zeugt nicht Gäa wieder,
     nicht führt ihn Hebe himmelein;
     vergebens mühen sich die Lieder,
     vergebens quälen sie den Stein.

FAUST

7395 So sehr auch Bildner auf ihn pochen,
     so herrlich kam er nie zur Schau. —
     Vom schönsten Mann hast du gesprochen,
     nun sprich auch von der schönsten Frau!

CHIRON

Was! — Frauenschönheit will nichts heißen,
7400 ist gar zu oft ein starres Bild;
     nur solch ein Wesen kann ich preisen,
     das froh und lebenslustig quillt.
     Die Schöne bleibt sich selber selig;
     die Anmut macht unwiderstehlich,
7405 wie Helena, da ich sie trug.

FAUST

Du trugst sie?

CHIRON

              Ja, auf diesem Rücken.

FAUST

Bin ich nicht schon verwirrt genug,
und solch ein Sitz muß mich beglücken!

CHIRON

Sie faßte so mich in das Haar,
7410 wie du es tust.

FAUST

　　　　　O, ganz und gar
verlier' ich mich! Erzähle, wie?
Sie ist mein einziges Begehren!
Woher, wohin, ach, trugst du sie?

CHIRON

Die Frage läßt sich leicht gewähren.
7415 Die Dioskuren hatten jener Zeit
das Schwesterchen aus Räuberfaust befreit.
Doch diese, nicht gewohnt, besiegt zu sein,
ermannten sich und stürmten hinterdrein.
Da hielten der Geschwister eiligen Lauf
7420 die Sümpfe bei Eleusis auf;
die Brüder wateten, ich patschte, schwamm hinüber;
da sprang sie ab und streichelte
die feuchte Mähne, schmeichelte
und dankte lieblich-klug und selbstbewußt.
7425 Wie war sie reizend, — jung, des Alten Lust!

FAUST

Erst zehen Jahr!

CHIRON

　　　　　Ich seh', die Philologen,
sie haben dich so wie sich selbst betrogen.
Ganz eigen ist's mit mythologischer Frau:
der Dichter bringt sie, wie er's braucht, zur Schau;
7430 nie wird sie mündig, wird nicht alt,
stets appetitlicher Gestalt,
wird jung entführt, im Alter noch umfreit . . .
G'nug, den Poeten bindet keine Zeit.

FAUST

So sei auch sie durch keine Zeit gebunden!
7435 Hat doch Achill auf Pherä sie gefunden,
selbst außer aller Zeit. Welch seltnes Glück:
errungen Liebe gegen das Geschick!

Und sollt' i c h nicht, sehnsüchtigster Gewalt,
ins Leben ziehn die einzigste Gestalt?
7440 Das ewige Wesen, Göttern ebenbürtig,
so groß als zart, so hehr als liebenswürdig?
Du sahst sie einst, heut hab' ich sie gesehn,
so schön wie reizend, wie ersehnt so schön. —
Nun ist mein Sinn, mein Wesen streng umfangen;
7445 ich lebe nicht, kann ich sie nicht erlangen.

CHIRON

Mein fremder Mann! Als Mensch bist du entzückt;
doch unter Geistern scheinst du wohl verrückt.
Nun trifft sich's hier zu deinem Glücke,
denn alle Jahr, nur wenig Augenblicke,
7450 pfleg' ich bei Manto vorzutreten,
der Tochter Äskulaps; im stillen Beten
fleht sie zum Vater, daß, zu seiner Ehre,
er endlich doch der Ärzte Sinn verkläre
und vom verwegnen Totschlag sie bekehre. —
7455 Die liebste mir aus der Sibyllengilde,
nicht fratzenhaft bewegt, wohltätig milde;
ihr glückt es wohl, bei einigem Verweilen,
mit Wurzelkräften dich von Grund zu heilen.

FAUST

Geheilt will ich nicht sein, mein Sinn ist mächtig;
7460 da wär' ich ja wie andre niederträchtig.

CHIRON

Versäume nicht das Heil der edlen Quelle!
Geschwind herab! Wir sind zur Stelle.

FAUST

Sag an! Wohin hast du in grauser Nacht
durch Kiesgewässer mich ans Land gebracht?

CHIRON

7465 Hier trotzten Rom und Griechenland im Streite,
— Peneios rechts, links den Olymp zur Seite —
das größte Reich, das sich im Sand verliert! —
Der König flieht, der Bürger triumphiert.
Blick auf! Hier steht, bedeutend nah,
7470 im Mondenschein der ewige Tempel da.

MANTO, *inwendig träumend.*

Von Pferdes Hufe
erklingt die heilige Stufe:
Halbgötter treten heran.

CHIRON

Ganz recht!
7475 Nur die Augen aufgetan!

MANTO, *erwachend.*

Willkommen! Ich seh', du bleibst nicht aus.

CHIRON

Steht dir doch auch dein Tempelhaus!

MANTO

Streifst du noch immer unermüdet?

CHIRON

Wohnst du doch immer still umfriedet,
7480 indes zu kreisen mich erfreut.

MANTO

Ich harre, mich umkreist die Zeit.
Und dieser?

CHIRON

Die verrufene Nacht
hat strudelnd ihn hierher gebracht.
Helenen, mit verrückten Sinnen,
7485 Helenen will er sich gewinnen
und weiß nicht, wie und wo beginnen:
asklepischer Kur vor andern wert.

MANTO

Den lieb' ich, der Unmögliches begehrt.

Chiron ist schon weit weg.

MANTO

Tritt ein, Verwegner! Sollst dich freuen!
7490 Der dunkle Gang führt zu Persephoneien.
In des Olympus' hohlem Fuß
lauscht sie geheim verbotnem Gruß.
Hier hab' ich einst den Orpheus eingeschwärzt;
benutz es besser! Frisch! Beherzt!

Sie steigen hinab.

39   Am obern Peneios

Sɪʀᴇɴᴇɴ, *wie zuvor*.

7495 Stürzt euch in Peneios' Flut!
Plätschernd ziemt es da zu schwimmen,
Lied um Lieder anzustimmen,
dem unseligen Volk zugut.
Ohne Wasser ist kein Heil!
7500 Führen wir mit hellem Heere
eilig zum Ägäischen Meere,
würd' uns jede Lust zuteil.

Erdbeben.

Sɪʀᴇɴᴇɴ

Schäumend kehrt die Welle wieder,
fließt nicht mehr im Bett darnieder;
7505 Grund erbebt, das Wasser staucht,
Kies und Ufer berstend raucht.
Flüchten wir! Kommt alle, kommt!
Niemand, dem das Wunder frommt.

Fort, ihr edlen, frohen Gäste,
7510 zu dem seeisch heitern Feste,
blinkend wo die Zitterwellen,
ufernetzend, leise schwellen, —
da, wo Luna doppelt leuchtet,
uns mit heil'gem Tau befeuchtet!
7515 Dort ein freibewegtes Leben,
hier ein ängstlich Erdebeben!
Eile jeder Kluge fort!
Schauderhaft ist's um den Ort.

SEISMOS, *in der Tiefe brummend und polternd.*

Einmal noch mit Kraft geschoben,
7520 mit den Schultern brav gehoben!
So gelangen wir nach oben,
wo uns alles weichen muß.

SPHINXE

Welch ein widerwärtig Zittern,
häßlich grausenhaftes Wittern!
7525 Welch ein Schwanken, welches Beben,
schaukelnd Hin- und Widerstreben!
Welch unleidlicher Verdruß!
Doch wir ändern nicht die Stelle,
bräche los die ganze Hölle.

7530 Nun erhebt sich ein Gewölbe
wundersam. Es ist derselbe,
jener Alte, längst Ergraute,
der die Insel Delos baute,
einer Kreißenden zulieb'
7535 aus der Wog' empor sie trieb.
Er, mit Streben, Drängen, Drücken,
Arme straff, gekrümmt den Rücken,
wie ein Atlas an Gebärde,
hebt er Boden, Rasen, Erde,
7540 Kies und Grieß und Sand und Letten,
unsres Ufers stille Betten.
So zerreißt er eine Strecke
quer des Tales ruhige Decke.
Angestrengtest, nimmer müde,
7545 — kolossale Karyatide —
trägt ein furchtbar Steingerüste,
noch im Boden bis zur Büste!
Weiter aber soll's nicht kommen:
Sphinxe haben Platz genommen.

SEISMOS

7550 Das hab' ich ganz allein vermittelt,
man wird mir's endlich zugestehn;
und hätt' ich nicht geschüttelt und gerüttelt,
wie wäre diese Welt so schön?

Wie ständen eure Berge droben
7555 in prächtig-reinem Ätherblau,
hätt' ich sie nicht hervorgeschoben
zu malerisch-entzückter Schau,
als, angesichts der höchsten Ahnen,
der Nacht, des Chaos, ich mich stark betrug
7560 und, in Gesellschaft von Titanen,
mit Pelion und Ossa als mit Ballen schlug?
Wir tollten fort in jugendlicher Hitze,
bis überdrüssig noch zuletzt
wir dem Parnaß als eine Doppelmütze
7565 die beiden Berge frevelnd aufgesetzt. —
Apollen hält ein froh Verweilen
dort nun mit seliger Musen Chor.
Selbst Jupitern und seinen Donnerkeilen
hob ich den Sessel hoch empor.
7570 Jetzt so, mit ungeheurem Streben,
drang aus dem Abgrund ich herauf
und fordre laut, zu neuem Leben,
mir fröhliche Bewohner auf.

SPHINXE

Uralt, müßte man gestehen,
7575 sei das hier Emporgebürgte,
hätten wir nicht selbst gesehen,
wie sich's aus dem Boden würgte.
Bebuschter Wald verbreitet sich hinan,
noch drängt sich Fels auf Fels bewegt heran;
7580 ein Sphinx wird sich daran nicht kehren:
wir lassen uns im heiligen Sitz nicht stören.

GREIFE

Gold in Blättchen, Gold in Flittern
durch die Ritzen seh' ich zittern.
Laßt euch solchen Schatz nicht rauben!
7585 Imsen, auf, es auszuklauben!

CHOR DER AMEISEN

Wie ihn die Riesigen
emporgeschoben,
ihr Zappelfüßigen,
geschwind nach oben!

7590 Behendest aus und ein!
In solchen Ritzen
ist jedes Bröselein
wert zu besitzen.
Das Allermindeste
7595 müßt ihr entdecken
auf das geschwindeste
in allen Ecken.
Allemsig müßt ihr sein,
ihr Wimmelscharen;
7600 nur mit dem Gold herein!
Den Berg laßt fahren!

GREIFE

Herein! Herein! Nur Gold zuhauf!
Wir legen unsre Klauen drauf;
sind Riegel von der besten Art,
7605 der größte Schatz ist wohlverwahrt.

PYGMÄEN

Haben wirklich Platz genommen,
wissen nicht, wie es geschah.
Fraget nicht, woher wir kommen,
denn wir sind nun einmal da!
7610   Zu des Lebens lustigem Sitze
eignet sich ein jedes Land;
zeigt sich eine Felsenritze,
ist auch schon der Zwerg zur Hand:
Zwerg und Zwergin, rasch zum Fleiße,
7615 musterhaft ein jedes Paar;
weiß nicht, ob es gleicherweise
schon im Paradiese war.
Doch wir finden's hier zum besten,
segnen dankbar unsern Stern;
7620 denn im Osten wie im Westen
zeugt die Mutter Erde gern.

DAKTYLE

Hat sie in einer Nacht
die Kleinen hervorgebracht,
sie wird die Kleinsten erzeugen,
7625 finden auch ihresgleichen.

PYGMÄEN-ÄLTESTE

Eilet, bequemen
Sitz einzunehmen!
Eilig zum Werke!
Schnelle für Stärke!
7630 Noch ist es Friede;
baut euch die Schmiede,
Harnisch und Waffen
dem Heer zu schaffen!

Ihr Imsen alle,
7635 rührig im Schwalle,
schafft uns Metalle!
Und ihr Daktyle,
Kleinste, so viele,
euch sei befohlen,
7640 Hölzer zu holen!
Schichtet zusammen
heimliche Flammen,
schaffet uns Kohlen!

GENERALISSIMUS

Mit Pfeil und Bogen
7645 frisch ausgezogen!
An jenem Weiher
schießt mir die Reiher,
unzählig nistende,
hochmütig brüstende,
7650 auf einen Ruck,
alle wie einen,
daß wir erscheinen
mit Helm und Schmuck!

IMSEN und DAKTYLE

Wer wird uns retten?
7655 Wir schaffen 's Eisen:
sie schmieden Ketten.
Uns loszureißen,
ist noch nicht zeitig,
drum seid geschmeidig!

DIE KRANICHE DES IBYKUS

7660 Mordgeschrei und Sterbeklagen!
Ängstlich Flügelflatterschlagen!

Welch ein Ächzen, welch Gestöhn
dringt herauf zu unsern Höh'n!
Alle sind sie schon ertötet,
7665 See von ihrem Blut gerötet;
mißgestaltete Begierde
raubt des Reihers edle Zierde.
Weht sie doch schon auf dem Helme
dieser Fettbauch-Krummbein-Schelme! —
7670   Ihr Genossen unsres Heeres,
Reihenwanderer des Meeres,
euch berufen wir zur Rache
in so nahverwandter Sache;
keiner spare Kraft und Blut!
7675 Ewige Feindschaft dieser Brut!

    Zerstreuen sich krächzend in den Lüften.

    Mephistopheles, *in der Ebne.*

Die nordischen Hexen wußt' ich wohl zu meistern,
mir wird's nicht just mit diesen fremden Geistern.
Der Blocksberg bleibt ein gar bequem Lokal,
wo man auch sei, man findet sich zumal.
7680 Frau Ilse wacht für uns auf ihrem Stein,
auf seiner Höh' wird Heinrich munter sein,
die Schnarcher schnauzen zwar das Elend an,
doch alles ist für tausend Jahr getan.
    Wer weiß denn hier nur, wo er geht und steht,
7685 ob unter ihm sich nicht der Boden bläht?
Ich wandle lustig durch ein glattes Tal,
und hinter mir erhebt sich auf einmal
ein Berg, — zwar kaum ein Berg zu nennen,
von meinen Sphinxen mich jedoch zu trennen
7690 schon hoch genug. — Hier zuckt noch manches Feuer
das Tal hinab und flammt ums Abenteuer.
Noch tanzt und schwebt mir lockend, weichend vor,
spitzbübisch gaukelnd, der galante Chor.
Nur sachte drauf! Allzugewohnt ans Naschen,
7695 wo es auch sei, man sucht was zu erhaschen.

    Lamien, *Mephistopheles nach sich ziehend.*

Geschwind, geschwinder!
Und immer weiter!

Dann wieder zaudernd,
geschwätzig plaudernd!
7700 Es ist so heiter,
den alten Sünder
uns nachzuziehen
zu schwerer Buße.
Mit starrem Fuße
7705 kommt er geholpert,
einhergestolpert;
er schleppt das Bein,
wie wir ihn fliehen,
uns hinterdrein.

MEPHISTOPHELES, *stillstehend.*

7710 Verflucht Geschick! Betrogne Mannsen!
Von Adam her verführte Hansen!
Alt wird man wohl, wer aber klug?
Warst du nicht schon vernarrt genug?

Man weiß, das Volk taugt aus dem Grunde nichts.
7715 Geschnürten Leibs, geschminkten Angesichts,
nichts haben sie Gesundes zu erwidern,
wo man sie anfaßt, morsch in allen Gliedern!
Man weiß, man sieht's, man kann es greifen,
und dennoch tanzt man, wenn die Luder pfeifen!

LAMIEN, *innehaltend.*

7720 Halt! Er besinnt sich, zaudert, steht!
Entgegnet ihm, daß er euch nicht entgeht!

MEPHISTOPHELES, *fortschreitend.*

Nur zu! Und laß dich ins Gewebe
der Zweifelei nicht törig ein!
Denn, wenn es keine Hexen gäbe,
7725 wer Teufel möchte Teufel sein?

LAMIEN, *anmutigst.*

Kreisen wir um diesen Helden!
Liebe wird in seinem Herzen
sich gewiß für e i n e melden.

MEPHISTOPHELES

Zwar bei ungewissem Schimmer
7730 scheint ihr hübsche Frauenzimmer,
und so möcht' ich euch nicht schelten.

EMPUSE, *eindringend.*

Auch nicht mich! Als eine solche
laßt mich ein in eure Folge!

LAMIEN

Die ist in unserm Kreis zuviel,
7735 verdirbt doch immer unser Spiel.

EMPUSE, *zu Mephistopheles.*

Begrüßt von Mühmichen Empuse,
der Trauten mit dem Eselsfuße!
Du hast nur einen Pferdefuß,
und doch, Herr Vetter, schönsten Gruß!

MEPHISTOPHELES

7740 Hier dacht' ich lauter Unbekannte
und finde leider Nahverwandte;
es ist ein altes Buch zu blättern:
vom Harz bis Hellas immer Vettern!

EMPUSE

Entschieden weiß ich gleich zu handeln,
7745 in vieles könnt' ich mich verwandeln;
doch Euch zu Ehren hab' ich jetzt
das Eselsköpfchen aufgesetzt.

MEPHISTOPHELES

Ich merk', es hat bei diesen Leuten
Verwandtschaft Großes zu bedeuten;
7750 doch mag sich, was auch will, eräugnen,
den Eselskopf möcht' ich verleugnen.

LAMIEN

Laß diese Garstige! Sie verscheucht,
was irgend schön und lieblich deucht;
was irgend schön und lieblich wär',
7755 sie kommt heran: — es ist nicht mehr!

MEPHISTOPHELES

Auch diese Mühmchen, zart und schmächtig,
sie sind mir allesamt verdächtig;
und hinter solcher Wänglein Rosen
fürcht' ich doch auch Metamorphosen.

LAMIEN

7760 Versuch es doch! Sind unsrer viele.
Greif zu! Und hast du Glück im Spiele,
erhasche dir das beste Los!

Was soll das lüsterne Geleier?
Du bist ein miserabler Freier,
7765 stolzierst einher und tust so groß! —
Nun mischt er sich in unsre Scharen;
laßt nach und nach die Masken fahren
und gebt ihm euer Wesen bloß!

MEPHISTOPHELES

Die Schönste hab' ich mir erlesen . . .
Sie umfassend.
7770 O weh mir! Welch ein dürrer Besen!
Eine andere ergreifend.
Und diese? . . . Schmähliches Gesicht!

LAMIEN

Verdienst du's besser? Dünk es nicht!

MEPHISTOPHELES

Die Kleine möcht' ich mir verpfänden . . .
Lazerte schlüpft mir aus den Händen,
7775 und schlangenhaft der glatte Zopf!
Dagegen fass' ich mir die Lange . . .
Da pack' ich eine Thyrsusstange,
den Pinienapfel als den Kopf!
Wo will's hinaus? — Noch eine Dicke,
7780 an der ich mich vielleicht erquicke!
Zum letztenmal gewagt! Es sei!
Recht quammig, quappig! Das bezahlen
mit hohem Preis Orientalen . . .
Doch ach, der Bovist platzt entzwei!

LAMIEN

7785 Fahrt auseinander! Schwankt und schwebet
blitzartig! Schwarzen Flugs umgebet
den eingedrungnen Hexensohn!
Unsichre, schauderhafte Kreise, —
schweigsamen Fittichs, Fledermäuse! —
7790 Zu wohlfeil kommt er doch davon.

MEPHISTOPHELES, *sich schüttelnd.*

Viel klüger, scheint es, bin ich nicht geworden;
absurd ist's hier, absurd im Norden,
Gespenster hier wie dort vertrackt,
Volk und Poeten abgeschmackt.

7795 Ist eben hier eine Mummenschanz,
wie überall, ein Sinnentanz.
Ich griff nach holden Maskenzügen
und faßte Wesen, daß mich's schauerte.
Ich möchte gerne mich betrügen,
7800 wenn es nur länger dauerte.

Sich zwischen dem Gestein verirrend.

Wo bin ich denn? Wo will's hinaus?
Das war ein Pfad, nun ist's ein Graus.
Ich kam daher auf glatten Wegen,
und jetzt steht mir Geröll entgegen.
7805 Vergebens klettr' ich auf und nieder.
Wo find' ich meine Sphinxe wieder?
So toll hätt' ich mir's nicht gedacht,
ein solch Gebirg in e i n e r Nacht!
Das heiß' ich frischen Hexenritt:
7810 die bringen ihren Blocksberg mit!

OREAS, *vom Naturfels.*

Herauf hier! Mein Gebirg ist alt,
steht in ursprünglicher Gestalt.
Verehre schroffe Felsensteige,
des Pindus' letztgedehnte Zweige!
7815 Schon stand ich unerschüttert so,
als über mich Pompejus floh.
Daneben das Gebild des Wahns
verschwindet schon beim Kräh'n des Hahns.
Dergleichen Märchen seh' ich oft entstehn
7820 und plötzlich wieder untergehn.

MEPHISTOPHELES

Sei Ehre dir, ehrwürdiges Haupt,
von hoher Eichenkraft umlaubt!
Der allerklarste Mondenschein
dringt nicht zur Finsternis herein. —
7825 Doch neben am Gebüsche zieht
ein Licht, das gar bescheiden glüht.
Wie sich das alles fügen muß!
Fürwahr, es ist Homunculus!
Woher des Wegs, du Kleingeselle?

HOMUNCULUS

7830 Ich schwebe so von Stell' zu Stelle
und möchte gern im besten Sinn entstehn,
voll Ungeduld, mein Glas entzweizuschlagen;
allein, was ich bisher gesehn,
hinein da möcht' ich mich nicht wagen.
7835 Nur, um dir's im Vertraun zu sagen:
zwei Philosophen bin ich auf der Spur.
Ich horchte zu, es hieß: „Natur! Natur!"
Von diesen will ich mich nicht trennen,
sie müssen doch das irdische Wesen kennen;
7840 und ich erfahre wohl am Ende,
wohin ich mich am allerklügsten wende.

MEPHISTOPHELES

Das tu auf deine eigne Hand!
Denn, wo Gespenster Platz genommen,
ist auch der Philosoph willkommen.
7845 Damit man seiner Kunst und Gunst sich freue,
erschafft er gleich ein Dutzend neue.
Wenn du nicht irrst, kommst du nicht zu Verstand:
Willst du entstehn, entsteh auf eigne Hand!

HOMUNCULUS

Ein guter Rat ist auch nicht zu verschmähn.

MEPHISTOPHELES

7850 So fahre hin! Wir wollen's weiter sehn.
Trennen sich.

ANAXAGORAS, *zu Thales.*

Dein starrer Sinn will sich nicht beugen!
Bedarf es weitres, dich zu überzeugen?

THALES

Die Welle beugt sich jedem Winde gern,
doch hält sie sich vom schroffen Felsen fern.

ANAXAGORAS

7855 Durch Feuerdunst ist dieser Fels zuhanden!

THALES

Im Feuchten ist Lebendiges erstanden!

HOMUNCULUS, *zwischen beiden.*

Laßt mich an eurer Seite gehn:
mir selbst gelüstet's zu entstehn!

ANAXAGORAS

Hast du, o Thales, je, in einer Nacht,
7860 solch einen Berg aus Schlamm hervorgebracht?

THALES

Nie war Natur und ihr lebendiges Fließen
auf Tag und Nacht und Stunden angewiesen.
Sie bildet regelnd jegliche Gestalt,
und selbst im Großen ist es nicht Gewalt.

ANAXAGORAS

7865 Hier aber war's! Plutonisch grimmig Feuer,
äolischer Dünste Knallkraft, ungeheuer,
durchbrach des flachen Bodens alte Kruste,
daß neu ein Berg sogleich entstehen mußte.

THALES

Was wird dadurch nun weiter fortgesetzt?
7870 Er ist auch da, und das ist gut zuletzt.
Mit solchem Streit verliert man Zeit und Weile
und führt doch nur geduldig Volk am Seile.

ANAXAGORAS

Schnell quillt der Berg von Myrmidonen,
die Felsenspalten zu bewohnen:
7875 Pygmäen, Imsen, Däumerlinge
und andre tätig-kleine Dinge.

Zum Homunculus.

Nie hast du Großem nachgestrebt,
einsiedlerisch-beschränkt gelebt;
kannst du zur Herrschaft dich gewöhnen,
7880 so lass' ich dich als König krönen.

HOMUNCULUS

Was sagt mein Thales?

THALES

              Will's nicht raten;
mit Kleinen tut man kleine Taten,
mit Großen wird der Kleine groß.
     Sieh hin! Die schwarze Kranichwolke!
7885 Sie droht dem aufgeregten Volke
und würde so dem König drohn.
Mit scharfen Schnäbeln, Krallenbeinen,
sie stechen nieder auf die Kleinen;
Verhängnis wetterleuchtet schon.

7890 Ein Frevel tötete die Reiher,
umstellend ruhigen Friedensweiher.
Doch jener Mordgeschosse Regen
schafft grausam-blut'gen Rachesegen,
erregt der Nahverwandten Wut
7895 nach der Pygmäen frevlem Blut.
Was nützt nun Schild und Helm und Speer?
Was hilft der Reiherstrahl den Zwergen?
Wie sich Daktyl und Imse bergen!
Schon wankt, es flieht, es stürzt das Heer.

ANAXAGORAS, *nach einer Pause, feierlich.*

7900 Konnt' ich bisher die Unterirdischen loben,
so wend' ich mich in diesem Fall nach oben. —
Du droben, ewig Unveraltete,
Dreinamig-Dreigestaltete,
dich ruf' ich an bei meines Volkes Weh,
7905 Diana, Luna, Hekate!
Du Brusterweiternde, im Tiefsten Sinnige,
du Ruhigscheinende, Gewaltsam-Innige,
eröffne deiner Schatten grausen Schlund!
Die alte Macht sei ohne Zauber kund!

Pause.

7910 Bin ich zu schnell erhört?
Hat mein Fleh'n
nach jenen Höh'n
die Ordnung der Natur gestört?

Und größer, immer größer nahet schon
7915 der Göttin rundumschriebner Thron,
dem Auge furchtbar, ungeheuer!
Ins Düstre rötet sich sein Feuer. —
Nicht näher, drohend-mächtige Runde!
Du richtest uns und Land und Meer zugrunde!

7920 So wär' es wahr, daß dich thessalische Frauen
in frevelnd magischem Vertrauen
von deinem Pfad herabgesungen,
Verderblichstes dir abgerungen? —
Das lichte Schild hat sich umdunkelt,
7925 auf einmal reißt's und blitzt und funkelt!

Welch ein Geprassel! Welch ein Zischen!
Ein Donnern, Windgetüm dazwischen! . . .
Demütig zu des Thrones Stufen! —
Verzeiht! Ich hab' es hergerufen.

Wirft sich aufs Angesicht.

THALES

7930 Was dieser Mann nicht alles hört' und sah!
Ich weiß nicht recht, wie uns geschah;
auch hab' ich's nicht mit ihm empfunden.
Gestehen wir: es sind verrückte Stunden,
und Luna wiegt sich ganz bequem
7935 an ihrem Platz so wie vordem.

HOMUNCULUS

Schaut hin nach der Pygmäen Sitz!
Der Berg war rund, jetzt ist er spitz!
Ich spürt' ein ungeheures Prallen,
der Fels war aus dem Mond gefallen;
7940 gleich hat er, ohne nachzufragen,
so Freund als Feind gequetscht, erschlagen. —
Doch muß ich solche Künste loben,
die schöpferisch, in einer Nacht,
zugleich von unten und von oben
7945 dies Berggebäu zustandgebracht.

THALES

Sei ruhig! Es war nur gedacht.
Sie fahre hin, die garstige Brut!
Daß du nicht König warst, ist gut.
Nun fort zum heitern Meeresfeste!
7950 Dort hofft und ehrt man Wundergäste.

Entfernen sich.

MEPHISTOPHELES, *an der Gegenseite kletternd.*

Da muß ich mich durch steile Felsentreppen,
durch alter Eichen starre Wurzeln schleppen!
Auf meinem Harz der harzige Dunst
hat was vom Pech, und das hat meine Gunst,
7955 zunächst dem Schwefel. . . . Hier, bei diesen Griechen,
ist von dergleichen kaum die Spur zu riechen;
neugierig aber wär' ich, nachzuspüren,
womit sie Höllenqual und -flamme schüren.

DRYAS

In deinem Lande sei einheimisch klug,
7960 im fremden bist du nicht gewandt genug.
Du solltest nicht den Sinn zur Heimat kehren,
der heiligen Eichen Würde hier verehren!

MEPHISTOPHELES

Man denkt an das, was man verließ;
was man gewohnt war, bleibt ein Paradies.
7965 Doch sagt, was in der Höhle dort
bei schwachem Licht sich dreifach hingekauert!

DRYAS

Die Phorkyaden! Wage dich zum Ort
und sprich sie an, wenn dich nicht schauert.

MEPHISTOPHELES

Warum denn nicht! — Ich sehe was — und staune!
7970 So stolz ich bin, muß ich mir selbst gestehn:
dergleichen hab' ich nie gesehn!
Die sind ja schlimmer als Alraune! —
Wird man die urverworfnen Sünden
im mindesten noch häßlich finden,
7975 wenn man dies Dreigetüm erblickt?
Wir litten sie nicht auf den Schwellen
der grauenvollsten unsrer Höllen;
hier wurzelt's in der Schönheit Land:
das wird mit Ruhm antik genannt!
7980 Sie regen sich, sie scheinen mich zu spüren,
sie zwitschern pfeifend, Fledermaus-Vampiren.

PHORKYADE

Gebt mir das Auge, Schwestern, daß es frage,
wer sich so nah an unsre Tempel wage.

MEPHISTOPHELES

Verehrteste! Erlaubt mir, euch zu nahen
7985 und euren Segen dreifach zu empfahen.
Ich trete vor, zwar noch als Unbekannter,
doch, irr' ich nicht, weitläufiger Verwandter.
Altwürdige Götter hab' ich schon erblickt,
vor Ops und Rhea tiefstens mich gebückt;
7990 die Parzen selbst, des Chaos, eure Schwestern,
ich sah sie gestern — oder ehegestern.

Doch euresgleichen hab' ich nie erblickt!
Ich schweige nun und fühle mich entzückt.

PHORKYADEN

Er scheint Verstand zu haben, dieser Geist.

MEPHISTOPHELES

7995 Nur wundert's mich, daß euch kein Dichter preist.
Und sagt! Wie kam's? Wie konnte das geschehn?
Im Bilde hab' ich nie euch Würdigste gesehn.
Versuch's der Meißel doch, euch zu erreichen,
nicht Juno, Pallas, Venus und dergleichen!

PHORKYADEN

8000 Versenkt in Einsamkeit und stillste Nacht,
hat unser Drei noch nie daran gedacht!

MEPHISTOPHELES

Wie sollt' es auch, da ihr, der Welt entrückt,
hier niemand seht, und niemand euch erblickt?
Da müßtet ihr an solchen Orten wohnen,
8005 wo Pracht und Kunst auf gleichem Sitze thronen,
wo jeden Tag, behend, im Doppelschritt,
ein Marmorblock als Held ins Leben tritt,
wo —

PHORKYADEN

Schweige still und gib uns kein Gelüsten!
Was hülf' es uns, und wenn wir's besser wüßten? —
8010 In Nacht geboren, Nächtlichem verwandt,
beinah uns selbst, ganz allen unbekannt.

MEPHISTOPHELES

In solchem Fall hat es nicht viel zu sagen,
man kann sich selbst auch andern übertragen.
Euch Dreien g'nügt ein Auge, g'nügt ein Zahn;
8015 da ging' es wohl auch mythologisch an,
in Zwei die Wesenheit der Drei zu fassen,
der Dritten Bildnis mir zu überlassen
auf kurze Zeit.

EINE

Wie dünkt's euch? Ging' es an?

DIE ANDERN

Versuchen wir's! — Doch ohne Aug' und Zahn!

MEPHISTOPHELES

8020 Nun habt ihr grad das Beste weggenommen!
Wie würde da das strengste Bild vollkommen?

EINE

Drück du ein Auge zu, — 's ist leicht geschehn —
laß alsofort den e i n e n Raffzahn sehn,
und im Profil wirst du sogleich erreichen,
8025 geschwisterlich vollkommen uns zu gleichen.

MEPHISTOPHELES

Viel Ehr'! Es sei!

PHORKYADEN

          Es sei!

MEPHISTOPHELES, *als Phorkyas im Profil.*

          Da steh' ich schon,
des Chaos' vielgeliebter Sohn!

PHORKYADEN

Des Chaos' Töchter sind wir unbestritten.

MEPHISTOPHELES

Man schilt mich nun, o Schmach, Hermaphroditen!

PHORKYADEN

8030 Im neuen Drei der Schwestern welche Schöne!
Wir haben zwei der Augen, zwei der Zähne!

MEPHISTOPHELES

Vor aller Augen muß ich mich verstecken,
im Höllenpfuhl die Teufel zu erschrecken.

    Ab.

Mond im Zenith verharrend.

SIRENEN, *auf den Klippen umhergelagert, flötend und singend.*

Haben sonst bei nächtigem Grauen
8035 dich thessalische Zauberfrauen
frevelhaft herabgezogen,
blicke ruhig von dem Bogen
deiner Nacht auf Zitterwogen
mildeblitzend Glanzgewimmel
8040 und erleuchte das Getümmel,
das sich aus den Wogen hebt!
Dir zu jedem Dienst erbötig,
schöne Luna, sei uns gnädig!

NEREIDEN und TRITONEN, *als Meerwunder.*

Tönet laut in schärfern Tönen,
8045 die das breite Meer durchdröhnen;
Volk der Tiefe ruft fortan!
Vor des Sturmes grausen Schlünden
wichen wir zu stillsten Gründen;
holder Sang zieht uns heran.

8050 Seht, wie wir im Hochentzücken
uns mit goldenen Ketten schmücken,
auch zu Kron' und Edelsteinen
Spang' und Gürtelschmuck vereinen!
Alles das ist eure Frucht:
8055 Schätze, scheiternd hier verschlungen,
habt ihr uns herangesungen,
ihr Dämonen unsrer Bucht.

SIRENEN

Wissen's wohl: in Meeresfrische
glatt behagen sich die Fische
8060 schwanken Lebens ohne Leid;
doch, ihr festlich regen Scharen,
heute möchten wir erfahren,
daß ihr mehr als Fische seid.

NEREIDEN und TRITONEN

Ehe wir hieher gekommen,
8065 haben wir's zu Sinn genommen.

Schwestern, Brüder, jetzt geschwind!
Heut bedarf's der kleinsten Reise
zum vollgültigsten Beweise,
daß wir mehr als Fische sind.

Entfernen sich.

SIRENEN

8070 Fort sind sie im Nu!
Nach Samothrake grade zu,
verschwunden mit günstigem Wind!
Was denken sie zu vollführen
im Reiche der hohen Kabiren?

8075 — Sind Götter, wundersam eigen,
die sich immerfort selbst erzeugen
und niemals wissen, was sie sind. —
Bleibe auf deinen Höh'n,
holde Luna, gnädig stehn,

8080 daß es nächtig verbleibe,
uns der Tag nicht vertreibe!

THALES, *am Ufer, zu Homunculus.*

Ich führte dich zum alten Nereus gern.
Zwar sind wir nicht von seiner Höhle fern;
doch hat er einen harten Kopf,

8085 der widerwärtige Sauertopf.
Das ganze menschliche Geschlecht
macht's ihm, dem Griesgram, nimmer recht.
Doch ist die Zukunft ihm entdeckt,
dafür hat jedermann Respekt

8090 und ehret ihn auf seinem Posten;
auch hat er manchem wohlgetan.

HOMUNCULUS

Probieren wir's und klopfen an!
Nicht gleich wird's Glas und Flamme kosten.

NEREUS

Sind's Menschenstimmen, die mein Ohr vernimmt?

8095 Wie es mir gleich im tiefsten Herzen grimmt!
Gebilde, strebsam, Götter zu erreichen,
und doch verdammt, sich immer selbst zu gleichen!
Seit alten Jahren konnt' ich göttlich ruhn,
doch trieb mich's an, den Besten wohlzutun;

8100 und schaut' ich dann zuletzt vollbrachte Taten,
so war es ganz, als hätt' ich nicht geraten.

THALES

Und doch, o Greis des Meers, vertraut man dir:
du bist der Weise, treib uns nicht von hier!
Schau diese Flamme: menschenähnlich zwar,
8105 sie deinem Rat ergibt sich ganz und gar.

NEREUS

Was Rat! Hat Rat bei Menschen je gegolten?
Ein kluges Wort erstarrt im harten Ohr.
So oft auch Tat sich grimmig selbst gescholten,
bleibt doch das Volk selbstwillig wie zuvor.

8110 Wie hab' ich Paris väterlich gewarnt,
eh' sein Gelüst ein fremdes Weib umgarnt'!
Am griechischen Ufer stand er kühnlich da,
ihm kündet' ich, was ich im Geiste sah:
die Lüfte qualmend, überströmend Rot,
8115 Gebälke glühend, unten Mord und Tod —
Trojas Gerichtstag, rhythmisch festgebannt,
Jahrtausenden so schrecklich als gekannt.
Des Alten Wort, dem Frechen schien's ein Spiel,
er folgte seiner Lust, und Ilios fiel —
8120 ein Riesenleichnam, starr nach langer Qual,
des Pindus' Adlern gar willkommnes Mahl.
Ulyssen auch! Sagt' ich ihm nicht voraus
der Circe Listen, des Zyklopen Graus,
das Zaudern sein, der Seinen leichten Sinn
8125 und was nicht alles? Bracht' ihm das Gewinn,
bis vielgeschaukelt ihn, doch spät genug,
der Woge Gunst an gastlich Ufer trug?

THALES

Dem weisen Mann gibt solch Betragen Qual;
der gute doch versucht es noch einmal.
8130 Ein Quentchen Danks wird, hoch ihn zu vergnügen,
die Zentner Undanks völlig überwiegen.
Denn nichts Geringes haben wir zu flehn:
der Knabe da wünscht weislich zu entstehn.

NEREUS

Verderbt mir nicht den seltensten Humor!
8135 Ganz andres steht mir heute noch bevor:
die Töchter hab' ich alle herbeschieden,
die Grazien des Meeres, die Doriden.

Nicht der Olymp, nicht euer Boden trägt
ein schön Gebild, das sich so zierlich regt.
8140 Sie werfen sich anmutigster Gebärde
vom Wasserdrachen auf Neptunus' Pferde,
dem Element aufs zarteste vereint,
daß selbst der Schaum sie noch zu heben scheint.
Im Farbenspiel von Venus' Muschelwagen
8145 kommt Galatee, die schönste nun, getragen,
die, seit sich Kypris von uns abgekehrt,
in Paphos wird als Göttin selbst verehrt.
Und so besitzt die Holde lange schon,
als Erbin, Tempelstadt und Wagenthron.

8150 Hinweg! Es ziemt, in Vaterfreudenstunde,
nicht Haß dem Herzen, Scheltwort nicht dem Munde.
Hinweg zu Proteus! Fragt den Wundermann,
wie man entstehn und sich verwandeln kann!

Entfernt sich gegen das Meer.

THALES

Wir haben nichts durch diesen Schritt gewonnen.
8155 Trifft man auch Proteus, gleich ist er zerronnen;
und steht er euch, so sagt er nur zuletzt,
was staunen macht und in Verwirrung setzt.
Du bist einmal bedürftig solchen Rats:
versuchen wir's und wandeln unsres Pfads!

Thales und Homunculus entfernen sich.

SIRENEN, *oben auf den Felsen.*

8160 Was sehen wir von weiten
das Wellenreich durchgleiten?
Als wie nach Windes Regel
anzögen weiße Segel,
so hell sind sie zu schauen,
8165 verklärte Meeresfrauen.
Laßt uns herunterklimmen!
Vernehmt ihr doch die Stimmen.

NEREIDEN und TRITONEN

Was wir auf Händen tragen,
soll allen euch behagen.
8170 Chelonens Riesenschilde
entglänzt ein streng Gebilde:

sind Götter, die wir bringen;
müßt hohe Lieder singen!

SIRENEN

Klein von Gestalt,
8175 groß von Gewalt,
der Scheiternden Retter,
uralt verehrte Götter!

NEREIDEN und TRITONEN

Wir bringen die Kabiren,
ein friedlich Fest zu führen;
8180 denn wo sie heilig walten,
Neptun wird freundlich schalten.

SIRENEN

Wir stehen euch nach:
wenn ein Schiff zerbrach,
unwiderstehbar an Kraft
8185 schützt ihr die Mannschaft.

NEREIDEN und TRITONEN

Drei haben wir mitgenommen.
Der vierte wollte nicht kommen;
er sagte, er sei der Rechte,
der für sie alle dächte.

SIRENEN

8190 Ein Gott den andern Gott
macht wohl zu Spott.
Ehrt ihr alle Gnaden,
fürchtet jeden Schaden!

NEREIDEN und TRITONEN

Sind eigentlich ihrer sieben.

SIRENEN

8195 Wo sind die drei geblieben?

NEREIDEN und TRITONEN

Wir wüßten's nicht zu sagen,
sind im Olymp zu erfragen,
— dort west auch wohl der achte,
an den noch niemand dachte —
8200 in Gnaden uns gewärtig,
doch alle noch nicht fertig.

Diese Unvergleichlichen
wollen immer weiter, —
sehnsuchtsvolle Hungerleider
8205 nach dem Unerreichlichen.

SIRENEN

Wir sind gewohnt,
wo es auch thront,
in Sonn' und Mond
hinzubeten: es lohnt.

NEREIDEN und TRITONEN

8210 Wie unser Ruhm zum höchsten prangt,
dieses Fest anzuführen!

SIRENEN

Die Helden des Altertums
ermangeln des Ruhms,
wo und wie er auch prangt,
8215 wenn sie das goldne Vlies erlangt, —
ihr die Kabiren.

Wiederholt als ALLGESANG.

Wenn sie das goldne Vlies erlangt, —
wir ⎫
ihr ⎭ die Kabiren.

Nereiden und Tritonen ziehen vorüber.

HOMUNCULUS

Die Ungestalten seh' ich an
8220 als irden-schlechte Töpfe.
Nun stoßen sich die Weisen dran
und brechen harte Köpfe.

THALES

Das ist es ja, was man begehrt:
der Rost macht erst die Münze wert.

PROTEUS, *unbemerkt.*

8225 So etwas freut mich alten Fabler!
Je wunderlicher, desto respektabler.

THALES

Wo bist du, Proteus?

PROTEUS, *bauchrednerisch, bald nah, bald fern.*
Hier! — Und hier!

THALES

Den alten Scherz verzeih' ich dir;
doch einem Freund nicht eitle Worte!
8230 Ich weiß, du sprichst vom falschen Orte.

PROTEUS, *als aus der Ferne.*

Leb wohl!

THALES, *leise, zu Homunculus.*

       Er ist ganz nah. Nun leuchte frisch!
Er ist neugierig wie ein Fisch;
und wo er auch gestaltet stockt,
durch Flammen wird er hergelockt.

HOMUNCULUS

8235 Ergieß' ich gleich des Lichtes Menge, —
bescheiden doch, daß ich das Glas nicht sprenge.

PROTEUS, *in Gestalt einer Riesenschildkröte.*

Was leuchtet so anmutig schön?

THALES, *den Homunculus verhüllend.*

Gut! Wenn du Lust hast, kannst du's näher sehn.
Die kleine Mühe laß dich nicht verdrießen
8240 und zeige dich auf menschlich beiden Füßen!
Mit unsern Gunsten sei's, mit unserm Willen,
wer schauen will, was wir verhüllen.

PROTEUS, *edel gestaltet.*

Weltweise Kniffe sind dir noch bewußt.

THALES

Gestalt zu wechseln, bleibt noch deine Lust.
    Hat den Homunculus enthüllt.

PROTEUS, *erstaunt.*

8245 Ein leuchtend Zwerglein! Niemals noch gesehn!

THALES

Es fragt um Rat und möchte gern entstehn.
Er ist, wie ich von ihm vernommen,
gar wundersam nur halb zur Welt gekommen:
ihm fehlt es nicht an geistigen Eigenschaften,
8250 doch gar zu sehr am greiflich Tüchtighaften.
Bis jetzt gibt ihm das Glas allein Gewicht,
doch wär' er gern zunächst verkörperlicht.

PROTEUS

Du bist ein wahrer Jungfernsohn:
eh' du sein solltest, bist du schon!

THALES, *leise.*

8255 Auch scheint es mir von andrer Seite kritisch:
er ist, mich dünkt, hermaphroditisch.

PROTEUS

Da muß es desto eher glücken:
so wie er anlangt, wird sich's schicken.
Doch gilt es hier nicht viel Besinnen:
8260 im weiten Meere mußt du anbeginnen!
Da fängt man erst im Kleinen an
und freut sich, Kleinste zu verschlingen;
man wächst so nach und nach heran
und bildet sich zu höherem Vollbringen.

HOMUNCULUS

8265 Hier weht gar eine weiche Luft,
es grunelt so, und mir behagt der Duft!

PROTEUS

Das glaub' ich, allerliebster Junge!
Und weiterhin wird's viel behäglicher,
auf dieser schmalen Strandeszunge
8270 der Dunstkreis noch unsäglicher.
Da vorne sehen wir den Zug,
der eben herschwebt, nah genug.
Kommt mit dahin!

THALES

Ich gehe mit.

HOMUNCULUS

Dreifach merkwürd'ger Geisterschritt!

TELCHINEN VON RHODUS, *auf Hippokampen und Meer-*
drachen, Neptunens Dreizack handhabend: Chor.

8275 Wir haben den Dreizack Neptunen geschmiedet
womit er die regesten Wellen begütet.
Entfaltet der Donnrer die Wolken, die vollen,
entgegnet Neptunus dem greulichen Rollen;
und wie auch von oben es zackig erblitzt,
8280 wird Woge nach Woge von unten gespritzt;

und was auch dazwischen in Ängsten gerungen,
wird, lange geschleudert, vom Tiefsten verschlungen;
weshalb er uns heute den Zepter gereicht:
nun schweben wir festlich, beruhigt und leicht.

SIRENEN

8285 Euch, dem Helios Geweihten,
heitern Tags Gebenedeiten,
Gruß zur Stunde, die bewegt
Lunas Hochverehrung regt!

TELCHINEN

Allieblichste Göttin am Bogen da droben!
8290 Du hörst mit Entzücken den Bruder beloben;
der seligen Rhodus verleihst du ein Ohr,
dort steigt ihm ein ewiger Päan hervor.

Beginnt er den Tagslauf und ist es getan,
er blickt uns mit feurigem Strahlenblick an.
8295 Die Berge, die Städte, die Ufer, die Welle
gefallen dem Gotte, sind lieblich und helle.

Kein Nebel umschwebt uns, und schleicht er sich ein,
ein Strahl und ein Lüftchen — die Insel ist rein!
Da schaut sich der Hohe in hundert Gebilden,
8300 als Jüngling, als Riesen, den großen, den milden.

Wir ersten, wir waren's, die Göttergewalt
aufstellten in würdiger Menschengestalt.

PROTEUS

Laß du sie singen, laß sie prahlen!
Der Sonne heiligen Lebestrahlen
8305 sind tote Werke nur ein Spaß.
Das bildet, schmelzend, unverdrossen;
und haben sie's in Erz gegossen,
dann denken sie, es wäre was.
Was ist zuletzt mit diesen Stolzen?
8310 Die Götterbilder standen groß:
zerstörte sie ein Erdestoß.
Längst sind sie wieder eingeschmolzen.

Das Erdetreiben, wie's auch sei,
ist immer doch nur Plackerei.

8315 Dem Leben frommt die Welle besser;
dich trägt ins ewige Gewässer
Proteus-Delphin.

Er verwandelt sich.

Schon ist's getan!
Da soll es dir zum schönsten glücken:
ich nehme dich auf meinem Rücken,
8320 vermähle dich dem Ozean.

THALES

Gib nach dem löblichen Verlangen,
von vorn die Schöpfung anzufangen!
Zu raschem Wirken sei bereit!
Da regst du dich nach ewigen Normen
8325 durch tausend, abertausend Formen,
und bis zum Menschen hast du Zeit.

Homunculus besteigt den Proteus-Delphin.

PROTEUS

Komm geistig mit in feuchte Weite!
Da lebst du gleich in Läng' und Breite,
beliebig regest du dich hier.
8330 Nur strebe nicht nach höheren Orden!
Denn bist du erst ein Mensch geworden,
dann ist es völlig aus mit dir.

THALES

Nachdem es kommt; 's ist auch wohl fein,
ein wackrer Mann zu seiner Zeit zu sein.

PROTEUS, *zu Thales.*

8335 So einer wohl von deinem Schlag!
Das hält noch eine Weile nach;
denn unter bleichen Geisterscharen
seh' ich dich schon seit vielen hundert Jahren.

SIRENEN, *auf den Felsen.*

Welch ein Ring von Wölkchen ründet
8340 um den Mond so reichen Kreis?
Tauben sind es, liebentzündet,
Fittiche, wie Licht so weiß.

Paphos hat sie hergesendet,
ihre brünstige Vogelschar;
8345   unser Fest, es ist vollendet:
heitre Wonne voll und klar!

NEREUS, *zu Thales tretend.*

Nennte wohl ein nächtiger Wandrer
diesen Mondhof Lufterscheinung;
doch wir Geister sind ganz andrer
8350   und der einzig richtigen Meinung:
Tauben sind es, die begleiten
meiner Tochter Muschelfahrt,
Wunderflugs besondrer Art,
angelernt vor alten Zeiten.

THALES

8355   Auch ich halte das fürs Beste,
was dem wackern Mann gefällt,
wenn im stillen, warmen Neste
sich ein Heiliges lebend hält.

PSYLLEN und MARSEN, *auf Meerstieren, Meerkälbern und
-widdern.*

In Cyperns rauhen Höhlegrüften,
8360   vom Meergott nicht verschüttet,
vom Seismos nicht zerrüttet,
umweht von ewigen Lüften,
und, wie in den ältesten Tagen,
in stillbewußtem Behagen
8365   bewahren wir Cypriens Wagen
und führen, beim Säuseln der Nächte,
durch liebliches Wellengeflechte,
unsichtbar dem neuen Geschlechte,
die lieblichste Tochter heran.
8370   Wir leise Geschäftigen scheuen
weder Adler noch geflügelten Leuen,
weder Kreuz noch Mond,
wie es oben wohnt und thront,
sich wechselnd wegt und regt,
8375   sich vertreibt und totschlägt,
Saaten und Städte niederlegt.
Wir, so fortan,
bringen die lieblichste Herrin heran.

SIRENEN

Leicht bewegt, in mäßiger Eile,
8380 um den Wagen, Kreis um Kreis,
bald verschlungen Zeil' an Zeile
schlangenartig reihenweis,
naht euch, rüstige Nereiden,
derbe Fraun, gefällig wild!
8385 Bringet, zärtliche Doriden,
Galateen, der Mutter Bild:
ernst, den Göttern gleich zu schauen
würdiger Unsterblichkeit, —
doch, wie holde Menschenfrauen,
8390 lockender Anmutigkeit.

DORIDEN, *im Chor an Nereus vorbeiziehend, sämtlich auf*
Delphinen.

Leih uns, Luna, Licht und Schatten,
Klarheit diesem Jugendflor!
Denn wir zeigen liebe Gatten
userm Vater bittend vor.

Zu Nereus.

8395 Knaben sind's, die wir gerettet
aus der Brandung grimmem Zahn,
sie, auf Schilf und Moos gebettet,
aufgewärmt zum Licht heran,
die es nun mit heißen Küssen
8400 treulich uns verdanken müssen;
schau die Holden günstig an!

NEREUS

Hoch ist der Doppelgewinn zu schätzen:
barmherzig sein — und sich zugleich ergötzen.

DORIDEN

Lobst du, Vater, unser Walten,
8405 gönnst uns wohlerworbene Lust,
laß uns fest, unsterblich halten
sie an ewiger Jugendbrust!

NEREUS

Mögt euch des schönen Fanges freuen;
den Jüngling bildet euch als Mann!

8410 Allein ich könnte nicht verleihen,
was Zeus allein gewähren kann.
Die Welle, die euch wogt und schaukelt,
läßt auch der Liebe nicht Bestand,
und hat die Neigung ausgegaukelt,
8415 so setzt gemächlich sie ans Land!

DORIDEN
Ihr, holde Knaben, seid uns wert,
doch müssen wir traurig scheiden;
wir haben ewige Treue begehrt,
die Götter wollen's nicht leiden.

DIE JÜNGLINGE
8420 Wenn ihr uns nur so ferner labt,
uns wackre Schifferknaben!
Wir haben's nie so gut gehabt
und wollen's nicht besser haben.

Galatee, auf dem Muschelwagen, nähert sich.

NEREUS
Du bist es, mein Liebchen!

GALATEE
O Vater! Das Glück! —
8425 Delphine, verweilet! Mich fesselt der Blick.

NEREUS
Vorüber schon, sie ziehen vorüber
in kreisenden Schwunges Bewegung;
was kümmert sie die innre, herzliche Regung?
Ach, nähmen sie mich mit hinüber!
8430 Doch ein einziger Blick ergötzt,
daß er das ganze Jahr ersetzt.

THALES
Heil! Heil! Aufs neue!
Wie ich mich blühend freue,
vom Schönen, Wahren durchdrungen!
8435 Alles ist aus dem Wasser entsprungen!
Alles wird durch das Wasser erhalten!
Ozean, gönn uns dein ewiges Walten!

Wenn du nicht Wolken sendetest,
nicht reiche Bäche spendetest,
8440 hin und her nicht Flüsse wendetest,
die Ströme nicht vollendetest, —
was wären Gebirge, was Ebnen und Welt?
Du bist's, der das frischeste Leben erhält.

Echo. *Chorus der sämtlichen Kreise.*

Du bist's, dem das frischeste Leben entquellt.

Nereus

8445 Sie kehren schwankend fern zurück,
bringen nicht mehr Blick zu Blick;
in gedehnten Kettenkreisen,
sich festgemäß zu erweisen,
windet sich die unzählige Schar.

8450 Aber Galateas Muschelthron
seh' ich schon und aber schon:
er glänzt wie ein Stern
durch die Menge!
Geliebtes leuchtet durchs Gedränge, —
8455 auch noch so fern
schimmert's hell und klar,
immer nah und wahr.

Homunculus

In dieser holden Feuchte,
was ich auch hier beleuchte
8460 ist alles reizend schön.

Proteus

In dieser Lebensfeuchte
erglänzt erst deine Leuchte
mit herrlichem Getön.

Nereus

Welch neues Geheimnis in Mitte der Scharen
8465 will unseren Augen sich offengebaren?
Was flammt um die Muschel, um Galatees Füße?
Bald lodert es mächtig, bald lieblich, bald süße,
als wär' es von Pulsen der Liebe gerührt.

THALES

Homunculus ist es, von Proteus verführt!
8470 Es sind die Symptome des herrischen Sehnens.
Mir ahnet das Ächzen beängsteten Dröhnens;
er wird sich zerschellen am glänzenden Thron . .
Jetzt flammt es, nun blitzt es, ergießet sich schon!

SIRENEN

Welch feuriges Wunder verklärt uns die Wellen,
8475 die gegeneinander sich funkelnd zerschellen!
So leuchtet's und schwanket und hellet hinan:
die Körper, sie glühen auf nächtlicher Bahn,
und ringsum ist alles vom Feuer umronnen.
So herrsche denn Eros, der alles begonnen!

8480 Heil dem Meere! Heil den Wogen,
von dem heiligen Feuer umzogen!
Heil dem Wasser! Heil dem Feuer!
Heil dem seltnen Abenteuer!

ALL-ALLE

Heil den mildgewogenen Lüften!
8485 Heil geheimnisreichen Grüften!
Hochgefeiert seid allhier,
Element', ihr alle vier!

Dritter Akt

41 Vor dem Palaste des Menelas zu Sparta

Helena tritt auf und Chor gefangener Trojanerinnen.
Panthalis, Chorführerin.

HELENA

Bewundert viel und viel gescholten, Helena,
vom Strande komm' ich, wo wir erst gelandet sind,
8490 noch immer trunken von des Gewoges regsamem
Geschaukel, das vom phrygischen Blachgefild uns her
auf sträubig-hohem Rücken, durch Poseidons Gunst
und Euros' Kraft, in vaterländische Buchten trug.
Dort unten freuet nun der König Menelas
8495 der Rückkehr samt den tapfersten seiner Krieger sich.
     Du aber heiße mich willkommen, hohes Haus,
das Tyndareos, mein Vater, nah dem Hange sich
von Pallas' Hügel wiederkehrend aufgebaut
und, als ich hier mit Klytämnestren schwesterlich,
8500 mit Kastor auch und Pollux fröhlich spielend, wuchs,
vor allen Häusern Spartas herrlich ausgeschmückt.
Gegrüßet seid mir, der ehrnen Pforte Flügel ihr!
Durch euer gastlich ladendes Weit-Eröffnen einst
geschah's, daß mir, erwählt aus vielen, Menelas
8505 in Bräutigamsgestalt entgegenleuchtete.
Eröffnet mir sie wieder, daß ich ein Eilgebot
des Königs treu erfülle, wie der Gattin ziemt!
Laßt mich hinein! — Und alles bleibe hinter mir,
was mich umstürmte bis hieher, verhängnisvoll.
8510   Denn seit ich diese Schwelle sorgenlos verließ,
Cytherens Tempel besuchend, heiliger Pflicht gemäß,
mich aber dort ein Räuber griff, der phrygische,
ist viel geschehen, was die Menschen weit und breit
so gern erzählen, aber der nicht gerne hört,
8515 von dem die Sage wachsend sich zum Märchen spann.

CHOR

Verschmähe nicht, o herrliche Frau,
des höchsten Gutes Ehrenbesitz!
Denn das größte Glück ist dir einzig beschert:
der Schönheit Ruhm, der vor allen sich hebt.
8520 Dem Helden tönt sein Name voran,
drum schreitet er stolz;
doch beugt sogleich hartnäckigster Mann
vor der allbezwingenden Schöne den Sinn.

HELENA

Genug! Mit meinem Gatten bin ich hergeschifft
8525 und nun von ihm zu seiner Stadt vorausgesandt;
doch welchen Sinn er hegen mag, errat' ich nicht.
Komm' ich als Gattin? Komm' ich eine Königin?
Komm' ich ein Opfer für des Fürsten bittern Schmerz
und für der Griechen lang erduldetes Mißgeschick?
8530 Erobert bin ich; ob gefangen, weiß ich nicht!
Denn Ruf und Schicksal bestimmen fürwahr die Unsterblichen
zweideutig mir, der Schöngestalt bedenkliche
Begleiter, die an dieser Schwelle mir sogar
mit düster drohender Gegenwart zur Seite stehn.
8535 Denn schon im hohlen Schiffe blickte mich der Gemahl
nur selten an, auch sprach er kein erquicklich Wort.
Als wenn er Unheil sänne, saß er gegen mir.
Nun aber, als des Eurotas' tiefem Buchtgestad
hinangefahren der vordern Schiffe Schnäbel kaum
8540 das Land begrüßten, sprach er, wie vom Gott bewegt:
„Hier steigen meine Krieger nach der Ordnung aus;
ich mustre sie, am Strand des Meeres hingereiht.
Du aber ziehe weiter, ziehe des heiligen
Eurotas' fruchtbegabtem Ufer immer auf,
8545 die Rosse lenkend auf der feuchten Wiese Schmuck,
bis daß zur schönen Ebene du gelangen magst,
wo Lakedämon, einst ein fruchtbar weites Feld,
von ernsten Bergen nah umgeben, angebaut.
Betrete dann das hochgetürmte Fürstenhaus
8550 und mustere mir die Mägde, die ich dort zurück-
gelassen, samt der klugen, alten Schaffnerin.
Die zeige dir der Schätze reiche Sammlung vor,
wie sie dein Vater hinterließ und die ich selbst
in Krieg und Frieden, stets vermehrend, aufgehäuft.

8555 Du findest alles nach der Ordnung stehen: denn
das ist des Fürsten Vorrecht, daß er alles treu
in seinem Hause, wiederkehrend, finde, noch
an seinem Platze jedes, wie er's dort verließ;
denn nichts zu ändern hat für sich der Knecht Gewalt."

CHOR

8560 Erquicke nun am herrlichen Schatz,
dem stets vermehrten, Augen und Brust!
Denn der Kette Zier, der Krone Geschmuck,
da ruhn sie stolz, und sie dünken sich was.
Doch tritt nur ein und fordre sie auf:
8565 sie rüsten sich schnell.
Mich freuet zu sehn Schönheit in dem Kampf
gegen Gold und Perlen und Edelgestein.

HELENA

Sodann erfolgte des Herren ferneres Herrscherwort:
„Wenn du nun alles nach der Ordnung durchgesehn,
8570 dann nimm so manchen Dreifuß, als du nötig glaubst,
und mancherlei Gefäße, die der Opfrer sich
zur Hand verlangt, vollziehend heiligen Festgebrauch:
die Kessel, auch die Schalen, wie das flache Rund;
das reinste Wasser aus der heiligen Quelle sei
8575 in hohen Krügen; ferner auch das trockne Holz,
der Flammen schnell empfänglich, halte da bereit;
ein wohlgeschliffnes Messer fehle nicht zuletzt;
doch alles andre geb' ich deiner Sorge heim."

So sprach er, mich zum Scheiden drängend; aber nichts
8580 lebendigen Atems zeichnet mir der Ordnende,
das er, die Olympier zu verehren, schlachten will.
Bedenklich ist es; doch ich sorge weiter nicht,
und alles bleibe hohen Göttern heimgestellt,
die das vollenden, was in ihrem Sinn sie deucht, —
8585 es möge gut von Menschen oder möge bös
geachtet sein; die Sterblichen, wir, ertragen das.
Schon manchmal hob das schwere Beil der Opfernde
zu des erdgebeugten Tieres Nacken weihend auf
und konnt' es nicht vollbringen, denn ihn hinderte
8590 des nahen Feindes oder Gottes Zwischenkunft.

CHOR

Was geschehen werde, sinnst du nicht aus!
Königin, schreite dahin
guten Muts!
Gutes und Böses kommt
8595   unerwartet dem Menschen;
auch verkündet, glauben wir's nicht.
Brannte doch Troja, sahen wir doch
Tod vor Augen, schmählichen Tod;
und sind wir nicht hier
8600   dir gesellt, dienstbar freudig,
schauen des Himmels blendende Sonne
und das Schönste der Erde
huldvoll, dich, uns Glücklichen?

HELENA

Sei's, wie es sei! Was auch bevorsteht, mir geziemt,
8605   hinaufzusteigen ungesäumt in das Königshaus,
das, lang entbehrt und viel ersehnt und fast verscherzt,
mir abermals vor Augen steht, ich weiß nicht wie.
Die Füße tragen mich so mutig nicht empor
die hohen Stufen, die ich kindisch übersprang.
Ab.

CHOR

8610   Werfet, o Schwestern, ihr
traurig gefangenen,
alle Schmerzen ins Weite;
teilet der Herrin Glück!
Teilet Helenens Glück,
8615   welche zu Vaterhauses Herd,
zwar mit spätzurückkehrendem,
aber mit desto festerem
Fuße freudig herannaht.

Preiset die heiligen,
8620   glücklich herstellenden
und heimführenden Götter!
Schwebt der Entbundene
doch wie auf Fittichen
über das Rauhste, wenn umsonst
8625   der Gefangene sehnsuchtsvoll
über die Zinne des Kerkers hin
armausbreitend sich abhärmt.

Aber sie ergriff ein Gott,
die Entfernte;
8630 und aus Ilios' Schutt
trug er hierher sie zurück
in das alte, das neugeschmückte
Vaterhaus,
nach unsäglichen
8635 Freuden und Qualen
früher Jugendzeit
angefrischt zu gedenken.

PANTHALIS, *als Chorführerin.*

Verlasset nun des Gesanges freudumgebnen Pfad
und wendet nach der Türe Flügeln euren Blick!
8640 Was seh' ich, Schwestern? Kehret nicht die Königin,
mit heftigen Schrittes Regung, wieder zu uns her? —
Was ist es, große Königin? Was konnte dir
in deines Hauses Hallen, statt der Deinen Gruß,
Erschütterndes begegnen? Du verbirgst es nicht;
8645 denn Widerwillen seh' ich an der Stirne dir,
ein edles Zürnen, das mit Überraschung kämpft.

HELENA, *welche die Türflügel offen gelassen hat, bewegt.*

Der Tochter Zeus' geziemet nicht gemeine Furcht,
und flüchtig-leise Schreckenshand berührt sie nicht;
doch das Entsetzen, das, dem Schoß der alten Nacht
8650 von Urbeginn entsteigend, vielgestaltet noch
wie glühende Wolken aus des Berges Feuerschlund
herauf sich wälzt, erschüttert auch des Helden Brust.
So haben heute grauenvoll die Stygischen
ins Haus den Eintritt mir bezeichnet, daß ich gern
8655 von oft betretner, langersehnter Schwelle mich,
entlaßnem Gaste gleich, entfernend scheiden mag.
Doch nein! Gewichen bin ich her ans Licht, und sollt
ihr weiter nicht mich treiben, Mächte, wer ihr seid!
Auf Weihe will ich sinnen; dann gereinigt mag
8660 des Herdes Glut die Frau begrüßen wie den Herrn.

CHORFÜHRERIN

Entdecke deinen Dienerinnen, edle Frau,
die dir verehrend beistehn, was begegnet ist!

HELENA

Was ich gesehen, sollt ihr selbst mit Augen sehn,
wenn ihr Gebilde nicht die alte Nacht sogleich
8665 zurückgeschlungen in ihrer Tiefe Wunderschoß.
Doch daß ihr's wisset, sag' ich's euch mit Worten an:
als ich des Königshauses ernsten Binnenraum,
der nächsten Pflicht gedenkend, feierlich betrat,
erstaunt' ich ob der öden Gänge Schweigsamkeit.
8670 Nicht Schall der emsig Wandelnden begegnete
dem Ohr, nicht raschgeschäftiges Eiligtun dem Blick,
und keine Magd erschien mir, keine Schaffnerin,
die jeden Fremden freundlich sonst Begrüßenden.

Als aber ich dem Schoße des Herdes mich genaht,
8675 da sah ich, bei verglommner Asche lauem Rest,
am Boden sitzen welch verhülltes, großes Weib,
der Schlafenden nicht vergleichbar, wohl der Sinnenden.
Mit Herrscherworten ruf' ich sie zur Arbeit auf,
die Schaffnerin mir vermutend, die indes vielleicht
8680 des Gatten Vorsicht hinterlassend angestellt.
Doch eingefaltet sitzt die Unbewegliche;
nur endlich rührt sie auf mein Dräu'n den rechten Arm,
als wiese sie von Herd und Halle mich hinweg.
Ich wende zürnend mich ab von ihr und eile gleich
8685 den Stufen zu, worauf empor der Thalamos
geschmückt sich hebt und nah daran das Schatzgemach.
Allein das Wunder reißt sich schnell vom Boden auf;
gebietrisch mir den Weg vertretend, zeigt es sich
in hagrer Größe, hohlen, blutig-trüben Blicks,
8690 seltsamer Bildung, wie sie Aug' und Geist verwirrt.

Doch red' ich in die Lüfte; denn das Wort bemüht
sich nur umsonst, Gestalten schöpferisch aufzubaun.
Da seht sie selbst! Sie wagt sogar sich ans Licht hervor!
Hier sind wir Meister, bis der Herr und König kommt.
8695 Die grausen Nachtgeburten drängt der Schönheitsfreund,
Phöbus, hinweg in Höhlen oder bändigt sie.

Phorkyas tritt auf der Schwelle zwischen den Türpfosten auf.

CHOR

Vieles erlebt' ich, obgleich die Locke
jugendlich wallet mir um die Schläfe!

Schreckliches hab' ich vieles gesehen:
8700 kriegrischen Jammer, Ilios' Nacht,
als es fiel.

Durch das umwölkte, staubende Tosen
drängender Krieger hört' ich die Götter
fürchterlich rufen, hört' ich der Zwietracht
8705 eherne Stimme schallen durchs Feld,
mauerwärts.

Ach! Sie standen noch, Ilios'
Mauern; aber die Flammenglut
zog vom Nachbar zum Nachbar schon,
8710 sich verbreitend von hier und dort
mit des eignen Sturmes Wehn
über die nächtliche Stadt hin.

Flüchtend sah ich, durch Rauch und Glut
und der züngelnden Flamme Loh'n,
8715 gräßlich zürnender Götter Nah'n,
schreitend Wundergestalten,
riesengroß, durch düsteren,
feuerumleuchteten Qualm hin.

Sah ich's, oder bildete
8720 mir der angstumschlungene Geist
solches Verworrene? Sagen kann
nimmer ich's, doch daß ich dies
Gräßliche hier mit Augen schau',
solches gewiß ja weiß ich;
8725 könnt' es mit Händen fassen gar,
hielte von dem Gefährlichen
nicht zurücke die Furcht mich.

Welche von Phorkys'
Töchtern nur bist du?
8730 Denn ich vergleiche dich
diesem Geschlechte.
Bist du vielleicht der graugebornen,
eines Auges und eines Zahns
wechselsweis teilhaftigen
8735 Graien eine gekommen?

Wagest du Scheusal,
neben der Schönheit
dich vor dem Kennerblick
Phöbus' zu zeigen?
8740 Tritt du dennoch hervor nur immer!
Denn das Häßliche schaut er nicht,
wie sein heilig Auge noch
nie erblickte den Schatten.

Doch uns Sterbliche nötigt, ach,
8745 leider trauriges Mißgeschick
zu dem unsäglichen Augenschmerz,
den das Verwerfliche, Ewig-Unselige
Schönheitliebenden rege macht.

Ja, so höre denn, wenn du frech
8750 uns entgegenest, höre Fluch!
Höre jeglicher Schelte Droh'n
aus dem verwünschenden Munde der Glücklichen,
die von Göttern gebildet sind!

PHORKYAS

Alt ist das Wort, doch bleibet hoch und wahr der Sinn:
8755 daß Scham und Schönheit nie zusammen, Hand in Hand,
den Weg verfolgen über der Erde grünen Pfad.
Tief eingewurzelt wohnt in beiden alter Haß,
daß, wo sie immer irgend auch des Weges sich
begegnen, jede der Gegnerin den Rücken kehrt.
8760 Dann eilet jede wieder heftiger, weiter fort,
die Scham betrübt, die Schönheit aber frech gesinnt,
bis sie zuletzt des Orkus' hohle Nacht umfängt,
wenn nicht das Alter sie vorher gebändigt hat.

Euch find' ich nun, ihr Frechen, aus der Fremde her
8765 mit Übermut ergossen, gleich der Kraniche
laut-heiser klingendem Zug, der über unser Haupt
in langer Wolke, krächzend sein Getön herab-
schickt, das den stillen Wandrer über sich hinauf-
zublicken lockt; doch ziehn sie ihren Weg dahin,
8770 er geht den seinen. Also wird's mit uns geschehn.

Wer seid denn ihr, daß ihr des Königes Hochpalast
mänadisch wild, Betrunknen gleich, umtoben dürft?
Wer seid ihr denn, daß ihr des Hauses Schaffnerin
entgegenheulet, wie dem Mond der Hunde Schar?

8775 Wähnt ihr, verborgen sei mir, welch Geschlecht ihr seid,
du kriegerzeugte, schlachterzogne junge Brut?
Mannlustige du, so wie verführt, verführende, —
entnervend beide, Kriegers auch und Bürgers Kraft!
Zuhauf euch sehend, scheint mir ein Zikadenschwarm
8780 herabzustürzen, deckend grüne Feldersaat.
Verzehrerinnen fremden Fleißes! Naschende
Vernichterinnen aufgekeimten Wohlstands ihr;
erobert', marktverkauft', vertauschte Ware du!

HELENA

Wer gegenwarts der Frau die Dienerinnen schilt,
8785 der Gebietrin Hausrecht tastet er vermessen an;
denn ihr gebührt allein, das Lobenswürdige
zu rühmen, wie zu strafen, was verwerflich ist.
Auch bin des Dienstes ich wohl zufrieden, den sie mir
geleistet, als die hohe Kraft von Ilios
8790 umlagert stand und fiel und lag, — nicht weniger,
als wir der Irrfahrt kummervolle Wechselnot
ertrugen, wo sonst jeder sich der Nächste bleibt.
Auch hier erwart' ich gleiches von der muntern Schar;
nicht, was der Knecht sei, fragt der Herr, nur, wie er dient.
8795 Drum schweige du und grinse sie nicht länger an!
Hast du das Haus des Königs wohl verwahrt bisher
anstatt der Hausfrau, solches dient zum Ruhme dir;
doch jetzo kommt sie selber: tritt nun du zurück,
damit nicht Strafe werde statt verdienten Lohns.

PHORKYAS

8800 Den Hausgenossen drohen bleibt ein großes Recht,
das gottbeglückten Herrschers hohe Gattin sich
durch langer Jahre weise Leitung wohl verdient.
Da du, nun Anerkannte, neu den alten Platz
der Königin und Hausfrau wiederum betrittst,
8805 so fasse längst erschlaffte Zügel, herrsche nun,
nimm in Besitz den Schatz und sämtlich uns dazu!
Vor allem aber schütze mich, die Ältere,
vor dieser Schar, die, neben deiner Schönheit Schwan,
nur schlecht befitticht', schnatterhafte Gänse sind.

CHORFÜHRERIN

8810 Wie häßlich neben Schönheit zeigt sich Häßlichkeit!

PHORKYAS

Wie unverständig neben Klugheit Unverstand!

*Von hier an erwidern die Choretiden, einzeln aus dem Chor
heraustretend.*

CHORETIDE 1.

Von Vater Erebus melde, melde von Mutter Nacht!

PHORKYAS

So sprich von Scylla, leiblich dir Geschwisterkind!

CHORETIDE 2.

An deinem Stammbaum steigt manch Ungeheu'r empor.

PHORKYAS

8815 Zum Orkus hin! Da suche deine Sippschaft auf!

CHORETIDE 3.

Die dorten wohnen, sind dir alle viel zu jung.

PHORKYAS

Tiresias, den Alten, gehe buhlend an!

CHORETIDE 4.

Orions Amme war dir Ur-Urenkelin.

PHORKYAS

Harpyen, wähn' ich, fütterten dich im Unflat auf.

CHORETIDE 5.

8820 Mit was ernährst du so gepflegte Magerkeit?

PHORKYAS

Mit Blute nicht, wonach du allzulüstern bist.

CHORETIDE 6.

Begierig du auf Leichen, ekle Leiche selbst!

PHORKYAS

Vampiren-Zähne glänzen dir im frechen Maul.

CHORFÜHRERIN

Das deine stopf' ich, wenn ich sage, wer du seist.

PHORKYAS

8825 So nenne dich zuerst! Das Rätsel hebt sich auf.

HELENA

Nicht zürnend, aber traurend schreit' ich zwischen euch,
verbietend solchen Wechselstreites Ungestüm.
Denn Schädlicheres begegnet nichts dem Herrscherherrn
als treuer Diener heimlich unterschworner Zwist.
8830 Das Echo seiner Befehle kehrt alsdann nicht mehr
in schnell vollbrachter Tat wohlstimmig ihm zurück;

nein, eigenwillig brausend tost es um ihn her,
den Selbstverirrten, ins Vergebne Scheltenden.
Dies nicht allein! Ihr habt in sittelosem Zorn
8835 unsel'ger Bilder Schreckgestalten hergebannt,
die mich umdrängen, daß ich selbst zum Orkus mich
gerissen fühle, vaterländ'scher Flur zum Trutz.
　　Ist's wohl Gedächtnis? War es Wahn, der mich ergreift?
War ich das alles? Bin ich's? Werd' ich's künftig sein,
8840 das Traum- und Schreckbild jener Städteverwüstenden?
Die Mädchen schaudern; aber du, die Älteste,
du stehst gelassen: rede mir verständig Wort!

PHORKYAS

Wer langer Jahre mannigfaltigen Glücks gedenkt,
ihm scheint zuletzt die höchste Göttergunst ein Traum.
8845 Du aber, hochbegünstigt sonder Maß und Ziel,
in Lebensreihe sahst nur Liebesbrünstige,
entzündet rasch zum kühnsten Wagstück jeder Art.
　　Schon Theseus haschte früh dich, gierig aufgeregt,
wie Herakles stark, ein herrlich schön geformter Mann.

HELENA

8850 Entführte mich, ein zehenjährig schlankes Reh,
und mich umschloß Aphidnus' Burg in Attika.

PHORKYAS

Durch Kastor und durch Pollux aber bald befreit,
umworben standst du ausgesuchter Heldenschar.

HELENA

Doch stille Gunst vor allen, wie ich gern gesteh',
8855 gewann Patroklus — er, des Peliden Ebenbild.

PHORKYAS

Doch Vaterwille traute dich an Menelas,
den kühnen Seedurchstreicher, Hausbewahrer auch.

HELENA

Die Tochter gab er, gab des Reichs Bestellung ihm.
Aus ehlichem Beisein sproßte dann Hermione.

PHORKYAS

8860 Doch als er fern sich Kretas Erbe kühn erstritt,
dir Einsamen da erschien ein allzuschöner Gast.

HELENA

Warum gedenkst du jener halben Witwenschaft,
und welch Verderben gräßlich mir daraus erwuchs?

PHORKYAS

Auch jene Fahrt, mir freigebornen Kreterin
8865 Gefangenschaft erschuf sie, lange Sklaverei.

HELENA

Als Schaffnerin bestellt' er dich sogleich hieher,
vertrauend vieles, Burg und kühn erworbnen Schatz.

PHORKYAS

Die du verließest, Ilios' umtürmter Stadt
und unerschöpften Liebesfreuden zugewandt.

HELENA

8870 Gedenke nicht der Freuden! Allzuherben Leids
Unendlichkeit ergoß sich über Brust und Haupt.

PHORKYAS

Doch sagt man: du erschienst ein doppelhaft Gebild,
in Ilios gesehen und in Ägypten auch.

HELENA

Verwirre wüsten Sinnes Aberwitz nicht gar!
8875 Selbst jetzo, welche denn ich sei, ich weiß es nicht.

PHORKYAS

Dann sagen sie: aus hohlem Schattenreich herauf
gesellte sich inbrünstig noch Achill zu dir,
dich früher liebend gegen allen Geschicks Beschluß!

HELENA

Ich als Idol, ihm dem Idol verband ich mich.
8880 Es war ein Traum, so sagen ja die Worte selbst.
Ich schwinde hin und werde selbst mir ein Idol.
Sinkt dem Halbchor in die Arme.

CHOR

Schweige! Schweige,
Mißblickende, Mißredende du!
Aus so gräßlichen, einzahnigen
8885 Lippen, was enthaucht wohl
solchem furchtbaren Greuelschlund!

Denn der Bösartige, wohltätig erscheinend,
— Wolfesgrimm unter schafwolligem Vlies —
mir ist er weit schrecklicher als des drei-
8890 köpfigen Hundes Rachen!

Ängstlich lauschend stehn wir da:
wann, wie, wo nur bricht's hervor,
solcher Tücke
tiefauflauerndes Ungetüm?

8895 Nun denn, statt freundlich mit Trost reich begabten,
letheschenkenden, holdmildesten Worts
regest du auf aller Vergangenheit
Bösestes mehr denn Gutes
und verdüsterst allzugleich
8900 mit dem Glanz der Gegenwart
auch der Zukunft
mild aufschimmerndes Hoffnungslicht.

Schweige! Schweige,
daß der Königin Seele,
8905 schon zu entfliehen bereit,
sich noch halte, festhalte
die Gestalt aller Gestalten,
welche die Sonne jemals beschien.

Helena hat sich erholt und steht wieder in der Mitte.

PHORKYAS

Tritt hervor aus flüchtigen Wolken, hohe Sonne dieses Tags,
8910 die verschleiert schon entzückte, blendend nun im Glanze
herrscht!
Wie die Welt sich dir entfaltet, schaust du selbst mit holdem
Blick.
Schelten sie mich auch für häßlich, kenn' ich doch das Schöne
wohl.

HELENA

Tret' ich schwankend aus der Öde, die im Schwindel mich umgab,
pflegt' ich gern der Ruhe wieder, denn so müd' ist mein Gebein.
8915 Doch es ziemet Königinnen — allen Menschen ziemt es wohl —,
sich zu fassen, zu ermannen, was auch drohend überrascht.

PHORKYAS

Stehst du nun in deiner Großheit, deiner Schöne vor uns da,
sagt dein Blick, daß du befiehlest. Was befiehlst du? Sprich
es aus!

HELENA

Eures Haders frech Versäumnis auszugleichen, seid bereit!
8920 Eilt, ein Opfer zu bestellen, wie der König mir gebot!

PHORKYAS

Alles ist bereit im Hause: Schale, Dreifuß, scharfes Beil,
zum Besprengen, zum Beräuchern; das zu Opfernde zeig an!

HELENA

Nicht bezeichnet' es der König.

PHORKYAS

                  Sprach's nicht aus? O Jammerwort!

HELENA

Welch ein Jammer überfällt dich?

PHORKYAS

                Königin, du bist gemeint!

HELENA

8925   Ich?

PHORKYAS

    Und diese.

CHOR

         Weh und Jammer!

PHORKYAS

               Fallen wirst du durch das Beil!

HELENA

Gräßlich, doch geahnt! Ich Arme!

PHORKYAS

              Unvermeidlich scheint es mir.

CHOR

Ach! Und uns? Was wird begegnen?

PHORKYAS

             Sie stirbt einen edlen Tod;
doch am hohen Balken drinnen, der des Daches Giebel trägt,
wie im Vogelfang die Drosseln, zappelt ihr der Reihe nach.

*Helena und Chor stehen erstaunt und erschreckt, in bedeutender,
wohl vorbereiteter Gruppe.*

PHORKYAS

8930   Gespenster! — — — Gleich erstarrten Bildern steht ihr da,
geschreckt, vom Tag zu scheiden, der euch nicht gehört.
Die Menschen, die Gespenster sämtlich gleich wie ihr,
entsagen auch nicht willig hehrem Sonnenschein;
doch bittet oder rettet niemand sie vom Schluß.

8935 Sie wissen's alle, wenigen doch gefällt es nur.
Genug, ihr seid verloren! — Also frisch ans Werk!

Klatscht in die Hände; darauf erscheinen an der Pforte
vermummte Zwerggestalten, welche die ausgesprochenen Befehle
alsobald mit Behendigkeit ausführen.

Herbei, du düstres, kugelrundes Ungetüm!
Wälzt euch hieher! Zu schaden gibt es hier nach Lust.
Dem Tragaltar, dem goldgehörnten, gebet Platz;
8940 das Beil, es liege blinkend über dem Silberrand;
die Wasserkrüge füllet! Abzuwaschen gibt's
des schwarzen Blutes greuelvolle Besudelung.
Den Teppich breitet köstlich hier am Staube hin,
damit das Opfer niederkniee königlich
8945 und eingewickelt — zwar getrennten Haupts — sogleich
anständig-würdig aber doch bestattet sei.

CHORFÜHRERIN

Die Königin stehet sinnend an der Seite hier;
die Mädchen welken gleich gemähtem Wiesengras.
Mir aber deucht, der Ältesten, heiliger Pflicht gemäß,
8950 mit dir das Wort zu wechseln, Ur-Urälteste.
Du bist erfahren, weise, scheinst uns gut gesinnt,
obschon verkennend hirnlos diese Schar dich traf.
Drum sage, was du möglich noch von Rettung weißt!

PHORKYAS

Ist leicht gesagt! Von der Königin hängt allein es ab,
8955 sich selbst zu erhalten, euch Zugaben auch mit ihr.
Entschlossenheit ist nötig und die behendeste.

CHOR

Ehrenwürdigste der Parzen, weiseste Sibylle du,
halte gesperrt die goldene Schere, dann verkünd uns **Tag und
Heil!**
Denn wir fühlen schon im Schweben, Schwanken, **Bammeln
unergötzlich**
8960 unsere Gliederchen, die lieber erst im Tanze sich ergötzten,
ruhten drauf an Liebchens Brust.

HELENA

Laß diese bangen! Schmerz empfind' ich, keine Furcht.
Doch kennst du Rettung, dankbar sei sie anerkannt!
Dem Klugen, Weitumsichtigen zeigt fürwahr sich oft
8965 Unmögliches noch als möglich. Sprich und sag es an!

CHOR

Sprich und sage, sag uns eilig! Wie entrinnen wir den grausen,
garstigen Schlingen, die bedrohlich, als die schlechtesten Ge-
schmeide,
sich um unsre Hälse ziehen? Vorempfinden wir's, die Armen,
zum Entatmen, zum Ersticken, wenn du, Rhea, aller Götter
8970 hohe Mutter, dich nicht erbarmst.

PHORKYAS

Habt ihr Geduld, des Vortrags langgedehnten Zug
still anzuhören? Mancherlei Geschichten sind's.

CHOR

Geduld genug! Zuhörend leben wir indes.

PHORKYAS

Dem, der zu Hause verharrend edlen Schatz bewahrt
8975 und hoher Wohnung Mauern auszukitten weiß,
wie auch das Dach zu sichern vor des Regens Drang,
dem wird es wohlgehn lange Lebenstage durch;
wer aber seiner Schwelle heilige Richte leicht
mit flüchtigen Sohlen überschreitet freventlich,
8980 der findet wiederkehrend wohl den alten Platz,
doch umgeändert alles, wo nicht gar zerstört.

HELENA

Wozu dergleichen wohlbekannte Sprüche hier?
Du willst erzählen: rege nicht an Verdrießliches!

PHORKYAS

Geschichtlich ist es, ist ein Vorwurf keineswegs.
8985 Raubschiffend ruderte Menelas von Bucht zu Bucht;
Gestad' und Inseln, alles streift' er feindlich an,
mit Beute wiederkehrend, wie sie drinnen starrt.
Vor Ilios verbracht' er langer Jahre zehn;
zur Heimfahrt aber weiß ich nicht, wie viel es war.
8990 Allein wie steht es hier am Platz um Tyndareos'
erhabnes Haus? Wie stehet es mit dem Reich umher?

HELENA

Ist dir denn so das Schelten gänzlich einverleibt,
daß ohne Tadeln du keine Lippe regen kannst?

PHORKYAS

So viele Jahre stand verlassen das Talgebirg,
8995 das hinter Sparta nordwärts in die Höhe steigt,

Taygetos im Rücken, wo als muntrer Bach
herab Eurotas rollt und dann durch unser Tal
an Rohren breit hinfließend eure Schwäne nährt.
Dort hinten still im Gebirgtal hat ein kühn Geschlecht
9000 sich angesiedelt, dringend aus kimmerischer Nacht,
und unersteiglich feste Burg sich aufgetürmt,
von da sie Land und Leute placken, wie's behagt.

HELENA

Das konnten sie vollführen? Ganz unmöglich scheint's.

PHORKYAS

Sie hatten Zeit, vielleicht an zwanzig Jahre sind's.

HELENA

9005 Ist einer Herr? Sind's Räuber viel, verbündete?

PHORKYAS

Nicht Räuber sind es, einer aber ist der Herr.
Ich schelt' ihn nicht, und wenn er schon mich heimgesucht.
Wohl konnt' er alles nehmen, doch begnügt' er sich
mit wenigen Freigeschenken, nannt' er's, nicht Tribut.

HELENA

9010 Wie sieht er aus?

PHORKYAS

        Nicht übel! Mir gefällt er schon.
Es ist ein munterer, kecker, wohlgebildeter,
wie unter Griechen wenig', ein verständ'ger Mann.
Man schilt das Volk Barbaren, doch ich dächte nicht,
daß grausam einer wäre, wie vor Ilios
9015 gar mancher Held sich menschenfresserisch erwies.
Ich acht' auf seine Großheit; ihm vertraut' ich mich.
Und seine Burg! Die solltet ihr mit Augen sehn!
Das ist was anderes gegen plumpes Mauerwerk,
das eure Väter, mir nichts dir nichts, aufgewälzt,
9020 zyklopisch wie Zyklopen, rohen Stein sogleich
auf rohe Steine stürzend. Dort hingegen, dort
ist alles senk- und wagerecht und regelhaft.
Von außen schaut sie! Himmelan sie strebt empor,
so starr, so wohl in Fugen, spiegelglatt wie Stahl.
9025 Zu klettern hier — ja, selbst der Gedanke gleitet ab!
Und innen großer Höfe Raumgelasse, rings
mit Baulichkeit umgeben, aller Art und Zweck.

Da seht ihr Säulen, Säulchen, Bogen, Bögelchen,
Altane, Galerien, zu schauen aus und ein,
9030 und Wappen.

CHOR

Was sind Wappen?

PHORKYAS

Ajax führte ja
geschlungene Schlang' im Schilde, wie ihr selbst gesehn.
Die Sieben dort vor Theben trugen Bildnerei'n,
ein jeder auf seinem Schilde, reich bedeutungsvoll.
Da sah man Mond und Stern' am nächtigen Himmelsraum,
9035 auch Göttin, Held und Leiter, Schwerter, Fackeln auch,
und was Bedrängliches guten Städten grimmig droht.
Ein solch Gebilde führt auch unsre Heldenschar
von seinen Ur-Urahnen her in Farbenglanz.
Da seht ihr Löwen, Adler, Klau' und Schnabel auch,
9040 dann Büffelhörner, Flügel, Rosen, Pfauenschweif,
auch Streifen, gold und schwarz und silbern, blau und rot.
Dergleichen hängt in Sälen Reih' an Reihe fort,
in Sälen, grenzenlosen, wie die Welt so weit;
da könnt ihr tanzen!

CHOR

Sage! Gibt's auch Tänzer da?

PHORKYAS

9045 Die besten! Goldgelockte, frische Bubenschar!
Die duften Jugend! Paris duftete einzig so,
als er der Königin zu nahe kam.

HELENA

Du fällst
ganz aus der Rolle; sage mir das letzte Wort!

PHORKYAS

Du sprichst das letzte: sagst mit Ernst vernehmlich „Ja!" —
9050 sogleich umgeb' ich dich mit jener Burg.

CHOR

O sprich
das kurze Wort und rette dich und uns zugleich!

HELENA

Wie? Sollt' ich fürchten, daß der König Menelas
so grausam sich verginge, mich zu schädigen?

PHORKYAS

Hast du vergessen, wie er deinen Deiphobus,
9055 des totgekämpften Paris' Bruder, unerhört
verstümmelte, der starrsinnig Witwe dich erstritt
und glücklich kebste? Nas' und Ohren schnitt er ab
und stümmelte mehr so: Greuel war es anzuschaun.

HELENA

Das tat er jenem, meinetwegen tat er das.

PHORKYAS

9060 Um jenes willen wird er dir das Gleiche tun.
Unteilbar ist die Schönheit; der sie ganz besaß,
zerstört sie lieber, fluchend jedem Teilbesitz.

Trompeten in der Ferne; der Chor fährt zusammen.

Wie scharf der Trompete Schmettern Ohr und Eingeweid'
zerreißend anfaßt! Also krallt sich Eifersucht
9065 im Busen fest des Mannes, der das nie vergißt,
was einst er besaß und nun verlor, nicht mehr besitzt.

CHOR

Hörst du nicht die Hörner schallen? Siehst der Waffen Blitze
nicht?

PHORKYAS

Sei willkommen, Herr und König! Gerne geb' ich Rechenschaft.

CHOR

Aber wir?

PHORKYAS

Ihr wißt es deutlich, seht vor Augen ihren Tod,
9070 merkt den eurigen da drinne. Nein, zu helfen ist euch nicht.

Pause.

HELENA

Ich sann mir aus das Nächste, was ich wagen darf.
Ein Widerdämon bist du, das empfind' ich wohl
und fürchte, Gutes wendest du zum Bösen um.
Vor allem aber folgen will ich dir zur Burg.
9075 Das andre weiß ich; was die Königin dabei
im tiefen Busen geheimnisvoll verbergen mag,
sei jedem unzugänglich. — Alte, geh voran!

CHOR

O, wie gern gehen wir hin,
eilenden Fußes, —
9080 hinter uns Tod,
vor uns abermals
ragender Feste
unzugängliche Mauer.
Schütze sie eben so gut,
9085 eben wie Ilios' Burg,
die doch endlich nur
niederträchtiger List erlag.

> *Nebel verbreiten sich, umhüllen den Hintergrund, auch die*
> *Nähe, nach Belieben.*

Wie? Aber wie?
Schwestern, schaut euch um!
9090 War es nicht heiterer Tag?
Nebel schwanken streifig empor
aus Eurotas' heil'ger Flut;
schon entschwand das liebliche,
schilfumkränzte Gestade dem Blick;
9095 auch die frei, zierlich-stolz
sanfthingleitenden Schwäne
in gesell'ger Schwimmlust
seh' ich, ach, nicht mehr!

Doch, aber doch
9100 tönen hör' ich sie,
tönen fern heiseren Ton, —
Tod verkündenden, sagen sie.
Ach, daß uns er nur nicht auch
— statt verheißener Rettung Heil —
9105 Untergang verkünde zuletzt,
uns, den Schwangleichen, Lang-
Schön-Weißhalsigen, und ach,
unsrer Schwanerzeugten!
Weh uns, weh, weh!

9110 Alles deckte sich schon
rings mit Nebel umher.
Sehen wir doch einander nicht!
Was geschieht? Gehen wir?
Schweben wir nur
9115 trippelnden Schrittes am Boden hin?

Siehst du nichts? Schwebt nicht etwa gar
Hermes voran? Blinkt nicht der goldne Stab
heischend, gebietend uns wieder zurück
zu dem unerfreulichen, grautagenden,
9120 ungreifbarer Gebilde vollen,
überfüllten, ewig leeren Hades?

Ja, auf einmal wird es düster; ohne Glanz entschwebt der Nebel,
dunkelgräulich, mauerbräunlich.   Mauern stellen sich dem
Blicke,
freiem Blicke, starr entgegen.   Ist's ein Hof?   Ist's tiefe Grube?
9125 Schauerlich in jedem Falle!   Schwestern, ach, wir sind gefangen,
so gefangen wie nur je.

umgeben von reichen, phantastischen Gebäuden des Mittelalters.

CHORFÜHRERIN

Vorschnell und töricht, echt wahrhaftes Weibsgebild!
Vom Augenblick abhängig, Spiel der Witterung,
des Glücks und Unglücks! Keins von beiden wißt ihr je
9130 zu bestehn mit Gleichmut. Eine widerspricht ja stets
der andern heftig, überquer die andern ihr;
in Freud' und Schmerz nur heult und lacht ihr gleichen Tons.
Nun schweigt! Und wartet horchend, was die Herrscherin
hochsinnig hier beschließen mag für sich und uns!

HELENA

9135 Wo bist du, Pythonissa? Heiße, wie du magst:
aus diesen Gewölben tritt hervor der düstern Burg!
Gingst etwa du, dem wunderbaren Heldenherrn
mich anzukündigen, Wohlempfang bereitend mir,
so habe Dank und führe schnell mich ein zu ihm!
9140 Beschluß der Irrfahrt wünsch' ich. Ruhe wünsch' ich nur.

CHORFÜHRERIN

Vergebens blickst du, Königin, allseits um dich her;
verschwunden ist das leidige Bild, verblieb vielleicht
im Nebel dort, aus dessen Busen wir hieher,
ich weiß nicht wie, gekommen, schnell und sonder Schritt.
9145 Vielleicht auch irrt sie zweifelhaft im Labyrinth
der wundersam aus vielen eins gewordnen Burg,
den Herrn erfragend fürstlicher Hochbegrüßung halb.
    Doch sieh! Dort oben regt in Menge sich allbereits,
in Galerien, am Fenster, in Portalen, rasch
9150 sich hin und her bewegend, viele Dienerschaft:
vornehm-willkommnen Gastempfang verkündet es.

CHOR

Aufgeht mir das Herz! O seht nur dahin,
wie so sittig herab mit verweilendem Tritt
jungholdeste Schar anständig bewegt
9155 den geregelten Zug. — Wie? Auf wessen Befehl
nur erscheinen, gereiht und gebildet so früh,
von Jünglingsknaben das herrliche Volk?

Was bewundr' ich zumeist? Ist es zierlicher Gang,
etwa des Haupts Lockhaar um die blendende Stirn,
9160 etwa der Wänglein Paar, wie die Pfirsiche rot
und eben auch so weichwollig beflaumt?
Gern biss' ich hinein, doch ich schaudre davor;
denn in ähnlichem Fall, da erfüllte der Mund
sich, gräßlich zu sagen, mit Asche!

9165 Aber die Schönsten,
sie kommen daher;
was tragen sie nur?
Stufen zum Thron,
Teppich und Sitz,
9170 Umhang und zelt-
artigen Schmuck;
über-überwallt er,
Wolkenkränze bildend,
unsrer Königin Haupt,
9175 denn schon bestieg sie,
eingeladen, herrlichen Pfühl.
    Tretet heran!
Stufe für Stufe
reihet euch ernst!
9180 Würdig, o würdig, dreifach würdig
sei gesegnet ein solcher Empfang!

    Alles vom Chor Ausgesprochene geschieht nach und nach.

    *Nachdem Knaben und Knappen in langem Zug herabgestiegen,
erscheint Faust oben an der Treppe in ritterlicher Hofkleidung
des Mittelalters und kommt langsam-würdig herunter.*

    CHORFÜHRERIN, *ihn aufmerksam beschauend.*

Wenn diesem nicht die Götter, wie sie öfter tun,
für wenige Zeit nur wundernswürdige Gestalt,
erhabnen Anstand, liebenswerte Gegenwart
9185 vorübergänglich liehen, wird ihm jedesmal,
was er beginnt, gelingen, — sei's in Männerschlacht,
so auch im kleinen Kriege mit den schönsten Fraun.
Er ist fürwahr gar vielen andern vorzuziehn,
die ich doch auch als hochgeschätzt mit Augen sah.
9190 Mit langsam-ernstem, ehrfurchtsvoll gehaltnem Schritt
seh' ich den Fürsten. Wende dich, o Königin!

FAUST, *herantretend, einen Gefesselten zur Seite.*

Statt feierlichsten Grußes, wie sich ziemte,
statt ehrfurchtsvollem Willkomm bring' ich dir
in Ketten hart geschlossen solchen Knecht,
9195   der, Pflicht verfehlend, mir die Pflicht entwand. —
Hier kniee nieder, dieser höchsten Frau
Bekenntnis abzulegen deiner Schuld!
    Dies ist, erhabne Herrscherin, der Mann,
mit seltnem Augenblitz vom hohen Turm
9200   umherzuschaun bestellt, dort Himmelsraum
und Erdenbreite scharf zu überspähn,
was etwa da und dort sich melden mag,
vom Hügelkreis ins Tal zur festen Burg
sich regen mag, der Herden Woge sei's,
9205   ein Heereszug vielleicht; wir schützen jene,
begegnen diesem. Heute, welch Versäumnis!
Du kommst heran, er meldet's nicht! Verfehlt
ist ehrenvoller, schuldigster Empfang
so hohen Gastes. Freventlich verwirkt
9210   das Leben hat er, läge schon im Blut
verdienten Todes; doch nur du allein
bestrafst, begnadigst, wie dir's wohlgefällt.

HELENA

So hohe Würde, wie du sie vergönnst,
als Richterin, als Herrscherin, — und wär's
9215   versuchend nur, wie ich vermuten darf, —
so üb' ich nun des Richters erste Pflicht,
Beschuldigte zu hören. — Rede denn!

TURMWÄRTER LYNKEUS

Laß mich knieen, laß mich schauen,
laß mich sterben, laß mich leben!
9220   Denn schon bin ich hingegeben
dieser gottgegebnen Frauen!

Harrend auf des Morgens Wonne,
östlich spähend ihren Lauf,
ging auf einmal mir die Sonne
9225   wunderbar im Süden auf,

zog den Blick nach jener Seite,
statt der Schluchten, statt der Höh'n,
statt der Erd- und Himmelsweite
sie, die Einzige, zu spähn.

9230 Augenstrahl ist mir verliehen
wie dem Luchs auf höchstem Baum;
doch nun mußt' ich mich bemühen
wie aus tiefem, düsterm Traum.

Wüßt' ich irgend mich zu finden?
9235 Zinne? Turm? Geschloßnes Tor?
Nebel schwanken, Nebel schwinden:
solche Göttin tritt hervor!

Aug' und Brust ihr zugewendet,
sog ich an den milden Glanz;
9240 diese Schönheit, wie sie blendet,
blendete mich Armen ganz.

Ich vergaß des Wächters Pflichten,
völlig das beschworne Horn. —
Drohe nur, mich zu vernichten!
9245 Schönheit bändigt allen Zorn.

HELENA

Das Übel, das ich brachte, darf ich nicht
bestrafen. Wehe mir! Welch streng Geschick
verfolgt mich, überall der Männer Busen
so zu betören, daß sie weder sich
9250 noch sonst ein Würdiges verschonten! Raubend jetzt,
verführend, fechtend, hin und her entrückend,
Halbgötter, Helden, Götter, ja Dämonen,
sie führten mich im Irren her und hin.
Einfach die Welt verwirrt' ich, doppelt mehr;
9255 nun dreifach, vierfach bring' ich Not auf Not. —
Entferne diesen Guten, laß ihn frei;
den Gottbetörten treffe keine Schmach!

FAUST

Erstaunt, o Königin, seh' ich zugleich
die sicher Treffende, hier den Getroffnen;
9260 ich seh' den Bogen, der den Pfeil entsandt,
verwundet jenen. Pfeile folgen Pfeilen,
mich treffend. Allwärts ahn' ich überquer
gefiedert schwirrend sie in Burg und Raum.
Was bin ich nun? Auf einmal machst du mir
9265 rebellisch die Getreusten, meine Mauern
unsicher. Also fürcht' ich schon, mein Heer
gehorcht der siegend unbesiegten Frau.

Was bleibt mir übrig, als mich selbst und alles,
im Wahn das Meine, dir anheimzugeben?
9270 Zu deinen Füßen laß mich, frei und treu,
dich Herrin anerkennen, die sogleich
auftretend sich Besitz und Thron erwarb.

> *Lynkeus, mit einer Kiste, und Männer, die ihm andere nach-*
> *tragen, treten vor.*

LYNKEUS

Du siehst mich, Königin, zurück!
Der Reiche bettelt einen Blick:
9275 er sieht dich an und fühlt sogleich
sich bettelarm und fürstenreich.

Was war ich erst? Was bin ich nun?
Was ist zu wollen? Was zu tun?
Was hilft der Augen schärfster Blitz?
9280 Er prallt zurück an deinem Sitz.

Von Osten kamen wir heran,
und um den Westen war's getan;
ein lang' und breites Volksgewicht,
der erste wußte vom letzten nicht.

9285 Der erste fiel, der zweite stand,
des dritten Lanze war zur Hand —
ein jeder hundertfach gestärkt,
erschlagne Tausend unbemerkt.

Wir drängten fort, wir stürmten fort,
9290 wir waren Herrn von Ort zu Ort;
und wo ich herrisch heut befahl,
ein andrer morgen raubt' und stahl.

Wir schauten, — eilig war die Schau:
der griff die allerschönste Frau,
9295 der griff den Stier von festem Tritt,
die Pferde mußten alle mit.

Ich aber liebte zu erspähn
das Seltenste, was man gesehn,
und was ein andrer auch besaß,
9300 das war für mich gedörrtes Gras.

Den Schätzen war ich auf der Spur,
den scharfen Blicken folgt' ich nur;
in alle Taschen blickt' ich ein,
durchsichtig war mir jeder Schrein.

9305 Und Haufen Goldes waren mein,
am herrlichsten der Edelstein:
nun der Smaragd allein verdient,
daß er an deinem Herzen grünt.

Nun schwanke zwischen Ohr und Mund
9310 das Tropfenei aus Meeresgrund!
Rubinen werden gar verscheucht:
das Wangenrot sie niederbleicht.

Und so den allergrößten Schatz
versetz' ich hier auf deinen Platz;
9315 zu deinen Füßen sei gebracht
die Ernte mancher blut'gen Schlacht.

So viele Kisten schlepp' ich her,
der Eisenkisten hab' ich mehr;
erlaube mich auf deiner Bahn,
9320 und Schatzgewölbe füll' ich an.

Denn du bestiegest kaum den Thron,
so neigen schon, so beugen schon
Verstand und Reichtum und Gewalt
sich vor der einzigen Gestalt.

9325 Das alles hielt ich fest und mein,
nun aber, lose, wird es dein!
Ich glaubt' es würdig, hoch und bar,
nun seh' ich, daß es nichtig war.

Verschwunden ist, was ich besaß,
9330 ein abgemähtes, welkes Gras:
o gib mit einem heitern Blick
ihm seinen ganzen Wert zurück!

FAUST

Entferne schnell die kühn erworbne Last,
zwar nicht getadelt, aber unbelohnt!

9335   Schon ist ihr alles eigen, was die Burg
        im Schoß verbirgt: Besondres ihr zu bieten,
        ist unnütz. Geh und häufe Schatz auf Schatz
        geordnet an! Der ungesehnen Pracht
        erhabnes Bild stell auf! Laß die Gewölbe
9340   wie frische Himmel blinken! Paradiese
        von lebelosem Leben richte zu!
        Voreilend ihren Tritten laß beblümt
        an Teppich Teppiche sich wälzen! Ihrem Tritt
        begegne sanfter Boden, ihrem Blick,
9345   nur Göttliche nicht blendend, höchster Glanz!

> LYNKEUS

        Schwach ist, was der Herr befiehlt,
        tut's der Diener, es ist gespielt:
        herrscht doch über Gut und Blut
        dieser Schönheit Übermut.
9350   Schon das ganze Heer ist zahm,
        alle Schwerter stumpf und lahm,
        vor der herrlichen Gestalt
        selbst die Sonne matt und kalt,
        vor dem Reichtum des Gesichts
9355   alles leer und alles nichts.

> *Ab.*

> HELENA, *zu Faust.*

        Ich wünsche dich zu sprechen, doch herauf
        an meine Seite komm! Der leere Platz
        beruft den Herrn und sichert mir den meinen.

> FAUST

        Erst knieend laß die treue Widmung dir
9360   gefallen, hohe Frau! Die Hand, die mich
        an deine Seite hebt, laß mich sie küssen!
        Bestärke mich als Mitregenten deines
        grenzunbewußten Reichs, gewinne dir
        Verehrer, Diener, Wächter all' in einem!

> HELENA

9365   Vielfache Wunder seh' ich, hör' ich an.
        Erstaunen trifft mich, fragen möcht' ich viel.
        Doch wünscht' ich Unterricht, warum die Rede
        des Manns mir seltsam klang, seltsam und freundlich.

Ein Ton scheint sich dem andern zu bequemen,
9370 und hat ein Wort zum Ohre sich gesellt,
ein andres kommt, dem ersten liebzukosen.

FAUST

Gefällt dir schon die Sprechart unsrer Völker,
o, so gewiß entzückt auch der Gesang,
befriedigt Ohr und Sinn im tiefsten Grunde.
9375 Doch ist am sichersten, wir üben's gleich:
die Wechselrede lockt es, ruft's hervor.

HELENA

So sage denn: wie sprech' ich auch so schön?

FAUST

Das ist gar leicht, es muß von Herzen gehn.
Und wenn die Brust von Sehnsucht überfließt,
9380 man sieht sich um und fragt . . .

HELENA

                                        wer mitgenießt.

FAUST

Nun schaut der Geist nicht vorwärts, nicht zurück;
die Gegenwart allein . . .

HELENA

                                    ist unser Glück.

FAUST

Schatz ist sie, Hochgewinn, Besitz und Pfand;
Bestätigung, wer gibt sie? . . .

HELENA

                                        Meine Hand!

CHOR

9385 Wer verdächt' es unsrer Fürstin,
gönnet sie dem Herrn der Burg
freundliches Erzeigen?
Denn gesteht: sämtlich sind wir
ja Gefangene, wie schon öfter,
9390 seit dem schmählichen Untergang
Ilios' und der ängstlich-
labyrinthischen Kummerfahrt.

Fraun, gewöhnt an Männerliebe,
Wählerinnen sind sie nicht,
9395   aber Kennerinnen.
Und wie goldlockigen Hirten,
vielleicht schwarzborstigen Faunen,
— wie es bringt die Gelegenheit —
über die schwellenden Glieder
9400   vollerteilen sie gleiches Recht.

Nah und näher sitzen sie schon,
aneinander gelehnet,
Schulter an Schulter, Knie an Knie,
Hand in Hand wiegen sie sich
9405   über des Throns
aufgepolsterter Herrlichkeit.
Nicht versagt sich die Majestät
heimlicher Freuden
vor den Augen des Volkes
9410   übermütiges Offenbarsein.

HELENA

Ich fühle mich so fern und doch so nah
und sage nur zu gern: „Da bin ich! Da!"

FAUST

Ich atme kaum, mir zittert, stockt das Wort;
es ist ein Traum, verschwunden Tag und Ort.

HELENA

9415   Ich scheine mir verlebt und doch so neu,
in dich verwebt, dem Unbekannten treu.

FAUST

Durchgrüble nicht das einzigste Geschick!
Dasein ist Pflicht, und wär's ein Augenblick.

PHORKYAS, *heftig eintretend.*

Buchstabiert in Liebesfibeln,
9420   tändelnd grübelt nur am Liebeln,
müßig liebelt fort im Grübeln!
Doch dazu ist keine Zeit.
Fühlt ihr nicht ein dumpfes Wettern?
Hört nur die Trompete schmettern!
9425   Das Verderben ist nicht weit:
Menelas mit Volkeswogen
kommt auf euch herangezogen;

rüstet euch zu herbem Streit!
Von der Siegerschar umwimmelt,
9430 wie Deiphobus verstümmelt,
büßest du das Fraungeleit.
Bammelt erst die leichte Ware,
dieser gleich ist am Altare
neugeschliffnes Beil bereit.

FAUST

9435 Verwegne Störung! Widerwärtig dringt sie ein!
Auch nicht in Gefahren mag ich sinnlos Ungestüm.
Den schönsten Boten, Unglücksbotschaft häßlicht ihn;
du Häßlichste gar, nur schlimme Botschaft bringst du gern.
Doch diesmal soll dir's nicht geraten; leeren Hauchs
9440 erschüttere du die Lüfte. Hier ist nicht Gefahr,
und selbst Gefahr erschiene nur als eitles Dräu'n.

Signale, Explosionen von den Türmen, Trompeten und Zinken,
kriegerische Musik, Durchmarsch gewaltiger Heereskraft.

FAUST

Nein, gleich sollst du versammelt schauen
der Helden ungetrennten Kreis:
nur der verdient die Gunst der Frauen,
9445 der kräftigst sie zu schützen weiß.

Zu den Heerführern, die sich von den Kolonnen absondern und
herantreten.

Mit angehaltnem stillen Wüten,
das euch gewiß den Sieg verschafft,
ihr, Nordens jugendliche Blüten,
ihr, Ostens blumenreiche Kraft,

9450 in Stahl gehüllt, vom Strahl umwittert,
die Schar, die Reich um Reich zerbrach, —
sie treten auf, die Erde schüttert,
sie schreiten fort, es donnert nach.

An Pylos traten wir zu Lande,
9455 der alte Nestor ist nicht mehr;
und alle kleinen Königsbande
zersprengt das ungebundne Heer.

Drängt ungesäumt von diesen Mauern
jetzt Menelas dem Meer zurück!
9460 Dort irren mag er, rauben, lauern:
ihm war es Neigung und Geschick.

Herzoge soll ich euch begrüßen,
gebietet Spartas Königin.
Nun legt ihr Berg und Tal zu Füßen,
9465 und euer sei des Reichs Gewinn!

Germane du! Korinthus' Buchten
verteidige mit Wall und Schutz!
Achaia dann mit hundert Schluchten
empfehl' ich, Gote, deinem Trutz.

9470 Nach Elis ziehn der Franken Heere;
Messene sei der Sachsen Los!
Normanne reinige die Meere,
und Argolis erschaff' er groß!

Dann wird ein jeder häuslich wohnen,
9475 nach außen richten Kraft und Blitz;
doch Sparta soll euch überthronen,
der Königin verjährter Sitz.

All-einzeln sieht sie euch genießen
des Landes, dem kein Wohl gebricht;
9480 ihr sucht getrost zu ihren Füßen
Bestätigung und Recht und Licht.

> *Faust steigt herab, die Fürsten schließen einen Kreis um ihn,*
> *Befehl und Anordnung näher zu vernehmen.*

CHOR

Wer die Schönste für sich begehrt,
tüchtig vor allen Dingen
seh' er nach Waffen weise sich um!
9485 Schmeichelnd wohl gewann er sich,
was auf Erden das Höchste;
aber ruhig besitzt er's nicht:
Schleicher listig entschmeicheln sie ihm,
Räuber kühnlich entreißen sie ihm;
9490 dieses zu hindern, sei er bedacht.

Unsern Fürsten lob' ich drum,
schätz' ihn höher vor andern,
wie er so tapfer klug sich verband,
daß die Starken gehorchend stehn,
9495 jedes Winkes gewärtig.
Seinen Befehl vollziehn sie treu,
jeder sich selbst zu eignem Nutz
wie dem Herrscher zu lohnendem Dank,
beiden zu höchlichem Ruhmesgewinn.

9500 Denn wer entreißet sie jetzt
dem gewalt'gen Besitzer?
Ihm gehört sie, ihm sei sie gegönnt,
doppelt von uns gegönnt, die er
samt ihr zugleich innen mit sicherster Mauer,
9505 außen mit mächtigstem Heer umgab.

FAUST

Die Gaben, diesen hier verliehen,
— an jeglichen ein reiches Land —
sind groß und herrlich: laß sie ziehen!
Wir halten in der Mitte Stand.

9510 Und sie beschützen um die Wette,
ringsum von Wellen angehüpft,
Nichtinsel dich, mit leichter Hügelkette
Europens letztem Bergast angeknüpft.

Das Land, vor aller Länder Sonnen,
9515 sei ewig jedem Stamm beglückt,
nun meiner Königin gewonnen,
das früh an ihr hinaufgeblickt,

als mit Eurotas' Schilfgeflüster
sie leuchtend aus der Schale brach,
9520 der hohen Mutter, dem Geschwister
das Licht der Augen überstach.

Dies Land, allein zu dir gekehret,
entbietet seinen höchsten Flor;
dem Erdkreis, der dir angehöret,
9525 dein Vaterland, o zieh es vor!

Und duldet auch auf seiner Berge Rücken
das Zackenhaupt der Sonne kalten Pfeil,
läßt nun der Fels sich angegrünt erblicken,
die Ziege nimmt genäschig kargen Teil.

9530 Die Quelle springt, vereinigt stürzen Bäche,
und schon sind Schluchten, Hänge, Matten grün.
Auf hundert Hügeln unterbrochner Fläche
siehst Wollenherden ausgebreitet ziehn.

Verteilt, vorsichtig abgemessen schreitet
9535 gehörntes Rind hinan zum jähen Rand;
doch Obdach ist den sämtlichen bereitet,
zu hundert Höhlen wölbt sich Felsenwand.

Pan schützt sie dort, und Lebensnymphen wohnen
in buschiger Klüfte feucht erfrischtem Raum;
9540 und, sehnsuchtsvoll nach höhern Regionen,
erhebt sich zweighaft Baum gedrängt an Baum.

Alt-Wälder sind's! Die Eiche starret mächtig,
und eigensinnig zackt sich Ast an Ast;
der Ahorn mild, von süßem Safte trächtig,
9545 steigt rein empor und spielt mit seiner Last.

Und mütterlich im stillen Schattenkreise
quillt laue Milch bereit für Kind und Lamm;
Obst ist nicht weit, der Ebnen reife Speise,
und Honig trieft vom ausgehöhlten Stamm.

9550 Hier ist das Wohlbehagen erblich,
die Wange heitert wie der Mund;
ein jeder ist an seinem Platz unsterblich:
sie sind zufrieden und gesund.

Und so entwickelt sich am reinen Tage
9555 zu Vaterkraft das holde Kind.
Wir staunen drob; noch immer bleibt die Frage:
ob's Götter, ob es Menschen sind?

So war Apoll den Hirten zugestaltet,
daß ihm der schönsten einer glich;
9560 denn wo Natur im reinen Kreise waltet,
ergreifen alle Welten sich.

Neben ihr sitzend.

So ist es mir, so ist es dir gelungen;
Vergangenheit sei hinter uns getan!
O fühle dich vom höchsten Gott entsprungen!
9565 Der ersten Welt gehörst du einzig an.

Nicht feste Burg soll dich umschreiben!
Noch zirkt in ewiger Jugendkraft
für uns, zu wonnevollem Bleiben,
Arkadien in Spartas Nachbarschaft.

9570 Gelockt, auf sel'gem Grund zu wohnen,
du flüchtetest ins heiterste Geschick! —
Zur Laube wandeln sich die Thronen:
arkadisch frei sei unser Glück!

Der Schauplatz verwandelt sich durchaus.

43   [Arkadien]

*An eine Reihe von Felsenhöhlen lehnen sich geschloßne
Lauben. Schattiger Hain bis an die rings umgebende Felsen-
steile hinan. Faust und Helena werden nicht gesehen. Der
Chor liegt schlafend verteilt umher.*

PHORKYAS

Wie lange Zeit die Mädchen schlafen, weiß ich nicht;
9575 ob sie sich träumen ließen, was ich hell und klar
vor Augen sah, ist ebenfalls mir unbekannt.
Drum weck' ich sie. Erstaunen soll das junge Volk,
ihr Bärtigen auch, die ihr da drunten sitzend harrt,
glaubhafter Wunder Lösung endlich anzuschaun.
9580 Hervor! Hervor! Und schüttelt eure Locken rasch;
Schlaf aus den Augen! Blinzt nicht so und hört mich an!

CHOR

Rede nur! Erzähl, erzähle, was sich Wunderlich's begeben!
Hören möchten wir am liebsten, was wir gar nicht glauben
können,
denn wir haben Langeweile, diese Felsen anzusehn.

PHORKYAS

9585 Kaum die Augen ausgerieben, Kinder, langeweilt ihr schon?
So vernehmt! In diesen Höhlen, diesen Grotten, diesen Lauben
Schutz und Schirmung war verliehen, wie idyllischem Liebes-
paare,
unserm Herrn und unsrer Frauen.

CHOR

Wie? Da drinnen?

PHORKYAS

Abgesondert
von der Welt, nur mich, die eine, riefen sie zu stillem Dienste.
9590 Hochgeehrt stand ich zur Seite; doch, wie es Vertrauten ziemet,
schaut' ich um nach etwas andrem, wendete mich hier- und dorthin,
suchte Wurzeln, Moos und Rinden, kundig aller Wirksamkeiten;
und so blieben sie allein.

165

CHOR

Tust du doch, als ob da drinnen ganze Weltenräume wären,
9595 Wald und Wiese, Bäche, Seen! Welche Märchen spinnst du ab!

PHORKYAS

Allerdings, ihr Unerfahrnen! Das sind unerforschte Tiefen:
Saal an Sälen, Hof an Höfen, diese spürt' ich sinnend aus.
Doch auf einmal ein Gelächter echot in den Höhlenräumen;
schau' ich hin, da springt ein Knabe von der Frauen Schoß zum
                                                    Manne,
9600 von dem Vater zu der Mutter; das Gekose, das Getändel,
töriger Liebe Neckereien, Scherzgeschrei und Lustgejauchze
wechselnd übertäuben mich.
Nackt, ein Genius ohne Flügel, faunenartig ohne Tierheit,
springt er auf den festen Boden; doch der Boden, gegenwirkend,
9605 schnellt ihn zu der luft'gen Höhe, und im zweiten, dritten Sprunge
rührt er an das Hochgewölb'.

Ängstlich ruft die Mutter: „Springe wiederholt und nach Be-
                                                    lieben,
aber hüte dich zu fliegen! Freier Flug ist dir versagt."
Und so mahnt der treue Vater: „In der Erde liegt die Schnell-
                                                    kraft,
9610 die dich aufwärts treibt: berühre mit der Zehe nur den Boden,
wie der Erdensohn Antäus bist du alsobald gestärkt."
Und so hüpft er auf die Masse dieses Felsens, von der Kante
zu dem andern und umher, so wie ein Ball geschlagen springt.

Doch auf einmal in der Spalte rauher Schlucht ist er verschwun-
                                                    den,
9615 und nun scheint er uns verloren. Mutter jammert, Vater tröstet,
achselzuckend steh' ich ängstlich. Doch nun wieder welch Er-
                                                    scheinen!
Liegen Schätze dort verborgen? Blumenstreifige Gewande
hat er würdig angetan.
Quasten schwanken von den Armen, Binden flattern um den
                                                    Busen;   •
9620 in der Hand die goldne Leier, völlig wie ein kleiner Phöbus
tritt er wohlgemut zur Kante, zu dem Überhang; wir staunen.
Und die Eltern vor Entzücken werfen wechselnd sich ans Herz.
Denn wie leuchtet's ihm zu Haupten? Was erglänzt, ist schwer
                                                    zu sagen.
Ist es Goldschmuck? Ist es Flamme übermächtiger Geisteskraft?

9625 Und so regt er sich gebärdend, sich als Knabe schon verkündend
künftigen Meister alles Schönen, dem die ewigen Melodien
durch die Glieder sich bewegen; und so werdet ihr ihn hören,
und so werdet ihr ihn sehn zu einzigster Bewunderung.

CHOR

Nennst du ein Wunder dies,
9630 Kretas Erzeugte?
Dichtend belehrendem Wort
hast du gelauscht wohl nimmer,
niemals noch gehört Ioniens,
nie vernommen auch Hellas'
9635 urväterlicher Sagen
göttlich-heldenhaften Reichtum?

Alles, was je geschieht
heutigen Tages,
trauriger Nachklang ist's
9640 herrlicher Ahnherrntage.
Nicht vergleicht sich dein Erzählen
dem, was liebliche Lüge,
glaubhaftiger als Wahrheit,
von dem Sohne sang der Maja.

9645 Diesen zierlich und kräftig doch
kaum geborenen Säugling
faltet in reinster Windeln Flaum,
strenget in köstlicher Wickeln Schmuck
klatschender Wärterinnen Schar,
9650 unvernünftigen Wähnens.
Kräftig und zierlich aber zieht
schon der Schalk die geschmeidigen
doch elastischen Glieder
listig heraus, die purpurne,
9655 ängstlich drückende Schale
lassend ruhig an seiner Statt,
gleich dem fertigen Schmetterling,
der aus starrem Puppenzwang,
Flügel entfaltend, behendig schlüpft,
9660 sonnedurchstrahlten Äther kühn
und mutwillig durchflatternd.

So auch er, der behendeste,
daß er Dieben und Schälken,
Vorteilsuchenden allen auch
9665 ewig günstiger Dämon sei!
Dies betätigt er alsobald
durch gewandteste Künste.
Schnell des Meeres Beherrscher stiehlt
er den Trident, ja dem Ares selbst
9670 schlau das Schwert aus der Scheide,
Bogen und Pfeil dem Phöbus auch,
wie dem Hephästos die Zange;
selber Zeus', des Vaters, Blitz
nähm' er, schreckt' ihn das Feuer nicht;
9675 doch dem Eros siegt er ob
in beinstellendem Ringerspiel;
raubt auch Cyprien, wie sie ihm kost,
noch vom Busen den Gürtel.

> *Ein reizendes, reinmelodisches Saitenspiel erklingt aus der*
> *Höhle. Alle merken auf und scheinen bald innig gerührt. Von*
> *hier an bis zur bemerkten Pause durchaus mit vollstimmiger*
> *Musik.*

PHORKYAS

Höret allerliebste Klänge!
9680 Macht euch schnell von Fabeln frei!
Eurer Götter alt Gemenge,
laßt es hin, es ist vorbei.

Niemand will euch mehr verstehen,
fordern wir doch höhern Zoll:
9685 denn es muß von Herzen gehen,
was auf Herzen wirken soll.

> *Sie zieht sich nach den Felsen zurück.*

CHOR

Bist du, fürchterliches Wesen,
diesem Schmeichelton geneigt,
fühlen wir, als frisch genesen,
9690 uns zur Tränenlust erweicht.

Laß der Sonne Glanz verschwinden,
wenn es in der Seele tagt!
Wir im eignen Herzen finden,
was die ganze Welt versagt.

Helena. Faust. Euphorion, in dem oben beschriebenen
Kostüm.

EUPHORION

9695 Hört ihr Kindeslieder singen,
gleich ist's euer eigner Scherz;
seht ihr mich im Takte springen,
hüpft euch elterlich das Herz.

HELENA

Liebe, menschlich zu beglücken,
9700 nähert sie ein edles Zwei;
doch zu göttlichem Entzücken
bildet sie ein köstlich Drei.

FAUST

Alles ist sodann gefunden:
ich bin dein, und du bist mein,
9705 und so stehen wir verbunden;
dürft' es doch nicht anders sein!

CHOR

Wohlgefallen vieler Jahre
in des Knaben mildem Schein
sammelt sich auf diesem Paare.
9710 O, wie rührt mich der Verein!

EUPHORION

Nun laßt mich hüpfen,
nun laßt mich springen!
Zu allen Lüften
hinaufzudringen
9715 ist mir Begierde:
sie faßt mich schon.

FAUST

Nur mäßig! Mäßig!
Nicht ins Verwegne,
daß Sturz und Unfall
9720 dir nicht begegne,
zugrund' uns richte
der teure Sohn!

EUPHORION

Ich will nicht länger
am Boden stocken;
9725 laßt meine Hände,
laßt meine Locken,
laßt meine Kleider! —
Sie sind ja mein.

HELENA

O denk! O denke,
9730 wem du gehörest!
Wie es uns kränke,
wie du zerstörest
das schön errungene
Mein, Dein und Sein!

CHOR

9735 Bald löst, ich fürchte,
sich der Verein!

HELENA und FAUST

Bändige! Bändige,
Eltern zuliebe,
überlebendige,
9740 heftige Triebe!
Ländlich im stillen
ziere den Plan!

EUPHORION

Nur euch zu Willen
halt' ich mich an.

*Durch den Chor sich schlingend und ihn zum Tanze fort-
ziehend.*

9745 Leichter umschweb' ich hie
muntres Geschlecht.
Ist nun die Melodie,
ist die Bewegung recht?

HELENA

Ja, das ist wohlgetan!
9750 Führe die Schönen an
künstlichem Reihn!

FAUST

Wäre das doch vorbei!
Mich kann die Gaukelei
gar nicht erfreun.

*Euphorion und Chor, tanzend und singend, bewegen sich in
verschlungenem Reihen.*

CHOR

9755 Wenn du der Arme Paar
lieblich bewegest,
im Glanz dein lockig Haar
schüttelnd erregest,
wenn dir der Fuß so leicht
9760 über die Erde schleicht,
dort und da wieder hin
Glieder um Glied sich ziehn,
hast du dein Ziel erreicht,
liebliches Kind!
9765 All' unsre Herzen sind
all' dir geneigt.

Pause.

EUPHORION

Ihr seid so viele
leichtfüßige Rehe,
zu neuem Spiele
9770 frisch aus der Nähe!
Ich bin der Jäger,
ihr seid das Wild.

CHOR

Willst du uns fangen,
sei nicht behende!
9775 Denn wir verlangen
doch nur am Ende,
dich zu umarmen,
du schönes Bild!

EUPHORION

Nur durch die Haine!
9780 Zu Stock und Steine!
Das leicht Errungene,
das widert mir;
nur das Erzwungene
ergötzt mich schier.

HELENA und FAUST

9785 Welch ein Mutwill'! Welch ein Rasen!
Keine Mäßigung ist zu hoffen.
Klingt es doch wie Hörnerblasen
über Tal und Wälder dröhnend.
Welch ein Unfug! Welch Geschrei!

CHOR, *einzeln schnell eintretend.*

9790 Uns ist er vorbeigelaufen!
Mit Verachtung uns verhöhnend,
schleppt er von dem ganzen Haufen
nun die Wildeste herbei.

EUPHORION, *ein junges Mädchen hereintragend.*

Schlepp' ich her die derbe Kleine
9795 zu erzwungenem Genusse.
Mir zur Wonne, mir zur Lust
drück' ich widerspenstige Brust,
küss' ich widerwärtigen Mund,
tue Kraft und Willen kund.

MÄDCHEN

9800 Laß mich los! In dieser Hülle
ist auch Geistes Mut und Kraft;
deinem gleich ist unser Wille
nicht so leicht hinweggerafft.
Glaubst du wohl mich im Gedränge?
9805 Deinem Arm vertraust du viel!
Halte fest, und ich versenge
dich, den Toren, mir zum Spiel.

Sie flammt auf und lodert in die Höhe.

Folge mir in leichte Lüfte,
folge mir in starre Grüfte,
9810 hasche das verschwundne Ziel!

EUPHORION, *die letzten Flammen abschüttelnd.*

Felsengedränge hier
zwischen dem Waldgebüsch!
Was soll die Enge mir?
Bin ich doch jung und frisch!
9815 Winde, sie sausen ja,
Wellen, sie brausen da,
hör' ich doch beides fern,
nah wär' ich gern.

Er springt immer höher felsauf.

HELENA, FAUST und CHOR

Wolltest du den Gemsen gleichen?
9820 Vor dem Falle muß uns graun.

EUPHORION

Immer höher muß ich steigen,
immer weiter muß ich schaun!
Weiß ich nun, wo ich bin:
mitten der Insel drin,
9825 mitten in Pelops' Land,
erde- wie seeverwandt.

CHOR

Magst nicht in Berg und Wald
friedlich verweilen,
suchen wir alsobald
9830 Reben in Zeilen,
Reben am Hügelrand,
Feigen und Apfelgold.
Ach, in dem holden Land
bleibe du hold!

EUPHORION

9835 Träumt ihr den Friedenstag?
Träume, wer träumen mag!
„Krieg!" ist das Losungswort.
„Sieg!" — und so klingt es fort.

CHOR

Wer im Frieden
9840 wünschet sich Krieg zurück,
der ist geschieden
vom Hoffnungsglück.

EUPHORION

Welche dies Land gebar
aus Gefahr in Gefahr,
9845 frei, unbegrenzten Muts,
verschwendrisch eignen Bluts, —
den nicht zu dämpfenden
heiligen Sinn,
alle den Kämpfenden
9850 bring' es Gewinn!

CHOR

Seht hinauf, wie hoch gestiegen!
Und er scheint uns doch nicht klein, —
wie im Harnisch, wie zum Siegen,
wie von Erz und Stahl der Schein!

EUPHORION

9855 Keine Wälle, keine Mauern,
jeder nur sich selbst bewußt, —
feste Burg, um auszudauern,
ist des Mannes ehrne Brust.
Wollt ihr unerobert wohnen,
9860 leicht bewaffnet rasch ins Feld!
Frauen werden Amazonen,
und ein jedes Kind ein Held.

CHOR

Heilige Poesie,
himmelan steige sie!
9865 Glänze, der schönste Stern,
fern und so weiter fern!
Und sie erreicht uns doch
immer, man hört sie noch,
vernimmt sie gern.

EUPHORION

9870 Nein, nicht ein Kind bin ich erschienen,
in Waffen kommt der Jüngling an;
gesellt zu Starken, Freien, Kühnen,
hat er im Geiste schon getan.
Nun fort!
9875 Nun dort
eröffnet sich zum Ruhm die Bahn.

HELENA und FAUST

Kaum ins Leben eingerufen,
heitrem Tag gegeben kaum,
sehnest du von Schwindelstufen
9880 dich zu schmerzenvollem Raum.
Sind denn wir
gar nichts dir?
Ist der holde Bund ein Traum?

EUPHORION

Und hört ihr donnern auf dem Meere?
9885 Dort widerdonnern Tal um Tal,
in Staub und Wellen, Heer dem Heere,
in Drang um Drang, zu Schmerz und Qual.
Und der Tod
ist Gebot, —
9890 das versteht sich nun einmal.

HELENA, FAUST und CHOR

Welch Entsetzen! Welches Grauen!
Ist der Tod denn dir Gebot?

EUPHORION

Sollt' ich aus der Ferne schauen?
Nein! Ich teile Sorg' und Not.

DIE VORIGEN

9895 Übermut und Gefahr,
tödliches Los!

EUPHORION

Doch! — Und ein Flügelpaar
faltet sich los!
Dorthin! Ich muß! Ich muß!
9900 Gönnt mir den Flug!

*Er wirft sich in die Lüfte, die Gewande tragen ihn einen
Augenblick, sein Haupt strahlt, ein Lichtschweif zieht nach.*

CHOR

Ikarus! Ikarus!
Jammer genug.

*Ein schöner Jüngling stürzt zu der Eltern Füßen, man glaubt
in dem Toten eine bekannte Gestalt zu erblicken; doch das
Körperliche verschwindet sogleich, die Aureole steigt wie ein
Komet zum Himmel auf, Kleid, Mantel und Lyra bleiben liegen.*

HELENA und FAUST

Der Freude folgt sogleich
grimmige Pein.

EUPHORIONS STIMME, *aus der Tiefe.*

9905 Laß mich im düstern Reich,
Mutter, mich nicht allein!

    Pause.

    CHOR: *Trauergesang.*

Nicht allein! Wo du auch weilest!
Denn wir glauben dich zu kennen.
Ach, wenn du dem Tag enteilest,
9910 wird kein Herz von dir sich trennen.
Wüßten wir doch kaum zu klagen,
neidend singen wir dein Los:
dir in klar' und trüben Tagen
Lied und Mut war schön und groß.

9915 Ach! Zum Erdenglück geboren,
hoher Ahnen, großer Kraft, —
leider früh dir selbst verloren,
Jugendblüte weggerafft!
Scharfer Blick, die Welt zu schauen,
9920 Mitsinn jedem Herzensdrang,
Liebesglut der besten Frauen
und ein eigenster Gesang!

Doch du ranntest unaufhaltsam
frei ins willenlose Netz;
9925 so entzweitest du gewaltsam
dich mit Sitte, mit Gesetz;
doch zuletzt das höchste Sinnen
gab dem reinen Mut Gewicht,
wolltest Herrliches gewinnen,
9930 aber es gelang dir nicht.

Wem gelingt es? — Trübe Frage,
der das Schicksal sich vermummt,
wenn am unglückseligsten Tage
blutend alles Volk verstummt.
9935 Doch erfrischet neue Lieder,
steht nicht länger tief gebeugt!
Denn der Boden zeugt sie wieder,
wie von je er sie gezeugt.

    Völlige Pause. Die Musik hört auf.

HELENA, *zu Faust.*

Ein altes Wort bewährt sich leider auch an mir:
9940 daß Glück und Schönheit dauerhaft sich nicht vereint.
Zerrissen ist des Lebens wie der Liebe Band;
bejammernd beide, sag' ich schmerzlich Lebewohl
und werfe mich noch einmal in die Arme dir. —
Persephoneia, nimm den Knaben auf und mich!

*Sie umarmt Faust, das Körperliche verschwindet, Kleid und
Schleier bleiben ihm in den Armen.*

PHORKYAS, *zu Faust.*

9945 Halte fest, was dir von allem übrigblieb!
Das Kleid, laß es nicht los! Da zupfen schon
Dämonen an den Zipfeln, möchten gern
zur Unterwelt es reißen. Halte fest! . . .
Die Göttin ist's nicht mehr, die du verlorst,
9950 doch göttlich ist's. Bediene dich der hohen,
unschätzbarn Gunst und hebe dich empor:
es trägt dich über alles Gemeine rasch
am Äther hin, solange du dauern kannst. —
Wir sehn uns wieder, weit, gar weit von hier.

*Helenens Gewande lösen sich in Wolken auf, umgeben Faust,
heben ihn in die Höhe und ziehen mit ihm vorüber.*

PHORKYAS *nimmt Euphorions Kleid, Mantel und Lyra von
der Erde, tritt ins Proszenium, hebt die Exuvien in die Höhe
und spricht:*

9955 Noch immer glücklich aufgefunden!
Die Flamme freilich ist verschwunden,
doch ist mir um die Welt nicht leid.
Hier bleibt genug, Poeten einzuweihen,
zu stiften Gild- und Handwerksneid;
9960 und kann ich die Talente nicht verleihen,
verborg' ich wenigstens das Kleid.

Sie setzt sich im Proszenium an eine Säule nieder.

PANTHALIS

Nun eilig, Mädchen! Sind wir doch den Zauber los,
der alt-thessalischen Vettel wüsten Geisteszwang,
so des Geklimpers vielverworrner Töne Rausch,
9965 das Ohr verwirrend, schlimmer noch den innern Sinn.

Hinab zum Hades! Eilte doch die Königin
mit ernstem Gang hinunter. Ihrer Sohle sei
unmittelbar getreuer Mägde Schritt gefügt!
Wir finden sie am Throne der Unerforschlichen.

CHOR

9970 Königinnen freilich, überall sind sie gern;
auch im Hades stehen sie obenan,
stolz zu ihresgleichen gesellt,
mit Persephonen innigst vertraut;
aber wir, im Hintergrunde
9975 tiefer Asphodelos-Wiesen,
langgestreckten Pappeln,
unfruchtbaren Weiden zugesellt,
welchen Zeitvertreib haben wir?
Fledermausgleich zu piepsen
9980 Geflüster, unerfreulich, gespenstig!

PANTHALIS

Wer keinen Namen sich erwarb noch Edles will,
gehört den Elementen an: so fahret hin!
Mit meiner Königin zu sein, verlangt mich heiß;
nicht nur Verdienst, auch Treue wahrt uns die Person.

Ab.

ALLE

9985 Zurückgegeben sind wir dem Tageslicht, —
zwar Personen nicht mehr,
das fühlen, das wissen wir;
aber zum Hades kehren wir nimmer.
Ewig-lebendige Natur
9990 macht auf uns Geister,
wir auf sie vollgültigen Anspruch.

EIN TEIL DES CHORS

Wir in dieser tausend Äste Flüsterzittern, Säuselschweben
reizen tändelnd, locken leise wurzelauf des Lebens Quellen
nach den Zweigen; bald mit Blättern, bald mit Blüten über-
schwenglich
9995 zieren wir die Flatterhaare frei zu luftigem Gedeihn.
Fällt die Frucht, sogleich versammeln lebenslustig Volk und
Herden
sich zum Greifen, sich zum Naschen, eilig kommend, emsig
drängend;
und wie vor den ersten Göttern bückt sich alles um uns her.

EIN ANDRER TEIL

Wir, an dieser Felsenwände weithinleuchtend glattem Spiegel
10 000 schmiegen wir, in sanften Wellen uns bewegend, schmeichelnd
an, —
horchen, lauschen jedem Laute, Vogelsängen, Röhrigflöten,
sei es Pans furchtbarer Stimme: Antwort ist sogleich bereit.
Säuselt's, säuseln wir erwidernd; donnert's, rollen unsre Don-
ner
in erschütterndem Verdoppeln, dreifach, zehnfach hintennach.

EIN DRITTER TEIL

10 005 Schwestern! Wir, bewegtern Sinnes, eilen mit den Bächen
weiter;
denn es reizen jener Ferne reichgeschmückte Hügelzüge.
Immer abwärts, immer tiefer wässern wir, mäandrisch wallend,
jetzt die Wiese, dann die Matten, gleich den Garten um das
Haus.
Dort bezeichnen's der Zypressen schlanke Wipfel, über Land-
schaft,
10 010 Uferzug und Wellenspiegel nach dem Äther steigende.

EIN VIERTER TEIL

Wallt ihr andern, wo's beliebet; wir umzingeln, wir umrau-
schen
den durchaus bepflanzten Hügel, wo am Stab die Rebe grünt;
dort zu aller Tage Stunden läßt die Leidenschaft des Winzers
uns des liebevollsten Fleißes zweifelhaft Gelingen sehn.
10 015 Bald mit Hacke, bald mit Spaten, bald mit Häufeln, Schneiden,
Binden,
betet er zu allen Göttern, fördersamst zum Sonnengott.

Bacchus kümmert sich, der Weichling, wenig um den treuen
Diener,
ruht in Lauben, lehnt in Höhlen, faselnd mit dem jüngsten
Faun.
Was zu seiner Träumereien halbem Rausch er je bedurfte,
10 020 immer bleibt es ihm in Schläuchen, ihm in Krügen und Gefäßen,
rechts und links der kühlen Grüfte, ewige Zeiten aufbewahrt.

Haben aber alle Götter, hat nun Helios vor allen,
lüftend, feuchtend, wärmend, glutend, Beeren-Füllhorn aufgehäuft,
wo der stille Winzer wirkte, dort auf einmal wird's lebendig,

10 025   und es rauscht in jedem Laube, raschelt um von Stock zu
                                                        Stock.
          Körbe knarren, Eimer klappern, Tragebutten ächzen hin,
          alles nach der großen Kufe zu der Keltrer kräft'gem Tanz.
          Und so wird die heilige Fülle reingeborner saftiger Beeren
          frech zertreten; schäumend, sprühend mischt sich's, widerlich
                                                        zerquetscht.

10 030   Und nun gellt ins Ohr der Zimbeln mit der Becken Erzgetöne;
          denn es hat sich Dionysos aus Mysterien enthüllt,
          kommt hervor mit Ziegenfüßlern, schwenkend Ziegenfüßlerin-
                                                        nen,
          und dazwischen schreit unbändig grell Silenus' öhrig Tier.
          Nichts geschont! Gespaltne Klauen treten alle Sitte nieder,
10 035   alle Sinne wirbeln taumlig, gräßlich übertäubt das Ohr.
          Nach der Schale tappen Trunkne, überfüllt sind Kopf und
                                                        Wänste;
          sorglich ist noch ein' und andrer, doch vermehrt er die Tumulte,
          denn um neuen Most zu bergen, leert man rasch den alten
                                                        Schlauch!

          Der Vorhang fällt.

          *Phorkyas, im Proszenium, richtet sich riesenhaft auf, tritt
          aber von den Kothurnen herunter, lehnt Maske und Schleier
          zurück und zeigt sich als Mephistopheles, um, insofern es
          nötig wäre, im Epilog das Stück zu kommentieren.*

Vierter Akt

44 Hochgebirg

*Starre, zackige Felsengipfel. Eine Wolke zieht herbei, lehnt
sich an, senkt sich auf eine vorstehende Platte herab. Sie
teilt sich; Faust tritt hervor.*

FAUST

Der Einsamkeiten tiefste schauend unter meinem Fuß,
10 040   betret' ich wohlbedächtig dieser Gipfel Saum,
entlassend meiner Wolke Tragewerk, die mich sanft
an klaren Tagen über Land und Meer geführt.
Sie löst sich langsam, nicht zerstiebend, von mir ab.
Nach Osten strebt die Masse mit geballtem Zug;
10 045   ihr strebt das Auge staunend in Bewundrung nach.
Sie teilt sich wandelnd, wogenhaft, veränderlich;
doch will sich's modeln. — Ja! Das Auge trügt mich nicht! —
Auf sonnbeglänzten Pfühlen herrlich hingestreckt,
zwar riesenhaft, ein göttergleiches Fraungebild . . .
10 050   Ich seh's! Junonen ähnlich, Ledan, Helenen!
Wie majestätisch lieblich lieblich mir's im Auge schwankt.
Ach! Schon verrückt sich's! Formlos breit und aufgetürmt,
ruht es in Osten, fernen Eisgebirgen gleich,
und spiegelt blendend flücht'ger Tage großen Sinn.

10 055   Doch mir umschwebt ein zarter, lichter Nebelstreif
noch Brust und Stirn, erheiternd, kühl und schmeichelhaft.
Nun steigt es leicht und zaudernd hoch und höher auf,
fügt sich zusammen. — Täuscht mich ein entzückend Bild,
als jugenderstes, längstentbehrtes höchstes Gut?
10 060   Des tiefsten Herzens frühste Schätze quellen auf:
Aurorens Liebe, leichten Schwung bezeichnet's mir,
den schnellempfundnen, ersten, kaum verstandnen Blick,
der, festgehalten, überglänzte jeden Schatz.
Wie Seelenschönheit steigert sich die holde Form,
10 065   löst sich nicht auf, erhebt sich in den Äther hin
und zieht das Beste meines Innern mit sich fort.

Ein Siebenmeilenstiefel tappt auf. Ein anderer folgt alsbald.
Mephistopheles steigt ab. Die Stiefel schreiten eilig weiter.

MEPHISTOPHELES

Das heiß' ich endlich vorgeschritten! —
Nun aber sag, was fällt dir ein?
Steigst ab in solcher Greuel Mitten,
10 070   im gräßlich gähnenden Gestein?
Ich kenn' es wohl, doch nicht an dieser Stelle,
denn eigentlich war das der Grund der Hölle.

FAUST

Es fehlt dir nie an närrischen Legenden;
fängst wieder an, dergleichen auszuspenden.

MEPHISTOPHELES, *ernsthaft.*

10 075   Als Gott der Herr — ich weiß auch wohl, warum —
uns aus der Luft in tiefste Tiefen bannte,
da, wo zentralisch glühend, um und um,
ein ewig Feuer flammend sich durchbrannte,
wir fanden uns bei allzugroßer Hellung
10 080   in sehr gedrängter, unbequemer Stellung.
Die Teufel fingen sämtlich an zu husten,
von oben und von unten auszupusten;
die Hölle schwoll von Schwefelstank und -säure:
das gab ein Gas! Das ging ins Ungeheure,
10 085   so daß gar bald der Länder flache Kruste,
so dick sie war, zerkrachend bersten mußte.
Nun haben wir's an einem andern Zipfel:
was ehmals Grund war, ist nun Gipfel.
Sie gründen auch hierauf die rechten Lehren,
10 090   das Unterste ins Oberste zu kehren.
Denn wir entrannen knechtisch-heißer Gruft
ins Übermaß der Herrschaft freier Luft.
Ein offenbar Geheimnis, wohl verwahrt,
und wird nur spät den Völkern offenbart!
                    (Ephes. 6.12)

FAUST

10 095   Gebirgesmasse bleibt mir edel-stumm,
ich frage nicht woher und nicht warum.
Als die Natur sich in sich selbst gegründet,
da hat sie rein den Erdball abgeründet,
der Gipfel sich, der Schluchten sich erfreut

10 100 und Fels an Fels und Berg an Berg gereiht,
die Hügel dann bequem hinabgebildet,
mit sanftem Zug sie in das Tal gemildet.
Da grünt's und wächst's, und um sich zu erfreuen,
bedarf sie nicht der tollen Strudeleien.

MEPHISTOPHELES

10 105 Das sprecht Ihr so! Das scheint Euch sonnenklar,
doch weiß es anders, der zugegen war.
Ich war dabei, als noch da drunten siedend
der Abgrund schwoll und strömend Flammen trug,
als Molochs Hammer, Fels an Felsen schmiedend,
10 110 Gebirgestrümmer in die Ferne schlug.
Noch starrt das Land von fremden Zentnermassen;
wer gibt Erklärung solcher Schleudermacht?
Der Philosoph, er weiß es nicht zu fassen:
„Da liegt der Fels, man muß ihn liegen lassen;
10 115 zuschanden haben wir uns schon gedacht."
Das treu-gemeine Volk allein begreift
und läßt sich im Begriff nicht stören;
ihm ist die Weisheit längst gereift:
ein Wunder ist's! Der Satan kommt zu Ehren;
10 120 mein Wandrer hinkt an seiner Glaubenskrücke
zum Teufelsstein, zur Teufelsbrücke.

FAUST

Es ist doch auch bemerkenswert zu achten,
zu sehn, wie Teufel die Natur betrachten.

MEPHISTOPHELES

Was geht mich's an! Natur sei, wie sie sei!
10 125 's ist Ehrenpunkt: der Teufel war dabei.
Wir sind die Leute, Großes zu erreichen;
Tumult, Gewalt und Unsinn! Sieh das Zeichen! —
Doch, daß ich endlich ganz verständlich spreche,
gefiel dir nichts an unsrer Oberfläche?
10 130 Du übersahst, in ungemeßnen Weiten,
die Reiche der Welt und ihre Herrlichkeiten,
(Matth. 4)
doch, ungenügsam wie du bist,
empfandest du wohl kein Gelüst?

FAUST

Und doch! Ein Großes zog mich an.
10 135 Errate!

MEPHISTOPHELES

Das ist bald getan.
Ich suchte mir so eine Hauptstadt aus:
im Kerne Bürger-Nahrungs-Graus,
krumm-enge Gäßchen, spitze Giebeln,
beschränkten Markt, Kohl, Rüben, Zwiebeln,
10 140   Fleischbänke, wo die Schmeißen hausen,
die fetten Braten anzuschmausen,
— da findest du zu jeder Zeit
gewiß Gestank und Tätigkeit —
dann weite Plätze, breite Straßen,
10 145   vornehmen Schein sich anzumaßen,
und endlich, wo kein Tor beschränkt,
Vorstädte, grenzenlos verlängt.
Da freut' ich mich an Rollekutschen,
am lärmigen Hin- und Widerrutschen,
10 150   am ewigen Hin- und Widerlaufen
zerstreuter Ameis-Wimmelhaufen.
Und wenn ich führe, wenn ich ritte,
erschien' ich immer ihre Mitte,
von Hunderttausenden verehrt.

FAUST

10 155   Das kann mich nicht zufriedenstellen!
Man freut sich, daß das Volk sich mehrt,
nach seiner Art behäglich nährt,
sogar sich bildet, sich belehrt, —
und man erzieht sich nur Rebellen.

MEPHISTOPHELES

10 160   Dann baut' ich, grandios, mir selbst bewußt,
am lustigen Ort ein Schloß zur Lust:
Wald, Hügel, Flächen, Wiesen, Feld
zum Garten prächtig umbestellt;
vor grünen Wänden Sammetmatten,
10 165   Schnurwege, kunstgerechte Schatten,
Kaskadensturz, durch Fels zu Fels gepaart,
und Wasserstrahlen aller Art;
ehrwürdig steigt es dort, doch an den Seiten,
da zischt's und pißt's in tausend Kleinigkeiten.
10 170   Dann aber ließ' ich allerschönsten Frauen
vertraut-bequeme Häuslein bauen,
verbrächte da grenzenlose Zeit

in allerliebst-geselliger Einsamkeit.
Ich sage „Fraun,“ denn ein für allemal
10 175 denk’ ich die Schönen im Plural.

FAUST

Schlecht und modern! Sardanapal!

MEPHISTOPHELES

Errät man wohl, wornach du strebtest?
Es war gewiß erhaben kühn.
Der du dem Mond um so viel näher schwebtest,
10 180 dich zog wohl deine Sucht dahin?

FAUST

Mitnichten! Dieser Erdenkreis
gewährt noch Raum zu großen Taten.
Erstaunenswürdiges soll geraten;
ich fühle Kraft zu kühnem Fleiß.

MEPHISTOPHELES

10 185 Und also willst du Ruhm verdienen?
Man merkt’s, du kommst von Heroinen.

FAUST

Herrschaft gewinn’ ich, Eigentum!
Die Tat ist alles, nichts der Ruhm.

MEPHISTOPHELES

Doch werden sich Poeten finden,
10 190 der Nachwelt deinen Glanz zu künden,
durch Torheit Torheit zu entzünden.

FAUST

Von allem ist dir nichts gewährt.
Was weißt du, was der Mensch begehrt?
Dein widrig Wesen, bitter, scharf,
10 195 was weiß es, was der Mensch bedarf?

MEPHISTOPHELES

Geschehe denn nach deinem Willen!
Vertraue mir den Umfang deiner Grillen!

FAUST

Mein Auge war aufs hohe Meer gezogen:
es schwoll empor, sich in sich selbst zu türmen,
10 200 dann ließ es nach und schüttete die Wogen,
des flachen Ufers Breite zu bestürmen.

Und das verdroß mich, — wie der Übermut
den freien Geist, der alle Rechte schätzt,
durch leidenschaftlich aufgeregtes Blut
10 205 ins Mißbehagen des Gefühls versetzt.
Ich hielt's für Zufall, schärfte meinen Blick:
die Woge stand und rollte dann zurück,
entfernte sich vom stolz erreichten Ziel;
die Stunde kommt, sie wiederholt das Spiel.

MEPHISTOPHELES, *ad spectatores.*

10 210 Da ist für mich nichts Neues zu erfahren,
das kenn' ich schon seit hunderttausend Jahren.

FAUST, *leidenschaftlich fortfahrend.*

Sie schleicht heran, an abertausend Enden,
unfruchtbar selbst, Unfruchtbarkeit zu spenden.
Nun schwillt's und wächst und rollt und überzieht
10 215 der wüsten Strecke widerlich Gebiet.
Da herrschet Well' auf Welle kraftbegeistet,
zieht sich zurück, und es ist nichts geleistet, —
was zur Verzweiflung mich beängstigen könnte:
zwecklose Kraft unbändiger Elemente!
10 220 Da wagt mein Geist, sich selbst zu überfliegen;
hier möcht' ich kämpfen, dies möcht' ich besiegen!

Und es ist möglich! — Flutend, wie sie sei,
an jedem Hügel schmiegt sie sich vorbei;
sie mag sich noch so übermütig regen,
10 225 geringe Höhe ragt ihr stolz entgegen,
geringe Tiefe zieht sie mächtig an.
Da faßt' ich schnell im Geiste Plan auf Plan:
erlange dir das köstliche Genießen,
das herrische Meer vom Ufer auszuschließen,
10 230 der feuchten Breite Grenzen zu verengen
und weit hinein sie in sich selbst zu drängen!
Schon Schritt für Schritt wußt' ich mir's zu erörtern.
Das ist mein Wunsch; den wage zu befördern!

Trommeln und kriegerische Musik im Rücken der Zuschauer,
aus der Ferne, von der rechten Seite her.

MEPHISTOPHELES

Wie leicht ist das! Hörst du die Trommeln fern?

FAUST

10 235   Schon wieder Krieg! Der Kluge hört's nicht gern.

MEPHISTOPHELES

Krieg oder Frieden: klug ist das Bemühen,
zu seinem Vorteil etwas auszuziehen.
Man paßt, man merkt auf jedes günstige Nu.
Gelegenheit ist da. Nun, Fauste, greife zu!

FAUST

10 240   Mit solchem Rätselkram verschone mich!
Und kurz und gut, was soll's? Erkläre dich!

MEPHISTOPHELES

Auf meinem Zuge blieb mir nicht verborgen:
der gute Kaiser schwebt in großen Sorgen —
du kennst ihn ja. Als wir ihn unterhielten,
10 245   ihm falschen Reichtum in die Hände spielten,
da war die ganze Welt ihm feil.
Denn jung ward ihm der Thron zuteil,
und ihm beliebt' es, falsch zu schließen:
es könne wohl zusammengehn
10 250   und sei recht wünschenswert und schön,
regieren und zugleich genießen.

FAUST

Ein großer Irrtum. Wer befehlen soll,
muß im Befehlen Seligkeit empfinden.
Ihm ist die Brust von hohem Willen voll,
10 255   doch was er will, es darf's kein Mensch ergründen.
Was er den Treusten in das Ohr geraunt,
es ist getan, und alle Welt erstaunt.
So wird er stets der Allerhöchste sein,
der Würdigste! — Genießen macht gemein.

MEPHISTOPHELES

10 260   So ist er nicht! Er selbst genoß, und wie!
Indes zerfiel das Reich in Anarchie,
wo groß und klein sich kreuz und quer befehdeten,
und Brüder sich vertrieben, töteten,
Burg gegen Burg, Stadt gegen Stadt,
10 265   Zunft gegen Adel Fehde hatt',
der Bischof mit Kapitel und Gemeinde:
was sich nur ansah, waren Feinde.

In Kirchen Mord und Totschlag! Vor den Toren
ist jeder Kauf- und Wandersmann verloren!
10 270 Und allen wuchs die Kühnheit nicht gering;
denn leben hieß sich wehren. — Nun, das ging.

FAUST

Es ging — es hinkte, fiel, stand wieder auf;
dann überschlug sich's, rollte plump zuhauf.

MEPHISTOPHELES

Und solchen Zustand durfte niemand schelten,
10 275 ein jeder konnte, jeder wollte gelten.
Der Kleinste selbst, er galt für voll.
Doch war's zuletzt den Besten allzutoll.
Die Tüchtigen, sie standen auf mit Kraft
und sagten: ,,Herr ist, der uns Ruhe schafft!
10 280 Der Kaiser kann's nicht, will's nicht. — Laßt uns wählen,
den neuen Kaiser neu das Reich beseelen,
indem er jeden sicher stellt,
in einer frisch geschaffnen Welt
Fried' und Gerechtigkeit vermählen."

FAUST

10 285 Das klingt sehr pfäffisch.

MEPHISTOPHELES

                          Pfaffen waren's auch!
Sie sicherten den wohlgenährten Bauch;
sie waren mehr als andere beteiligt.
Der Aufruhr schwoll, der Aufruhr ward geheiligt;
und unser Kaiser, den wir froh gemacht,
10 290 zieht sich hieher, vielleicht zur letzten Schlacht.

FAUST

Er jammert mich, er war so gut und offen.

MEPHISTOPHELES

Komm, sehn wir zu! Der Lebende soll hoffen.
Befrein wir ihn aus diesem engen Tale!
Einmal gerettet, ist's für tausend Male.
10 295 Wer weiß, wie noch die Würfel fallen?
Und hat er Glück, so hat er auch Vasallen.

*Sie steigen über das Mittelgebirg herüber und beschauen die
Anordnung des Heeres im Tal.*

Trommeln und Kriegsmusik schallt von unten auf.

MEPHISTOPHELES

Die Stellung, seh' ich, gut ist sie genommen;
wir treten zu, dann ist der Sieg vollkommen.

FAUST

Was kann da zu erwarten sein?
10 300   Trug! Zauberblendwerk! Hohler Schein!

MEPHISTOPHELES

Kriegslist, um Schlachten zu gewinnen!
Befestige dich bei großen Sinnen,
indem du deinen Zweck bedenkst!
Erhalten wir dem Kaiser Thron und Lande,
10 305   so kniest du nieder und empfängst
die Lehn von grenzenlosem Strande.

FAUST

Schon manches hast du durchgemacht,
nun, so gewinn auch eine Schlacht!

MEPHISTOPHELES

Nein, du gewinnst sie! Diesesmal
10 310   bist du der Obergeneral.

FAUST

Das wäre mir die rechte Höhe,
da zu befehlen, wo ich nichts verstehe!

MEPHISTOPHELES

Laß du den Generalstab sorgen,
und der Feldmarschall ist geborgen.
10 315   Kriegsunrat hab' ich längst verspürt,
den Kriegsrat gleich voraus formiert
aus Urgebirgs Urmenschenkraft;
wohl dem, der sie zusammenrafft!

FAUST

Was seh' ich dort, was Waffen trägt?
10 320   Hast du das Bergvolk aufgeregt?

MEPHISTOPHELES

Nein! Aber gleich Herrn Peter Squenz
vom ganzen Praß die Quintessenz.

Die Drei Gewaltigen treten auf.
(II Sam. 23.8)

MEPHISTOPHELES

Da kommen meine Bursche ja!
Du siehst: von sehr verschiednen Jahren,
10 325 verschiednem Kleid und Rüstung sind sie da.
Du wirst nicht schlecht mit ihnen fahren.

>   *Ad spectatores.*

Es liebt sich jetzt ein jedes Kind
den Harnisch und den Ritterkragen;
und, allegorisch wie die Lumpe sind,
10 330 sie werden nur um desto mehr behagen.

>   RAUFEBOLD, *jung, leicht bewaffnet, bunt gekleidet.*

Wenn einer mir ins Auge sieht,
werd' ich ihm mit der Faust gleich in die Fresse fahren;
und eine Memme, wenn sie flieht,
fass' ich bei ihren letzten Haaren.

>   HABEBALD, *männlich, wohl bewaffnet, reich gekleidet.*

10 335 So leere Händel, das sind Possen,
damit verdirbt man seinen Tag.
Im Nehmen sei nur unverdrossen,
nach allem andern frag hernach!

>   HALTEFEST, *bejahrt, stark bewaffnet, ohne Gewand.*

Damit ist auch nicht viel gewonnen!
10 340 Bald ist ein großes Gut zerronnen,
es rauscht im Lebensstrom hinab.
Zwar nehmen ist recht gut, doch besser ist's, behalten;
laß du den grauen Kerl nur walten,
und niemand nimmt dir etwas ab!

>   *Sie steigen allzusammen tiefer.*

45   Auf dem Vorgebirg

Trommeln und kriegerische Musik von unten. Des Kaisers
Zelt wird aufgeschlagen.

Kaiser. Obergeneral. Trabanten.

OBERGENERAL

10 345 Noch immer scheint der Vorsatz wohl erwogen,
daß wir in dies gelegene Tal
das ganze Heer gedrängt zurückgezogen;
ich hoffe fest, uns glückt die Wahl.

KAISER

Wie es nun geht, es muß sich zeigen;
10 350 doch mich verdrießt die halbe Flucht, das Weichen.

OBERGENERAL

Schau hier, mein Fürst, auf unsre rechte Flanke!
Solch ein Terrain wünscht sich der Kriegsgedanke:
nicht steil die Hügel, doch nicht allzu gänglich,
den Unsern vorteilhaft, dem Feind verfänglich, —
10 355 wir, halb versteckt, auf wellenförmigem Plan;
die Reiterei, sie wagt sich nicht heran.

KAISER

Mir bleibt nichts übrig, als zu loben;
hier kann sich Arm und Brust erproben.

OBERGENERAL

Hier, auf der Mittelwiese flachen Räumlichkeiten,
10 360 siehst du den Phalanx, wohlgemut zu streiten.
Die Piken blinken flimmernd in der Luft,
im Sonnenglanz, durch Morgennebelduft.
Wie dunkel wogt das mächtige Quadrat!
Zu Tausenden glüht's hier auf große Tat.
10 365 Du kannst daran der Masse Kraft erkennen;
ich trau' ihr zu, der Feinde Kraft zu trennen.

191

KAISER

Den schönen Blick hab' ich zum erstenmal.
Ein solches Heer gilt für die Doppelzahl.

OBERGENERAL

Von unsrer Linken hab' ich nichts zu melden;
10 370 den starren Fels besetzen wackere Helden.
Das Steingeklipp, das jetzt von Waffen blitzt,
den wichtigen Paß der engen Klause schützt.
Ich ahne schon: hier scheitern Feindeskräfte
unvorgesehn im blutigen Geschäfte.

KAISER

10 375 Dort ziehn sie her, die falschen Anverwandten,
wie sie mich Oheim, Vetter, Bruder nannten,
sich immer mehr und wieder mehr erlaubten,
dem Zepter Kraft, dem Thron Verehrung raubten, —
dann, unter sich entzweit, das Reich verheerten
10 380 und nun, gesamt, sich gegen mich empörten.
Die Menge schwankt im ungewissen Geist,
dann strömt sie nach, wohin der Strom sie reißt.

OBERGENERAL

Ein treuer Mann, auf Kundschaft ausgeschickt,
kommt eilig felsenab; sei's ihm geglückt!

ERSTER KUNDSCHAFTER

10 385 Glücklich ist sie uns gelungen,
listig, mutig, unsre Kunst,
daß wir hin und her gedrungen;
doch wir bringen wenig Gunst.
Viele schwören reine Huldigung
10 390 dir, wie manche treue Schar, —
doch Untätigkeits-Entschuldigung:
innere Gärung, Volksgefahr.

KAISER

Sich selbst erhalten bleibt der Selbstsucht Lehre,
nicht Dankbarkeit und Neigung, Pflicht und Ehre.
10 395 Bedenkt ihr nicht, wenn eure Rechnung voll,
daß Nachbars Hausbrand euch verzehren soll?

OBERGENERAL

Der zweite kommt, nur langsam steigt er nieder;
dem müden Manne zittern alle Glieder.

ZWEITER KUNDSCHAFTER

Erst gewahrten wir vergnüglich
10 400 wilden Wesens irren Lauf;
unerwartet, unverzüglich
trat ein neuer Kaiser auf.
Und auf vorgeschriebnen Bahnen
zieht die Menge durch die Flur;
10 405 den entrollten Lügenfahnen
folgen alle. — Schafsnatur!

KAISER

Ein Gegenkaiser kommt mir zum Gewinn:
nun fühl' ich erst, daß i c h der Kaiser bin.
Nur als Soldat legt' ich den Harnisch an,
10 410 zu höherm Zweck ist er nun umgetan.
Bei jedem Fest, wenn's noch so glänzend war,
nichts ward vermißt, — m i r fehlte die Gefahr.
Wie ihr auch seid, zum Ringspiel rietet ihr;
mir schlug das Herz, ich atmete Turnier.
10 415 Und hättet ihr mir nicht vom Kriegen abgeraten,
jetzt glänzt' ich schon in lichten Heldentaten.
Selbständig fühlt' ich meine Brust besiegelt,
als ich mich dort im Feuerreich bespiegelt:
das Element drang gräßlich auf mich los,
10 420 es war nur Schein, allein der Schein war groß.
Von Sieg und Ruhm hab' ich verwirrt geträumt;
ich bringe nach, was frevelhaft versäumt.

*Die Herolde werden abgefertigt zu Herausforderung des Gegen-
kaisers.*

*Faust geharnischt, mit halbgeschloßnem Helme. Die Drei
Gewaltigen gerüstet und gekleidet wie oben.*

FAUST

Wir treten auf und hoffen, ungescholten;
auch ohne Not hat Vorsicht wohl gegolten.
10 425 Du weißt, das Bergvolk denkt und simuliert,
ist in Natur- und Felsenschrift studiert.
Die Geister, längst dem flachen Land entzogen,
sind mehr als sonst dem Felsgebirg gewogen.
Sie wirken still durch labyrinthische Klüfte
10 430 im edlen Gas metallisch reicher Düfte.

In stetem Sondern, Prüfen und Verbinden
ihr einziger Trieb ist, Neues zu erfinden.
Mit leisem Finger geistiger Gewalten
erbauen sie durchsichtige Gestalten;
10 435   dann im Kristall und seiner ewigen Schweignis
erblicken sie der Oberwelt Ereignis.

KAISER

Vernommen hab' ich's, und ich glaube dir;
doch, wackrer Mann, sag an: was soll das hier?

FAUST

Der Nekromant von Norcia, der Sabiner,
10 440   ist dein getreuer, ehrenhafter Diener.
Welch greulich Schicksal droht' ihm ungeheuer!
Das Reisig prasselte, schon züngelte das Feuer, —
die trocknen Scheite, ringsumher verschränkt,
mit Pech und Schwefelruten untermengt, —
10 445   nicht Mensch, noch Gott, noch Teufel konnte retten;
die Majestät zersprengte glühende Ketten!
Dort war's, in Rom. Er bleibt dir hoch verpflichtet,
auf deinen Gang in Sorge stets gerichtet.
Von jener Stund' an ganz vergaß er sich,
10 450   er fragt den Stern, die Tiefe nur für dich.
Er trug uns auf, als eiligstes Geschäfte,
bei dir zu stehn. Groß sind des Berges Kräfte;
da wirkt Natur so übermächtig frei,
der Pfaffen Stumpfsinn schilt es Zauberei.

KAISER

10 455   Am Freudentag, wenn wir die Gäste grüßen,
die heiter kommen, heiter zu genießen,
da freut uns jeder, wie er schiebt und drängt
und, Mann für Mann, der Säle Raum verengt.
Doch höchst willkommen muß der Biedre sein,
10 460   tritt er als Beistand kräftig zu uns ein
zur Morgenstunde, die bedenklich waltet,
weil über ihr des Schicksals Wage schaltet.
       Doch lenket hier im hohen Augenblick
die starke Hand vom willigen Schwert zurück!
10 465   Ehrt den Moment, wo manche Tausend schreiten,
für oder wider mich zu streiten!

Selbst ist der Mann! Wer Thron und Kron' begehrt,
persönlich sei er solcher Ehren wert!
Sei das Gespenst, das gegen uns erstanden,
10 470   sich Kaiser nennt und Herr von unsern Landen,
des Heeres Herzog, Lehnsherr unsrer Großen,
mit eigner Faust ins Totenreich gestoßen!

FAUST

Wie es auch sei, das Große zu vollenden,
du tust nicht wohl, dein Haupt so zu verpfänden.
10 475   Ist nicht der Helm mit Kamm und Busch geschmückt?
Er schützt das Haupt, das unsern Mut entzückt.
Was, ohne Haupt, was förderten die Glieder?
Denn schläfert jenes, alle sinken nieder;
wird es verletzt, gleich alle sind verwundet,
10 480   erstehen frisch, wenn jenes rasch gesundet.
Schnell weiß der Arm sein starkes Recht zu nützen,
er hebt den Schild, den Schädel zu beschützen;
das Schwert gewahret seiner Pflicht sogleich,
lenkt kräftig ab und wiederholt den Streich;
10 485   der tüchtige Fuß nimmt Teil an ihrem Glück,
setzt dem Erschlagnen frisch sich ins Genick!

KAISER

Das ist mein Zorn, so möcht' ich ihn behandeln,
das stolze Haupt in Schemeltritt verwandeln!

Herolde kommen zurück.

HEROLDE

Wenig Ehre, wenig Geltung
10 490   haben wir daselbst genossen.
Unsrer kräftig edlen Meldung
lachten sie als schaler Possen:
„Euer Kaiser ist verschollen,
Echo dort im engen Tal;
10 495   wenn wir sein gedenken sollen,
Märchen sagt: — Es war einmal."

FAUST

Dem Wunsch gemäß der Besten ist's geschehn,
die fest und treu an deiner Seite stehn.
Dort naht der Feind, die Deinen harren brünstig:
10 500   befiehl den Angriff! Der Moment ist günstig.

KAISER

Auf das Kommando leist' ich hier Verzicht.

Zum Oberfeldherrn.

In deinen Händen, Fürst, sei deine Pflicht!

OBERGENERAL

So trete denn der rechte Flügel an!
Des Feindes Linke, eben jetzt im Steigen,
10 505 soll, eh' sie noch den letzten Schritt getan,
der Jugendkraft geprüfter Treue weichen.

FAUST

Erlaube denn, daß dieser muntre Held
sich ungesäumt in deine Reihen stellt,
sich deinen Reihen innigst einverleibt
10 510 und, so gesellt, sein kräftig Wesen treibt.

Er deutet zur Rechten.

RAUFEBOLD, *vortretend.*

Wer das Gesicht mir zeigt, der kehrt's nicht ab
als mit zerschlagnen Unter- und Oberbacken;
wer mir den Rücken kehrt, gleich liegt ihm schlapp
Hals, Kopf und Schopf hinschlotternd graß im Nacken.
10 515 Und schlagen deine Männer dann
mit Schwert und Kolben, wie ich wüte,
so stürzt der Feind, Mann über Mann,
ersäuft im eigenen Geblüte.

Ab.

OBERGENERAL

Der Phalanx unsrer Mitte folge sacht,
10 520 dem Feind begegn' er, klug mit aller Macht,
ein wenig rechts — dort hat bereits, erbittert,
der Unsern Streitkraft ihren Plan erschüttert.

FAUST, *auf den Mittelsten deutend.*

So folge denn auch dieser deinem Wort.
Er ist behend, reißt alles mit sich fort.

HABEBALD, *hervortretend.*

10 525 Dem Heldenmut der Kaiserscharen
soll sich der Durst nach Beute paaren;
und allen sei das Ziel gestellt:
des Gegenkaisers reiches Zelt!

Er prahlt nicht lang auf seinem Sitze!
10 530　Ich ordne mich dem Phalanx an die Spitze.

　　　Eilebeute, *Marketenderin, sich an ihn anschmiegend.*

Bin ich auch ihm nicht angeweibt,
er mir der liebste Buhle bleibt.
Für uns ist solch ein Herbst gereift!
Die Frau ist grimmig, wenn sie greift,
10 535　ist ohne Schonung, wenn sie raubt.
Im Sieg voran! Und alles ist erlaubt.

　　　Beide ab.

　　　Obergeneral

Auf unsre Linke, wie vorauszusehn,
stürzt ihre Rechte, kräftig. Widerstehn
wird Mann für Mann dem wütenden Beginnen,
10 540　den engen Paß des Felswegs zu gewinnen.

　　　Faust, *winkt nach der Linken.*

So bitte, Herr, auch diesen zu bemerken;
es schadet nichts, wenn Starke sich verstärken.

　　　Haltefest, *vortretend.*

Dem linken Flügel keine Sorgen!
Da, wo ich bin, ist der Besitz geborgen;
10 545　in ihm bewähret sich der Alte,
kein Strahlblitz spaltet, was ich halte.

　　　Ab.

　　　Mephistopheles, *von oben herunterkommend.*

Nun schauet, wie im Hintergrunde
aus jedem zackigen Felsenschlunde
Bewaffnete hervor sich drängen,
10 550　die schmalen Pfade zu verengen,
mit Helm und Harnisch, Schwertern, Schilden
in unserm Rücken eine Mauer bilden,
den Wink erwartend, zuzuschlagen.

　　　Leise zu den Wissenden.

Woher das kommt, müßt ihr nicht fragen.
10 555　Ich habe freilich nicht gesäumt,
die Waffensäle ringsum ausgeräumt;
da standen sie zu Fuß, zu Pferde,
als wären sie noch Herrn der Erde;

sonst waren's Ritter, König, Kaiser,
10 560 jetzt sind es nichts als leere Schneckenhäuser;
gar manch Gespenst hat sich darein geputzt,
das Mittelalter lebhaft aufgestutzt.
Welch Teufelchen auch drinne steckt,
für diesmal macht es doch Effekt.

> *Laut.*

10 565 Hört, wie sie sich voraus erbosen,
blechklappernd aneinander stoßen!
Auch flattern Fahnenfetzen bei Standarten,
die frischer Lüftchen ungeduldig harrten.
Bedenkt, hier ist ein altes Volk bereit
10 570 und mischte gern sich auch zum neuen Streit.

> *Furchtbarer Posaunenschall von oben. Im feindlichen Heere
> merkliche Schwankung.*

FAUST

Der Horizont hat sich verdunkelt,
nur hie und da bedeutend funkelt
ein roter, ahnungsvoller Schein;
schon blutig blinken die Gewehre,
10 575 der Fels, der Wald, die Atmosphäre,
der ganze Himmel mischt sich ein.

MEPHISTOPHELES

Die rechte Flanke hält sich kräftig;
doch seh' ich ragend unter diesen
Hans Raufbold, den behenden Riesen,
10 580 auf seine Weise rasch geschäftig.

KAISER

Erst sah ich e i n e n Arm erhoben,
jetzt seh' ich schon ein Dutzend toben;
naturgemäß geschieht es nicht.

FAUST

Vernahmst du nichts von Nebelstreifen,
10 585 die auf Siziliens Küsten schweifen?
Dort, schwankend klar, im Tageslicht,
erhoben zu den Mittellüften,
gespiegelt in besondern Düften,
erscheint ein seltsames Gesicht:
10 590 da schwanken Städte hin und wider,

da steigen Gärten auf und nieder,
wie Bild um Bild den Äther bricht.

KAISER

Doch wie bedenklich! Alle Spitzen
der hohen Speere seh' ich blitzen;
10 595 auf unsrer Phalanx blanken Lanzen
seh' ich behende Flämmchen tanzen.
Das scheint mir gar zu geisterhaft.

FAUST

Verzeih, o Herr! Das sind die Spuren
verschollner geistiger Naturen,
10 600 ein Widerschein der Dioskuren,
bei denen alle Schiffer schwuren;
sie sammeln hier die letzte Kraft.

KAISER

Doch sage! Wem sind wir verpflichtet,
daß die Natur, auf uns gerichtet,
10 605 das Seltenste zusammenrafft?

MEPHISTOPHELES

Wem als dem Meister, jenem hohen,
der dein Geschick im Busen trägt?
Durch deiner Feinde starkes Drohen
ist er im Tiefsten aufgeregt.
10 610 Sein Dank will dich gerettet sehen,
und sollt' er selbst daran vergehen.

KAISER

Sie jubelten, mich pomphaft umzuführen.
Ich war nun was: das wollt' ich auch probieren
und fand's gelegen, ohne viel zu denken,
10 615 dem weißen Barte kühle Luft zu schenken.
Dem Klerus hab' ich eine Lust verdorben
und ihre Gunst mir freilich nicht erworben.
Nun sollt' ich, seit so manchen Jahren,
die Wirkung frohen Tuns erfahren?

FAUST

10 620 Freiherzige Wohltat wuchert reich;
laß deinen Blick sich aufwärts wenden!
Mich deucht, er will ein Zeichen senden.
Gib acht! Es deutet sich sogleich.

KAISER

Ein Adler schwebt im Himmelhohen,
10 625 ein Greif ihm nach mit wildem Drohen.

FAUST

Gib acht! Gar günstig scheint es mir!
Greif ist ein fabelhaftes Tier;
wie kann er sich so weit vergessen,
mit echtem Adler sich zu messen?

KAISER

10 630 Nunmehr, in weitgedehnten Kreisen,
umziehn sie sich — in gleichem Nu
sie fahren aufeinander zu,
sich Brust und Hälse zu zerreißen.

FAUST

Nun merke, wie der leidige Greif,
10 635 zerzerrt, zerzaust, nur Schaden findet
und mit gesenktem Löwenschweif,
zum Gipfelwald gestürzt, verschwindet.

KAISER

Sei's, wie gedeutet, so getan!
Ich nehm' es mit Verwundrung an.

MEPHISTOPHELES, *gegen die Rechte.*

10 640 Dringend wiederholten Streichen
müssen unsre Feinde weichen,
und mit ungewissem Fechten
drängen sie nach ihrer Rechten
und verwirren so im Streite
10 645 ihrer Hauptmacht linke Seite.
Unsers Phalanx' feste Spitze
zieht sich rechts, und gleich dem Blitze
fährt sie in die schwache Stelle. —
Nun, wie sturmerregte Welle
10 650 sprühend, wüten gleiche Mächte
wild in doppeltem Gefechte.
Herrlicher's ist nichts ersonnen:
uns ist diese Schlacht gewonnen!

KAISER, *an der linken Seite, zu Faust.*

Schau! Mir scheint es dort bedenklich,
10 655 unser Posten steht verfänglich.
Keine Steine seh' ich fliegen,
niedre Felsen sind erstiegen,
obre stehen schon verlassen.
Jetzt! — Der Feind, zu ganzen Massen
10 660 immer näher angedrungen,
hat vielleicht den Paß errungen,
Schlußerfolg unheiligen Strebens! —
Eure Künste sind vergebens.

Pause.

MEPHISTOPHELES

Da kommen meine beiden Raben,
10 665 was mögen die für Botschaft haben?
Ich fürchte gar, es geht uns schlecht.

KAISER

Was sollen diese leidigen Vögel?
Sie richten ihre schwarzen Segel
hierher vom heißen Felsgefecht.

MEPHISTOPHELES, *zu den Raben.*

10 670 Setzt euch ganz nah zu meinen Ohren!
Wen ihr beschützt, ist nicht verloren,
denn euer Rat ist folgerecht.

FAUST, *zum Kaiser.*

Von Tauben hast du ja vernommen,
die aus den fernsten Landen kommen
10 675 zu ihres Nestes Brut und Kost.
Hier ist's mit wichtigen Unterschieden:
die Taubenpost bedient den Frieden,
der Krieg befiehlt die Rabenpost.

MEPHISTOPHELES

Es meldet sich ein schwer Verhängnis.
10 680 Seht hin! Gewahret die Bedrängnis
um unsrer Helden Felsenrand!
Die nächsten Höhen sind erstiegen,
und würden sie den Paß besiegen,
wir hätten einen schweren Stand.

KAISER

10 685   So bin ich endlich doch betrogen!
          Ihr habt mich in das Netz gezogen.
          Mir graut, seitdem es mich umstrickt.

MEPHISTOPHELES

          Nur Mut! Noch ist es nicht mißglückt.
          Geduld und Pfiff zum letzten Knoten!
10 690   Gewöhnlich geht's am Ende scharf.
          Ich habe meine sichern Boten;
          befehlt, daß ich befehlen darf!

OBERGENERAL, *der indessen herangekommen.*

          Mit diesen hast du dich vereinigt, —
          mich hat's die ganze Zeit gepeinigt,
10 695   das Gaukeln schafft kein festes Glück. —
          Ich weiß nichts an der Schlacht zu wenden;
          begannen sie's, sie mögen's enden:
          ich gebe meinen Stab zurück.

KAISER

          Behalt ihn bis zu bessern Stunden,
10 700   die uns vielleicht das Glück verleiht.
          Mir schaudert vor dem garstigen Kunden
          und seiner Rabentraulichkeit.

          Zu Mephistopheles.

          Den Stab kann ich dir nicht verleihen,
          du scheinst mir nicht der rechte Mann.
10 705   Befiehl und such uns zu befreien! —
          Geschehe, was geschehen kann!

          Ab ins Zelt mit dem Obergeneral.

MEPHISTOPHELES

          Mag ihn der stumpfe Stab beschützen!
          Uns andern könnt' er wenig nützen,
          es war so was vom Kreuz daran.

FAUST

10 710   Was ist zu tun?

MEPHISTOPHELES

                              Es ist getan! —
          Nun, schwarze Vettern, rasch im Dienen,
          zum großen Bergsee! Grüßt mir die Undinen
          und bittet sie um ihrer Fluten Schein! —

Durch Weiberkünste, schwer zu kennen,
10 715 verstehen sie, vom Sein den Schein zu trennen,
und jeder schwört, das sei das Sein.

Pause.

FAUST

Den Wasserfräulein müssen unsre Raben
recht aus dem Grund geschmeichelt haben;
dort fängt es schon zu rieseln an.
10 720 An mancher trocknen, kahlen Felsenstelle
entwickelt sich die volle, rasche Quelle:
um jener Sieg ist es getan.

MEPHISTOPHELES

Das ist ein wunderbarer Gruß!
Die kühnsten Klettrer sind konfus.

FAUST

10 725 Schon rauscht ein Bach zu Bächen mächtig nieder,
aus Schluchten kehren sie gedoppelt wieder,
ein Strom nun wirft den Bogenstrahl;
auf einmal legt er sich in flache Felsenbreite
und rauscht und schäumt nach der und jener Seite,
10 730 und stufenweise wirft er sich ins Tal.
Was hilft ein tapfres, heldenmäßiges Stemmen?
Die mächtige Woge strömt, sie wegzuschwemmen.
Mir schaudert selbst vor solchem wilden Schwall.

MEPHISTOPHELES

Ich sehe nichts von diesen Wasserlügen;
10 735 nur Menschenaugen lassen sich betrügen,
und mich ergötzt der wunderliche Fall.
Sie stürzen fort zu ganzen hellen Haufen:
die Narren wähnen zu ersaufen,
indem sie frei auf festem Lande schnaufen
10 740 und lächerlich mit Schwimmgebärden laufen.
Nun ist Verwirrung überall.

Die Raben sind wiedergekommen.

Ich werd' euch bei dem hohen Meister loben;
wollt ihr euch nun als Meister selbst erproben,
so eilet zu der glühnden Schmiede,
10 745 wo das Gezwergvolk, nimmer müde,
Metall und Stein zu Funken schlägt.

Verlangt, weitläufig sie beschwatzend,
ein Feuer, leuchtend, blinkend, platzend,
wie man's im hohen Sinne hegt!

10 750 Zwar Wetterleuchten in der weiten Ferne,
blickschnelles Fallen allerhöchster Sterne
mag jede Sommernacht geschehn;
doch Wetterleuchten in verworrnen Büschen
und Sterne, die am feuchten Boden zischen, —

10 755 das hat man nicht so leicht gesehn.
So müßt ihr, ohn' euch viel zu quälen,
zuvörderst bitten, dann befehlen.

> *Raben ab. Es geschieht, wie vorgeschrieben.*

MEPHISTOPHELES

Den Feinden dichte Finsternisse!
Und Tritt und Schritt ins Ungewisse!

10 760 Irrfunkenblick an allen Enden,
ein Leuchten, plötzlich zu verblenden!
Das alles wäre wunderschön,
nun aber braucht's noch Schreckgetön.

FAUST

Die hohlen Waffen aus der Säle Grüften

10 765 empfinden sich erstarkt in freien Lüften;
da droben klappert's, rasselt's lange schon —
ein wunderbarer, falscher Ton.

MEPHISTOPHELES

Ganz recht! Sie sind nicht mehr zu zügeln;
schon schallt's von ritterlichen Prügeln,

10 770 wie in der holden alten Zeit.
Armschienen wie der Beine Schienen,
als Guelfen und als Ghibellinen,
erneuen rasch den ewigen Streit.
Fest, im ererbten Sinne wöhnlich,

10 775 erweisen sie sich unversöhnlich;
schon klingt das Tosen weit und breit.
Zuletzt, bei allen Teufelsfesten,
wirkt der Parteihaß doch zum besten,
bis in den allerletzten Graus, —

10 780 schallt wider-widerwärtig panisch,
mitunter grell und scharf satanisch,
erschreckend in das Tal hinaus.

> *Kriegstumult im Orchester, zuletzt übergehend in militärisch
> heitre Weisen.*

46 Des Gegenkaisers Zelt

Thron, reiche Umgebung.

Habebald. Eilebeute.

EILEBEUTE

So sind wir doch die ersten hier!

HABEBALD

Kein Rabe fliegt so schnell als wir.

EILEBEUTE

10 785 O, welch ein Schatz liegt hier zuhauf!
Wo fang' ich an? Wo hör' ich auf?

HABEBALD

Steht doch der ganze Raum so voll!
Weiß nicht, wozu ich greifen soll.

EILEBEUTE

Der Teppich wär' mir eben recht!
10 790 Mein Lager ist oft gar zu schlecht.

HABEBALD

Hier hängt von Stahl ein Morgenstern!
Dergleichen hätt' ich lange gern.

EILEBEUTE

Den roten Mantel, goldgesäumt!
So etwas hatt' ich mir geträumt.

HABEBALD, *die Waffe nehmend.*

10 795 Damit ist es gar bald getan,
man schlägt ihn tot und geht voran. —
Du hast so viel schon aufgepackt
und doch nichts Rechtes eingesackt.
Den Plunder laß an seinem Ort,
10 800 nehm eines dieser Kistchen fort!
Dies ist des Heers beschiedner Sold,
in seinem Bauche lauter Gold.

EILEBEUTE

Das hat ein mörderisch Gewicht!
Ich heb' es nicht, ich trag' es nicht.

HABEBALD

10 805   Geschwinde duck dich! Mußt dich bücken!
Ich hucke dir's auf den starken Rücken.

EILEBEUTE

O weh! O weh! Nun ist's vorbei!
Die Last bricht mir das Kreuz entzwei.

Das Kistchen stürzt und springt auf.

HABEBALD

Da liegt das rote Gold zuhauf:
10 810   geschwinde zu und raff es auf!

EILEBEUTE, *niederkauernd.*

Geschwinde nur zum Schoß hinein!
Noch immer wird's zur G'nüge sein.

HABEBALD

Und so genug! Und eile doch!

Sie steht auf.

O weh! Die Schürze hat ein Loch!
10 815   Wohin du gehst und wo du stehst,
verschwenderisch die Schätze säst.

TRABANTEN UNSRES KAISERS

Was schafft ihr hier am heiligen Platz?
Was kramt ihr in dem Kaiserschatz?

HABEBALD

Wir trugen unsre Glieder feil
10 820   und holen unser Beuteteil.
In Feindeszelten ist's der Brauch,
und wir, Soldaten sind wir auch!

TRABANTEN

Das passet nicht in unsern Kreis:
zugleich Soldat und Diebsgeschmeiß!
10 825   Und wer sich unserm Kaiser naht,
der sei ein redlicher Soldat!

HABEBALD

Die Redlichkeit, die kennt man schon:
sie heißet — Kontribution.
Ihr alle seid auf gleichem Fuß:
10 830 „Gib her!" — Das ist der Handwerksgruß.

Zu Eilebeute.

Mach fort und schleppe, was du hast!
Hier sind wir nicht willkommner Gast.

Ab.

ERSTER TRABANT

Sag, warum gabst du nicht sogleich
dem frechen Kerl einen Backenstreich?

ZWEITER

10 835 Ich weiß nicht, mir verging die Kraft,
sie waren so gespensterhaft.

DRITTER

Mir ward es vor den Augen schlecht,
da flimmert' es, ich sah nicht recht.

VIERTER

Wie ich es nicht zu sagen weiß:
10 840 es war den ganzen Tag so heiß,
so bänglich, so beklommen schwül.
Der eine stand, der andre fiel,
man tappte hin und schlug zugleich,
der Gegner fiel vor jedem Streich;
10 845 vor Augen schwebt' es wie ein Flor,
dann summt's und saust's und zischt' im Ohr.
Das ging so fort, nun sind wir da
und wissen selbst nicht, wie's geschah.

Kaiser mit vier Fürsten treten auf.

Die Trabanten entfernen sich.

KAISER

Es sei nun, wie ihm sei! Uns ist die Schlacht gewonnen,
10 850 des Feinds zerstreute Flucht im flachen Feld zerronnen.
Hier steht der leere Thron; verräterischer Schatz,
von Teppichen umhüllt, verengt umher den Platz.

Wir, ehrenvoll geschützt von eigenen Trabanten,
erwarten kaiserlich der Völker Abgesandten;
10 855   von allen Seiten her kommt frohe Botschaft an:
beruhigt sei das Reich, uns freudig zugetan.
　　Hat sich in unsern Kampf auch Gaukelei geflochten,
am Ende haben wir uns nur allein gefochten.
　　Zufälle kommen ja dem Streitenden zugut:
10 860   vom Himmel fällt ein Stein, dem Feinde regnet's Blut,
aus Felsenhöhlen tönt's von mächtigen Wunderklängen,
die unsre Brust erhöhn, des Feindes Brust verengen.
　　Der Überwundne fiel, zu stets erneutem Spott,
der Sieger, wie er prangt, preist den gewognen Gott,
10 865   und alles stimmt mit ein — er braucht nicht zu befehlen —
„Herr Gott, dich loben wir!" aus Millionen Kehlen.
　　Jedoch zum höchsten Preis wend' ich den frommen Blick,
das selten sonst geschah, zur eignen Brust zurück.
　　Ein junger, muntrer Fürst mag seinen Tag vergeuden,
10 870   die Jahre lehren ihn des Augenblicks Bedeuten.
　　Deshalb denn ungesäumt verbind' ich mich sogleich
mit euch vier Würdigen, für Haus und Hof und Reich.

　　　Zum ersten.

Dein war, o Fürst, des Heers geordnet kluge Schichtung,
sodann im Hauptmoment heroisch kühne Richtung;
10 875   im Frieden wirke nun, wie es die Zeit begehrt!
Erzmarschall nenn' ich dich, verleihe dir das Schwert.

　　　Erzmarschall

Dein treues Heer, bis jetzt im Inneren beschäftigt,
wenn's an der Grenze dich und deinen Thron bekräftigt,
dann sei es uns vergönnt, bei Festesdrang im Saal
10 880   geräumiger Väterburg zu rüsten dir das Mahl!
Blank trag' ich's dir dann vor, blank halt' ich dir's zur Seite,
der höchsten Majestät zu ewigem Geleite.

　　　Der Kaiser, *zum zweiten.*

Der sich als tapfrer Mann auch zart gefällig zeigt,
du, sei Erzkämmerer! Der Auftrag ist nicht leicht.
10 885   Du bist der Oberste von allem Hausgesinde,
bei deren innerm Streit ich schlechte Diener finde;
dein Beispiel sei fortan in Ehren aufgestellt,
wie man dem Herrn, dem Hof und allen wohlgefällt.

ERZKÄMMERER

Des Herren großen Sinn zu fördern bringt zu Gnaden:
10 890 den Besten hülfreich sein, den Schlechten selbst nicht schaden,
dann klar sein ohne List und ruhig ohne Trug!
Wenn du mich, Herr, durchschaust, geschieht mir schon genug.
Darf sich die Phantasie auf jenes Fest erstrecken?
Wenn du zur Tafel gehst, reich' ich das goldne Becken,
10 895 die Ringe halt' ich dir, damit zur Wonnezeit
sich deine Hand erfrischt, wie mich dein Blick erfreut.

KAISER

Zwar fühl' ich mich zu ernst, auf Festlichkeit zu sinnen,
doch sei's! Es fördert auch frohmütiges Beginnen.

Zum dritten.

Dich wähl' ich zum Erztruchseß! Also sei fortan
10 900 dir Jagd, Geflügelhof und Vorwerk untertan!
Der Lieblingsspeisen Wahl laß mir zu allen Zeiten,
wie sie der Monat bringt — und sorgsam — zubereiten!

ERZTRUCHSESS

Streng Fasten sei für mich die angenehmste Pflicht,
bis, vor dich hingestellt, dich freut ein Wohlgericht!
10 905 Der Küche Dienerschaft soll sich mit mir vereinigen,
das Ferne beizuziehn, die Jahrszeit zu beschleunigen.
Dich reizt nicht Fern und Früh, womit die Tafel prangt:
einfach und kräftig ist's, wornach dein Sinn verlangt.

KAISER, *zum vierten.*

Weil unausweichlich hier sich's nur von Festen handelt,
10 910 so sei mir, junger Held, zum Schenken umgewandelt!
Erzschenke, sorge nun, daß unsre Kellerei
aufs reichlichste versorgt mit gutem Weine sei.
Du selbst sei mäßig! Laß nicht über Heiterkeiten
durch der Gelegenheit Verlocken dich verleiten!

ERZSCHENK

10 915 Mein Fürst, die Jugend selbst, wenn man ihr nur vertraut,
steht, eh' man sich's versieht, zu Männern auferbaut.
Auch ich versetze mich zu jenem großen Feste:
ein kaiserlich Büffet schmück' ich aufs allerbeste
mit Prachtgefäßen — gülden, silbern allzumal;
10 920 doch wähl' ich dir voraus den lieblichsten Pokal:

ein blank venedisch Glas, worin Behagen lauschet,
des Weins Geschmack sich stärkt und nimmermehr berauschet.
Auf solchen Wunderschatz vertraut man oft zu sehr;
doch deine Mäßigkeit, du Höchster, schützt noch mehr.

KAISER

10 925 Was ich euch zugedacht in dieser ernsten Stunde,
vernahmt ihr mit Vertraun aus zuverlässigem Munde.
Des Kaisers Wort ist groß und sichert jede Gift;
doch zur Bekräftigung bedarf's der edlen Schrift,
bedarf's der Signatur. Die förmlich zu bereiten,
10 930 seh' ich den rechten Mann zu rechter Stunde schreiten.

Der Erzbischof-Erzkanzler tritt auf.

KAISER

Wenn ein Gewölbe sich dem Schlußstein anvertraut,
dann ist's mit Sicherheit für ewige Zeit erbaut.
Du siehst vier Fürsten da! Wir haben erst erörtert,
was den Bestand zunächst von Haus und Hof befördert.
10 935   Nun aber, was das Reich in seinem Ganzen hegt,
sei, mit Gewicht und Kraft, der Fünfzahl auferlegt.
An Ländern sollen sie vor allen andern glänzen;
deshalb erweitr' ich gleich jetzt des Besitztums Grenzen
vom Erbteil jener, die sich von uns abgewandt.
10 940 Euch Treuen sprech' ich zu so manches schöne Land,
zugleich das hohe Recht, euch nach Gelegenheiten
durch Anfall, Kauf und Tausch ins Weitere zu verbreiten.
Dann sei bestimmt, vergönnt, zu üben ungestört,
was von Gerechtsamen euch Landesherrn gehört.
10 945 Als Richter werdet ihr die Endurteile fällen,
Berufung gelte nicht von euern höchsten Stellen;
dann Steuer, Zins und Bed', Lehn und Geleit und Zoll,
Berg-, Salz- und Münzregal euch angehören soll.
Denn meine Dankbarkeit vollgültig zu erproben,
10 950 hab' ich euch ganz zunächst der Majestät erhoben.

ERZBISCHOF

Im Namen aller sei dir tiefster Dank gebracht!
Du machst uns stark und fest und stärkest deine Macht.

KAISER

Euch fünfen will ich noch erhöhtere Würde geben.
Noch leb' ich meinem Reich und habe Lust zu leben;
10 955 doch hoher Ahnen Kette zieht bedächtigen Blick
aus rascher Strebsamkeit ins Drohende zurück.
Auch werd' ich seinerzeit mich von den Teuren trennen.

Dann sei es eure Pflicht, den Folger zu ernennen.
Gekrönt erhebt ihn hoch auf heiligem Altar,
10 960 und friedlich ende dann, was jetzt so stürmisch war!

ERZKANZLER

Mit Stolz in tiefster Brust, mit Demut an Gebärde,
stehn Fürsten dir gebeugt, die ersten auf der Erde.
Solang das treue Blut die vollen Adern regt,
sind wir der Körper, den dein Wille leicht bewegt.

KAISER

10 965 Und also sei, zum Schluß, was wir bisher betätigt,
für alle Folgezeit durch Schrift und Zug bestätigt!
Zwar habt ihr den Besitz als Herren völlig frei,
mit dem Beding jedoch, daß er unteilbar sei.
Und wie ihr auch vermehrt, was ihr von uns empfangen,
10 970 es soll's der ält'ste Sohn in gleichem Maß erlangen.

ERZKANZLER

Dem Pergament alsbald vertrau' ich wohlgemut,
zum Glück dem Reich und uns, das wichtigste Statut;
Reinschrift und Sieglung soll die Kanzlei beschäftigen,
mit heiliger Signatur wirst du's, der Herr, bekräftigen.

KAISER

10 975 Und so entlass' ich euch, damit den großen Tag
gesammelt jedermann sich überlegen mag.

Die weltlichen Fürsten entfernen sich. DER GEISTLICHE
bleibt und spricht pathetisch:

Der Kanzler ging hinweg, der Bischof ist geblieben,
vom ernsten Warnegeist zu deinem Ohr getrieben!
Sein väterliches Herz, von Sorge bangt's um dich.

KAISER

10 980 Was hast du Bängliches zur frohen Stunde? Sprich!

ERZBISCHOF

Mit welchem bittern Schmerz find' ich, in dieser Stunde,
dein hochgeheiligt Haupt mit Satanas im Bunde!
Zwar, wie es scheinen will, gesichert auf dem Thron,
doch leider Gott dem Herrn, dem Vater Papst zum Hohn!
10 985 Wenn dieser es erfährt, schnell wird er sträflich richten,
mit heiligem Strahl dein Reich, das sündige, zu vernichten.
Denn noch vergaß er nicht, wie du, zur höchsten Zeit,
an deinem Krönungstag, den Zauberer befreit.

Von deinem Diadem, der Christenheit zum Schaden,
10 990 traf das verfluchte Haupt der erste Strahl der Gnaden.
Doch schlag an deine Brust und gib vom frevlen Glück
ein mäßig Schärflein gleich dem Heiligtum zurück:
den breiten Hügelraum, da, wo dein Zelt gestanden,
wo böse Geister sich zu deinem Schutz verbanden,
10 995 dem Lügenfürsten du ein horchsam Ohr geliehn, —
den stifte, fromm belehrt, zu heiligem Bemühn,
mit Berg und dichtem Wald, so weit sie sich erstrecken,
mit Höhen, die sich grün zu fetter Weide decken,
fischreichen, klaren Seen, dann Bächlein ohne Zahl,
11 000 wie sie sich, eilig schlängelnd, stürzen ab zutal,
das breite Tal dann selbst, mit Wiesen, Gauen, Gründen:
die Reue spricht sich aus, und du wirst Gnade finden.

KAISER

Durch meinen schweren Fehl bin ich so tief erschreckt,
die Grenze sei von dir nach eignem Maß gesteckt!

ERZBISCHOF

11 005 Erst! Der entweihte Raum, wo man sich so versündigt,
sei alsobald zum Dienst des Höchsten angekündigt!
Behende steigt im Geist Gemäuer stark empor,
der Morgensonne Blick erleuchtet schon das Chor,
zum Kreuz erweitert sich das wachsende Gebäude,
11 010 das Schiff erlängt, erhöht sich zu der Gläubigen Freude;
sie strömen brünstig schon durchs würdige Portal;
der erste Glockenruf erscholl durch Berg und Tal,
von hohen Türmen tönt's, wie sie zum Himmel streben,
der Büßer kommt heran zu neugeschaffnem Leben.
11 015 Dem hohen Weihetag — er trete bald herein! —
wird deine Gegenwart die höchste Zierde sein.

KAISER

Mag ein so großes Werk den frommen Sinn verkündigen,
zu preisen Gott den Herrn, sowie mich zu entsündigen.
Genug! Ich fühle schon, wie sich mein Sinn erhöht.

ERZBISCHOF

11 020 Als Kanzler fördr' ich nun Schluß und Formalität.

KAISER

Ein förmlich Dokument, der Kirche das zu eignen,
du legst es vor, ich will's mit Freuden unterzeichnen.

Erzbischof hat sich beurlaubt, kehrt aber beim Ausgang um.

Erzbischof

Dann widmest du zugleich dem Werke, wie's entsteht,
gesamte Landsgefälle — Zehnten, Zinsen, Bed' —
11 025 für ewig. Viel bedarf's zu würdiger Unterhaltung,
und schwere Kosten macht die sorgliche Verwaltung.
Zum schnellen Aufbau selbst auf solchem wüsten Platz
reichst du uns einiges Gold, aus deinem Beuteschatz.
Daneben braucht man auch, ich kann es nicht verschweigen,
11 030 entferntes Holz und Kalk und Schiefer und dergleichen.
Die Fuhren tut das Volk, vom Predigtstuhl belehrt:
die Kirche segnet den, der ihr zu Diensten fährt.

> *Ab.*

Kaiser

Die Sünd' ist groß und schwer, womit ich mich beladen;
das leidige Zaubervolk bringt mich in harten Schaden.

> Erzbischof, *abermals zurückkehrend, mit tiefster Verbeu-*
> *gung.*

11 035 Verzeih, o Herr! Es ward dem sehr verrufnen Mann
des Reiches Strand verliehn; doch diesen trifft der Bann,
verleihst du reuig nicht der hohen Kirchenstelle
auch dort den Zehnten, Zins und Gaben und Gefälle.

> Kaiser, *verdrießlich.*

Das Land ist noch nicht da! Im Meere liegt es breit.

> Erzbischof

11 040 Wer 's Recht hat und Geduld, für den kommt auch die Zeit.
Für uns mög' Euer Wort in seinen Kräften bleiben!

> *Ab.*

> Kaiser, *allein.*

So könnt' ich wohl zunächst das ganze Reich verschreiben!

Fünfter Akt

47   Offene Gegend

WANDRER

Ja! Sie sind's, die dunkeln Linden,
dort, in ihres Alters Kraft.
11 045   Und ich soll sie wiederfinden
nach so langer Wanderschaft!

Ist es doch die alte Stelle,
jene Hütte, die mich barg,
als die sturmerregte Welle
11 050   mich an jene Dünen warf!

Meine Wirte möcht' ich segnen,
hülfsbereit, ein wackres Paar,
das, um heut mir zu begegnen,
alt schon jener Tage war.

11 055   Ach! Das waren fromme Leute!
Poch' ich? Ruf' ich? — Seid gegrüßt,
wenn, gastfreundlich, auch noch heute
ihr des Wohltuns Glück genießt!

BAUCIS: *Mütterchen, sehr alt.*

Lieber Kömmling! Leise! Leise!
11 060   Ruhe! Laß den Gatten ruhn!
Langer Schlaf verleiht dem Greise
kurzen Wachens rasches Tun.

WANDRER

Sage, Mutter, bist du's eben,
meinen Dank noch zu empfahn,
11 065 was du für des Jünglings Leben
mit dem Gatten einst getan?

Bist du Baucis, die, geschäftig,
halberstorbnen Mund erquickt, —
Der Gatte tritt auf.
du Philemon, der so kräftig
11 070 meinen Schatz der Flut entrückt?

Eure Flammen raschen Feuers,
eures Glöckchens Silberlaut, —
jenes grausen Abenteuers
Lösung war euch anvertraut.

11 075 Und nun laßt hervor mich treten,
schaun das grenzenlose Meer;
laßt mich knieen, laßt mich beten,
mich bedrängt die Brust so sehr.
Er schreitet vorwärts auf der Düne.

PHILEMON, *zu Baucis.*

Eile nur, den Tisch zu decken,
11 080 wo's im Gärtchen munter blüht.
Laß ihn rennen, ihn erschrecken,
denn er glaubt nicht, was er sieht.
Neben dem Wandrer stehend.

Das Euch grimmig mißgehandelt,
Wog' auf Woge, schäumend wild,
11 085 seht als Garten Ihr behandelt,
seht ein paradiesisch Bild.

Älter, war ich nicht zuhanden,
hülfreich nicht wie sonst bereit;
und wie meine Kräfte schwanden,
11 090 war auch schon die Woge weit.

Kluger Herren kühne Knechte
gruben Gräben, dämmten ein,
schmälerten des Meeres Rechte,
Herrn an seiner Statt zu sein.

11 095   Schaue grünend Wies' an Wiese,
Anger, Garten, Dorf und Wald! —
Komm nun aber und genieße,
denn die Sonne scheidet bald!

Dort im Fernsten ziehen Segel,
11 100   suchen nächtlich sichern Port.
Kennen doch ihr Nest die Vögel,
denn jetzt ist der Hafen dort.

So erblickst du in der Weite
erst des Meeres blauen Saum,
11 105   rechts und links, in aller Breite,
dichtgedrängt bewohnten Raum.

Am Tische zu drei, im Gärtchen.

BAUCIS

Bleibst du stumm? Und keinen Bissen
bringst du zum verlechzten Mund?

PHILEMON

Möcht' er doch vom Wunder wissen;
11 110   sprichst so gerne, tu's ihm kund!

BAUCIS

Wohl! — Ein Wunder ist's gewesen!
Läßt mich heut noch nicht in Ruh;
denn es ging das ganze Wesen
nicht mit rechten Dingen zu.

PHILEMON

11 115   Kann der Kaiser sich versünd'gen,
der das Ufer ihm verliehn?
Tät's ein Herold nicht verkünd'gen
schmetternd im Vorüberziehn?

Nicht entfernt von unsern Dünen
11 120   ward der erste Fuß gefaßt:
Zelte! Hütten! — Doch im Grünen
richtet bald sich ein Palast!

BAUCIS

Tags umsonst die Knechte lärmten,
Hack' und Schaufel, Schlag um Schlag;
11 125   wo die Flämmchen nächtig schwärmten,
stand ein Damm den andern Tag!

Menschenopfer mußten bluten.
Nachts erscholl des Jammers Qual
meerab flossen Feuergluten:
11 130 morgens war es ein Kanal!

Gottlos ist er, ihn gelüstet
unsre Hütte, unser Hain!
Wie er sich als Nachbar brüstet,
soll man untertänig sein.

PHILEMON

11 135 Hat er uns doch angeboten
schönes Gut im neuen Land!

BAUCIS

Traue nicht dem Wasserboden!
Halt auf deiner Höhe stand!

PHILEMON

Laßt uns zur Kapelle treten,
11 140 letzten Sonnenblick zu schaun!
Laßt uns läuten, knieen, beten
und dem alten Gott vertraun!

48   Palast

Weiter Ziergarten. Großer, gradgeführter Kanal. Faust,
im höchsten Alter, wandelnd, nachdenkend.

LYNKEUS, DER TÜRMER, *durchs Sprachrohr.*

Die Sonne sinkt. Die letzten Schiffe,
sie ziehen munter hafenein.
11 145 Ein großer Kahn ist im Begriffe,
auf dem Kanale hier zu sein.
Die bunten Wimpel wehen fröhlich,
die starren Masten stehn bereit.
In dir preist sich der Bootsmann selig,
11 150 dich grüßt das Glück zur höchsten Zeit.

Das Glöckchen läutet auf der Düne.

FAUST, *auffahrend.*

Verdammtes Läuten! Allzuschändlich
verwundet's, wie ein tückischer Schuß!
Vor Augen ist mein Reich unendlich,
im Rücken neckt mich der Verdruß,
11 155 erinnert mich durch neidische Laute:
mein Hochbesitz, er ist nicht rein!
Der Lindenraum, die braune Baute,
das morsche Kirchlein ist nicht mein.
Und wünscht' ich, dort mich zu erholen,
11 160 vor fremdem Schatten schaudert' mir,
ist Dorn den Augen, Dorn den Sohlen. —
O, wär' ich weit hinweg von hier!

TÜRMER, *wie oben.*

Wie segelt froh der bunte Kahn
mit frischem Abendwind heran!
11 165 Wie türmt sich sein behender Lauf
in Kisten, Kasten, Säcken auf!

Prächtiger Kahn, reich und bunt beladen mit Erzeugnissen
fremder Weltgegenden.

Mephistopheles.   Die drei gewaltigen Gesellen.

CHORUS

Da landen wir,
da sind wir schon!
Glückan dem Herren,
11 170   dem Patron!

Sie steigen aus, die Güter werden ans Land geschafft.

MEPHISTOPHELES

So haben wir uns wohl erprobt,
vergnügt, wenn der Patron es lobt.
Nur mit zwei Schiffen ging es fort,
mit zwanzig sind wir nun im Port.
11 175   Was große Dinge wir getan,
das sieht man unsrer Ladung an.
    Das freie Meer befreit den Geist,
wer weiß da, was Besinnen heißt!
Da fördert nur ein rascher Griff:
11 180   man fängt den Fisch, man fängt ein Schiff,
und ist man erst der Herr zu drei,
dann hakelt man das vierte bei;
da geht es denn dem fünften schlecht,
man hat Gewalt, so hat man Recht.
11 185   Man fragt ums Was und nicht ums Wie.
Ich müßte keine Schiffahrt kennen:
Krieg, Handel und Piraterie,
dreieinig sind sie, nicht zu trennen.

DIE DREI GEWALTIGEN GESELLEN

Nicht Dank und Gruß!
11 190   Nicht Gruß und Dank!
Als brächten wir
dem Herrn Gestank!
Er macht ein
widerlich Gesicht;
11 195   das Königsgut
gefällt ihm nicht.

MEPHISTOPHELES

Erwartet weiter
keinen Lohn!
Nahmt ihr doch
11 200   euren Teil davon.

Die Gesellen

Das ist nur für
die Langeweil'!
Wir alle fordern
gleichen Teil.

Mephistopheles

11 205   Erst ordnet oben,
Saal an Saal,
die Kostbarkeiten
allzumal!
Und tritt er zu
11 210   der reichen Schau,
berechnet er alles
mehr genau,
er sich gewiß
nicht lumpen läßt
11 215   und gibt der Flotte
Fest nach Fest. —
Die bunten Vögel kommen morgen,
für die werd' ich zum besten sorgen.

Die Ladung wird weggeschafft.

Mephistopheles, *zu Faust.*

Mit ernster Stirn, mit düstrem Blick
11 220   vernimmst du dein erhaben Glück.
Die hohe Weisheit wird gekrönt:
das Ufer ist dem Meer versöhnt,
vom Ufer nimmt, zu rascher Bahn,
das Meer die Schiffe willig an.
11 225   So sprich, daß hier, hier vom Palast
dein Arm die ganze Welt umfaßt!
Von dieser Stelle ging es aus:
hier stand das erste Bretterhaus;
ein Gräbchen ward hinabgeritzt,
11 230   wo jetzt das Ruder emsig spritzt.
Dein hoher Sinn, der Deinen Fleiß
erwarb des Meers, der Erde Preis.
Von hier aus —

Faust

                    Das verfluchte H i e r !
Das eben, leidig lastet's mir.

11 235 Dir Vielgewandtem muß ich's sagen:
mir gibt's im Herzen Stich um Stich,
mir ist's unmöglich zu ertragen!
Und wie ich's sage, schäm' ich mich.
Die Alten droben sollten weichen,
11 240 die Linden wünscht' ich mir zum Sitz;
die wenig Bäume, nicht mein eigen,
verderben mir den Weltbesitz.
Dort wollt' ich, weit umherzuschauen,
von Ast zu Ast Gerüste bauen,
11 245 dem Blick eröffnen weite Bahn,
zu sehn, was alles ich getan,
zu überschaun mit einem Blick
des Menschengeistes Meisterstück,
betätigend mit klugem Sinn
11 250 der Völker breiten Wohngewinn.

So sind am härtsten wir gequält,
im Reichtum fühlend, was uns fehlt.
Des Glöckchens Klang, der Linden Duft
umfängt mich wie in Kirch' und Gruft.
11 255 Des allgewaltigen Willens Kür
bricht sich an diesem Sande hier.
Wie schaff' ich mir es vom Gemüte?
Das Glöckchen läutet, und ich wüte!

MEPHISTOPHELES

Natürlich, daß ein Hauptverdruß
11 260 das Leben dir vergällen muß!
Wer leugnet's? Jedem edlen Ohr
kommt das Geklingel widrig vor.
Und das verfluchte Bim-Baum-Bimmel,
umnebelnd heitern Abendhimmel,
11 265 mischt sich in jegliches Begebnis,
vom ersten Bad bis zum Begräbnis,
als wäre zwischen Bim und Baum
das Leben ein verschollner Traum.

FAUST

Das Widerstehn, der Eigensinn
11 270 verkümmern herrlichsten Gewinn,
daß man, zu tiefer, grimmiger Pein,
ermüden muß, gerecht zu sein.

MEPHISTOPHELES

Was willst du dich denn hier genieren?
Mußt du nicht längst kolonisieren?

FAUST

11 275 So geht und schafft sie mir zur Seite! —
Das schöne Gütchen kennst du ja,
das ich den Alten ausersah.

MEPHISTOPHELES

Man trägt sie fort und setzt sie nieder,
eh' man sich umsieht, stehn sie wieder;
11 280 nach überstandener Gewalt
versöhnt ein schöner Aufenthalt.

Er pfeift gellend. Die Drei treten auf.

MEPHISTOPHELES

Kommt, wie der Herr gebieten läßt!
Und morgen gibt's ein Flottenfest.

DIE DREI

Der alte Herr empfing uns schlecht,
11 285 ein flottes Fest ist uns zu Recht.

Ab.

MEPHISTOPHELES, *ad spectatores.*

Auch hier geschieht, was längst geschah,
denn Naboths Weinberg war schon da.
(I Regum 21)

49   Tiefe Nacht

Lynkeus, der Türmer, *auf der Schloßwarte, singend.*

Zum Sehen geboren,
zum Schauen bestellt,
11 290   dem Turme geschworen,
gefällt mir die Welt.

Ich blick' in die Ferne,
ich seh' in der Näh'
den Mond und die Sterne,
11 295   den Wald und das Reh.

So seh' ich in allen
die ewige Zier,
und wie mir's gefallen,
gefall' ich auch mir.

11 300   Ihr glücklichen Augen,
was je ihr gesehn,
es sei, wie es wolle,
es war doch so schön!

     Pause.

Nicht allein mich zu ergötzen,
11 305   bin ich hier so hoch gestellt;
welch ein greuliches Entsetzen
droht mir aus der finstern Welt!
Funkenblicke seh' ich sprühen
durch der Linden Doppelnacht,
11 310   immer stärker wühlt ein Glühen
von der Zugluft angefacht.
Ach! Die innre Hütte lodert,
die bemoost und feucht gestanden.
Schnelle Hülfe wird gefodert;
11 315   keine Rettung ist vorhanden.

Ach! Die guten alten Leute,
sonst so sorglich um das Feuer,
werden sie dem Qualm zur Beute!
Welch ein schrecklich Abenteuer!

11 320 Flamme flammet, rot in Gluten
steht das schwarze Moosgestelle;
retteten sich nur die Guten
aus der wildentbrannten Hölle!
Züngelnd lichte Blitze steigen

11 325 zwischen Blättern, zwischen Zweigen;
Äste, dürr, die flackernd brennen,
glühen schnell und stürzen ein.
Sollt ihr, Augen, dies erkennen?
Muß ich so weitsichtig sein?

11 330 Das Kapellchen bricht zusammen
von der Äste Sturz und Last.
Schlängelnd sind mit spitzen Flammen
schon die Gipfel angefaßt.
Bis zur Wurzel glühn die hohlen

11 335 Stämme, purpurrot im Glühn . . .

   Lange Pause. Gesang.

Was sich sonst dem Blick empfohlen,
mit Jahrhunderten ist hin.

   Faust, *auf dem Balkon, gegen die Dünen.*

Von oben welch ein singend Wimmern?
Das Wort ist hier, der Ton zu spat.

11 340 Mein Türmer jammert; mich, im Innern,
verdrießt die ungeduld'ge Tat.
Doch sei der Lindenwuchs vernichtet
zu halbverkohlter Stämme Grau'n,
ein Luginsland ist bald errichtet,

11 345 um ins Unendliche zu schaun.
Da seh' ich auch die neue Wohnung,
die jenes alte Paar umschließt,
das, im Gefühl großmütiger Schonung,
der späten Tage froh genießt.

   Mephistopheles und die Dreie, *unten.*

11 350 Da kommen wir mit vollem Trab.
Verzeiht! Es ging nicht gütlich ab.
 Wir klopften an, wir pochten an,
und immer ward nicht aufgetan;

wir rüttelten, wir pochten fort,
11 355   da lag die morsche Türe dort.
Wir riefen laut und drohten schwer,
allein wir fanden kein Gehör;
und wie's in solchem Fall geschicht,
sie hörten nicht, sie wollten nicht.
11 360   Wir aber haben nicht gesäumt,
behende dir sie weggeräumt.
    Das Paar hat sich nicht viel gequält,
vor Schrecken fielen sie entseelt.
Ein Fremder, der sich dort versteckt
11 365   und fechten wollte, ward gestreckt.
In wilden Kampfes kurzer Zeit
von Kohlen, ringsumher gestreut,
entflammte Stroh. Nun lodert's frei,
als Scheiterhaufen dieser drei.

FAUST

11 370   Wart ihr für meine Worte taub?
Tausch wollt' ich, wollte keinen Raub!
Dem unbesonnenen, wilden Streich,
ihm fluch' ich: teilt es unter euch!

CHORUS

Das alte Wort, das Wort erschallt:
11 375   „Gehorche willig der Gewalt!"
Und bist du kühn und hältst du Stich,
so wage Haus und Hof und — dich!
    Ab.

FAUST, *auf dem Balkon.*

Die Sterne bergen Blick und Schein,
das Feuer sinkt und lodert klein;
11 380   ein Schauerwindchen fächelt's an,
bringt Rauch und Dunst zu mir heran.
Geboten schnell, zu schnell getan! —
Was schwebet schattenhaft heran? . . .

50   Mitternacht

Vier graue Weiber treten auf.

ERSTE

Ich heiße der Mangel.

ZWEITE

                    Ich heiße die Schuld.

DRITTE

11 385 Ich heiße die Sorge.

VIERTE

                    Ich heiße die Not.

MANGEL, SCHULD, NOT: *zu drei.*

Die Tür ist verschlossen, wir können nicht ein;
drin wohnet ein Reicher, wir mögen nicht 'nein.

MANGEL

Da werd' ich zum Schatten.

SCHULD

                    Da werd' ich zunicht'.

NOT

Man wendet von mir das verwöhnte Gesicht.

SORGE

11 390 Ihr Schwestern, ihr könnt nicht und dürft nicht hinein.
Die Sorge, sie schleicht sich durchs Schlüsselloch ein.

Sorge verschwindet.

MANGEL

Ihr, graue Geschwister, entfernt euch von hier!

SCHULD

Ganz nah an der Seite verbind' ich mich dir.

NOT

Ganz nah an der Ferse begleitet die Not.

Mangel, Schuld, Not: *zu drei.*

11 395 Es ziehen die Wolken, es schwinden die Sterne!
Dahinten, dahinten! Von ferne, von ferne!
Da kommt er, der Bruder, da kommt er, der — — -· - **Tod**
Ab.

Faust, *im Palast.*

Vier sah ich kommen, drei nur gehn.
Den Sinn der Rede konnt' ich nicht verstehn. —
11 400 Es klang so nach, als hieß' es: Not,
ein düstres Reimwort folgte: Tod.
Es tönte hohl, gespensterhaft gedämpft.
Noch hab' ich mich ins Freie nicht gekämpft:
könnt' ich Magie von meinem Pfad entfernen,
11 405 die Zaubersprüche ganz und gar verlernen,
stünd' ich, Natur, vor dir ein Mann allein,
da wär's der Mühe wert, ein Mensch zu sein!

Das war ich sonst, eh' ich's im Düstern suchte,
mit Frevelwort mich und die Welt verfluchte.
11 410 Nun ist die Luft von solchem Spuk so voll,
daß niemand weiß, wie er ihn meiden soll.
Wenn auch ein Tag uns klar-vernünftig lacht,
in Traumgespinst verwickelt uns die Nacht;
wir kehren froh von junger Flur zurück,
11 415 ein Vogel krächzt. Was krächzt er? Mißgeschick!
Von Aberglauben früh und spat umgarnt:
es eignet sich, es zeigt sich an, es warnt.
Und so verschüchtert, stehen wir allein . . .
Die Pforte knarrt, und niemand kommt herein!

Erschüttert.

11 420 Ist jemand hier?

Sorge

Die Frage fordert „Ja!"

Faust
Und du, wer bist denn du?

Sorge

Bin einmal da.

FAUST

Entferne dich!

SORGE

Ich bin am rechten Ort.

FAUST, *erst ergrimmt, dann besänftigt; für sich.*

Nimm dich in acht und sprich kein Zauberwort!

SORGE

Würde mich kein Ohr vernehmen,
11 425   müßt' es doch im Herzen dröhnen;
in verwandelter Gestalt
üb' ich grimmige Gewalt:
auf den Pfaden, auf der Welle,
ewig ängstlicher Geselle,
11 430   stets gefunden, nie gesucht,
so geschmeichelt wie verflucht.
— Hast du die Sorge nie gekannt?

FAUST

Ich bin nur durch die Welt gerannt.
Ein jed Gelüst ergriff ich bei den Haaren;
11 435   was nicht genügte, ließ ich fahren,
was mir entwischte, ließ ich ziehn.
Ich habe nur begehrt und nur vollbracht
und abermals gewünscht — und so mit Macht
mein Leben durchgestürmt: erst groß und mächtig,
11 440   nun aber geht es weise, geht bedächtig.

Der Erdenkreis ist mir genug bekannt.
Nach drüben ist die Aussicht uns verrannt;
Tor, wer dorthin die Augen blinzelnd richtet,
sich über Wolken seinesgleichen dichtet!
11 445   Er stehe fest und sehe hier sich um:
dem Tüchtigen ist diese Welt nicht stumm!
Was braucht er in die Ewigkeit zu schweifen?
Was er erkennt, läßt sich ergreifen.
Er wandle so den Erdentag entlang;
11 450   wenn Geister spuken, geh' er seinen Gang,
im Weiterschreiten find' er Qual und Glück, —
er, unbefriedigt jeden Augenblick!

SORGE

Wen ich einmal mir besitze,
dem ist alle Welt nichts nütze:
11 455 ewiges Düstre steigt herunter,
Sonne geht nicht auf noch unter,
bei vollkommnen äußern Sinnen
wohnen Finsternisse drinnen,
und er weiß von allen Schätzen
11 460 sich nicht in Besitz zu setzen.
Glück und Unglück wird zur Grille,
er verhungert in der Fülle;
sei es Wonne, sei es Plage,
schiebt er's zu dem andern Tage,
11 465 ist der Zukunft nur gewärtig, —
und so wird er niemals fertig.

FAUST

Hör auf! So kommst du mir nicht bei!
Ich mag nicht solchen Unsinn hören.
Fahr hin! Die schlechte Litanei,
11 470 sie könnte selbst den klügsten Mann betören.

SORGE

Soll er gehen? Soll er kommen?
Der Entschluß ist ihm genommen:
auf gebahnten Weges Mitte
wankt er tastend halbe Schritte.
11 475 Er verliert sich immer tiefer,
siehet alle Dinge schiefer,
sich und andre lästig drückend,
Atem holend und erstickend,
nicht erstickt und ohne Leben,
11 480 nicht verzweifelnd, nicht ergeben.
So ein unaufhaltsam Rollen,
schmerzlich Lassen, widrig Sollen,
bald Befreien, bald Erdrücken,
halber Schlaf und schlecht Erquicken
11 485 heftet ihn an seine Stelle
und bereitet ihn zur Hölle.

FAUST

Unselige Gespenster! So behandelt ihr
das menschliche Geschlecht zu tausend Malen;
gleichgültige Tage selbst verwandelt ihr
11 490   in garstigen Wirrwarr netzumstrickter Qualen.
Dämonen, weiß ich, wird man schwerlich los,
das geistig-strenge Band ist nicht zu trennen;
doch deine Macht, o Sorge, schleichend groß,
ich werde sie nicht anerkennen!

SORGE

11 495   Erfahre sie, wie ich geschwind
mich mit Verwünschung von dir wende!
Die Menschen sind im ganzen Leben blind:
nun, Fauste, werde du's am Ende!

Sie haucht ihn an. Ab.

FAUST, *erblindet.*

Die Nacht scheint tiefer-tief hereinzudringen,
11 500   allein im Innern leuchtet helles Licht:
was ich gedacht, ich eil' es zu vollbringen;
des Herren Wort, es gibt allein Gewicht.
     Vom Lager auf, ihr Knechte, Mann für Mann!
Laßt glücklich schauen, was ich kühn ersann!
11 505   Ergreift das Werkzeug, Schaufel rührt und Spaten!
Das Abgesteckte muß sogleich geraten.
Auf strenges Ordnen, raschen Fleiß
erfolgt der allerschönste Preis;
daß sich das größte Werk vollende,
11 510   genügt e i n Geist für tausend Hände.

51 Großer Vorhof des Palasts

Fackeln.

MEPHISTOPHELES, *als Aufseher, voran.*

Herbei, herbei! Herein, herein!
Ihr schlotternden Lemuren,
aus Bändern, Sehnen und Gebein
geflickte Halbnaturen!

LEMUREN: *im Chor.*

11 515 Wir treten dir sogleich zur Hand,
und, wie wir halb vernommen,
es gilt wohl gar ein weites Land,
das sollen wir bekommen.

Gespitzte Pfähle, die sind da,
11 520 die Kette lang fürs Messen.
Warum an uns der Ruf geschah,
das haben wir vergessen.

MEPHISTOPHELES

Hier gilt kein künstlerisch Bemühn;
verfahret nur nach eignen Maßen!
11 525 Der Längste lege längelang sich hin,
ihr andern lüftet ringsumher den Rasen!
Wie man's für unsre Väter tat,
vertieft ein längliches Quadrat! —
Aus dem Palast ins enge Haus,
11 530 so dumm läuft es am Ende doch hinaus.

LEMUREN, *mit neckischen Gebärden grabend.*

Wie jung ich war und lebt' und liebt',
mich deucht', das war wohl süße;
wo's fröhlich klang und lustig ging,
da rührten sich meine Füße.

11 535 Nun hat das tückische Alter mich
mit seiner Krücke getroffen;
ich stolpert' über Grabes Tür, —
warum stand sie just offen?

Faust, aus dem Palaste tretend, tastet an den Türpfosten.

FAUST

Wie das Geklirr der Spaten mich ergötzt!
11 540   Es ist die Menge, die mir frönet,
die Erde mit sich selbst versöhnet,
den Wellen ihre Grenze setzt,
das Meer mit strengem Band umzieht.

MEPHISTOPHELES, *beiseite.*

Du bist doch nur für uns bemüht
11 545   mit deinen Dämmen, deinen Buhnen;
denn du bereitest schon Neptunen,
dem Wasserteufel, großen Schmaus.
In jeder Art seid ihr verloren:
die Elemente sind mit uns verschworen,
11 550   und auf Vernichtung läuft's hinaus.

FAUST

Aufseher!

MEPHISTOPHELES

Hier!

FAUST

            Wie es auch möglich sei,
Arbeiter schaffe, Meng' auf Menge!
Ermuntere durch Genuß und Strenge,
bezahle, locke, presse bei!
11 555   Mit jedem Tage will ich Nachricht haben,
wie sich verlängt der unternommene Graben.

MEPHISTOPHELES, *halblaut.*

Man spricht, wie man mir Nachricht gab,
von keinem Graben, doch vom Grab.

FAUST

Ein Sumpf zieht am Gebirge hin,
11 560   verpestet alles schon Errungene;
den faulen Pfuhl auch abzuziehn,
das Letzte wär' das Höchsterrungene.
Eröffn' ich Räume vielen Millionen,
nicht sicher zwar, doch tätig-frei zu wohnen.

11 565 Grün das Gefilde, fruchtbar! Mensch und Herde
sogleich behaglich auf der neusten Erde,
gleich angesiedelt an des Hügels Kraft,
den aufgewälzt kühn-emsige Völkerschaft!
Im Innern hier ein paradiesisch Land;
11 570 da rase draußen Flut bis auf zum Rand,
und wie es nascht, gewaltsam einzuschießen,
Gemeindrang eilt, die Lücke zu verschließen.
Ja! Diesem Sinne bin ich ganz ergeben,
das ist der Weisheit letzter Schluß:
11 575 nur der verdient sich Freiheit wie das Leben,
der täglich sie erobern muß.
Und so verbringt, umrungen von Gefahr,
hier Kindheit, Mann und Greis sein tüchtig Jahr. —
Solch ein Gewimmel möcht' ich sehn,
11 580 auf freiem Grund mit freiem Volke stehn.
Zum Augenblicke dürft' ich sagen:
„Verweile doch, du bist so schön!
Es kann die Spur von meinen Erdetagen
nicht in Äonen untergehn." —
11 585 Im Vorgefühl von solchem hohen Glück
genieß' ich jetzt den höchsten Augenblick.

Faust sinkt zurück, die Lemuren fassen ihn auf und legen
ihn auf den Boden.

Mephistopheles

Ihn sättigt keine Lust, ihm g'nügt kein Glück,
so buhlt er fort nach wechselnden Gestalten;
den letzten, schlechten, leeren Augenblick,
11 590 der Arme wünscht ihn festzuhalten.
Der mir so kräftig widerstand,
— die Zeit wird Herr! — der Greis hier liegt im Sand.
Die Uhr steht still —

Chor

Steht still! Sie schweigt wie Mitternacht.
Der Zeiger fällt —

Mephistopheles

Er fällt! Es ist vollbracht.

CHOR

11 595   Es ist vorbei.

          MEPHISTOPHELES

          Vorbei! Ein dummes Wort. Warum vorbei?
          Vorbei und reines Nicht: vollkommnes Einerlei!
          Was soll uns denn das ew'ge Schaffen,
          Geschaffenes zu nichts hinwegzuraffen?
11 600   „Da ist's vorbei!" Was ist daran zu lesen?
          Es ist so gut, als wär' es nicht gewesen,
          und treibt sich doch im Kreis, als wenn es **wäre.**
          Ich liebte mir dafür das Ewig-Leere.

52   Grablegung

LEMUR: *Solo.*

Wer hat das Haus so schlecht gebaut
11 605   mit Schaufeln und mit Spaten?

LEMUREN: *Chor.*

Dir, dumpfer Gast im hänfnen Gewand,
ist's viel zu gut geraten.

LEMUR: *Solo.*

Wer hat den Saal so schlecht versorgt?
Wo blieben Tisch und Stühle?

LEMUREN: *Chor.*

11 610   Es war auf kurze Zeit geborgt;
der Gläubiger sind so viele.

MEPHISTOPHELES

Der Körper liegt, und will der Geist entfliehn,
ich zeig' ihm rasch den blutgeschriebnen Titel! —
Doch leider hat man jetzt so viele Mittel,
11 615   dem Teufel Seelen zu entziehn.
Auf altem Wege stößt man an,
auf neuem sind wir nicht empfohlen.
Sonst hätt' ich es allein getan,
jetzt muß ich Helfershelfer holen.

11 620   Uns geht's in allen Dingen schlecht!
Herkömmliche Gewohnheit, altes Recht,
man kann auf gar nichts mehr vertrauen.
Sonst mit dem letzten Atem fuhr sie aus,
ich paßt' ihr auf und, wie die schnellste Maus,
11 625   — schnapps! — hielt ich sie in fest verschloßnen Klauen.
Nun zaudert sie und will den düstern Ort,
des schlechten Leichnams ekles Haus, nicht lassen;
die Elemente, die sich hassen,
die treiben sie am Ende schmählich fort.

11 630   Und wenn ich Tag' und Stunden mich zerplage, —
         Wann? Wie? und Wo? Das ist die leidige Frage;
         der alte Tod verlor die rasche Kraft,
         das Ob? sogar ist lange zweifelhaft!
         Oft sah ich lüstern auf die starren Glieder;
11 635   es war nur Schein, das rührte, das regte sich wieder.

> *Phantastisch-flügelmännische Beschwörungsgebärden.*

         Nur frisch heran! Verdoppelt euren Schritt,
         ihr Herrn vom graden, Herrn vom krummen Horne,
         von altem Teufelsschrot und -korne!
         Bringt ihr zugleich den Höllenrachen mit!
11 640   Zwar hat die Hölle Rachen viele! Viele!
         Nach Standsgebühr und Würden schlingt sie ein;
         doch wird man auch bei diesem letzten Spiele
         inskünftige nicht so bedenklich sein.

> *Der greuliche Höllenrachen tut sich links auf.*

         Eckzähne klaffen. Dem Gewölb' des Schlundes
11 645   entquillt der Feuerstrom in Wut,
         und in dem Siedequalm des Hintergrundes
         seh' ich die Flammenstadt in ewiger Glut.
         Die rote Brandung schlägt hervor bis an die Zähne,
         Verdammte, Rettung hoffend, schwimmen an;
11 650   doch kolossal zerknirscht sie die Hyäne,
         und sie erneuen ängstlich heiße Bahn.
         In Winkeln bleibt noch vieles zu entdecken,
         so viel Erschrecklichstes im engsten Raum! —
         Ihr tut sehr wohl, die Sünder zu erschrecken;
11 655   sie halten's doch für Lug und Trug und Traum.

> *Zu den Dickteufeln vom kurzen, graden Horne.*

         Nun, wanstige Schuften mit den Feuerbacken,
         ihr glüht so recht vom Höllenschwefel feist!
         Klotzartige, kurze, nie bewegte Nacken!
         Hier unten lauert, ob's wie Phosphor gleißt!
11 660   Das ist das Seelchen, Psyche mit den Flügeln:
         die rupft ihr aus, so ist's ein garstiger Wurm!
         Mit meinem Stempel will ich sie besiegeln,
         dann fort mit ihr im Feuerwirbelsturm!

Paßt auf die niedern Regionen,
11 665 ihr Schläuche, das ist eure Pflicht!
Ob's ihr beliebte, da zu wohnen,
so akkurat weiß man das nicht.
Im Nabel ist sie gern zu Haus! —
Nehmt es in acht! Sie wischt euch dort heraus!

Zu den Dürrteufeln vom langen, krummen Horne.

11 670 Ihr Firlefanze, flügelmännische Riesen,
greift in die Luft! Versucht euch ohne Rast!
Die Arme strack, die Klauen scharf gewiesen,
daß ihr die flatternde, die flüchtige faßt!
Es ist ihr sicher schlecht im alten Haus,
11 675 und das Genie, es will gleich obenaus.

Glorie von oben, rechts.

HIMMLISCHE HEERSCHAR

Folget, Gesandte,
Himmelsverwandte,
gemächlichen Flugs:
Sündern vergeben,
11 680 Staub zu beleben!
Allen Naturen
freundliche Spuren
wirket im Schweben
des weilenden Zugs!

MEPHISTOPHELES

11 685 Mißtöne hör' ich, garstiges Geklimper,
von oben kommt's mit unwillkommnem Tag:
es ist das bübisch-mädchenhafte Gestümper,
wie frömmelnder Geschmack sich's lieben mag.
Ihr wißt, wie wir in tiefverruchten Stunden
11 690 Vernichtung sannen menschlichem Geschlecht;
das Schändlichste, was wir erfunden,
ist ihrer Andacht eben recht.

Sie kommen gleisnerisch, die Laffen!
So haben sie uns manchen weggeschnappt,
11 695 bekriegen uns mit unsern eignen Waffen;
es sind auch Teufel, doch verkappt.
Hier zu verlieren, wär' euch ew'ge Schande;
ans Grab heran und haltet fest am Rande!

CHOR DER ENGEL, *Rosen streuend.*

Rosen, ihr blendenden,
11 700 Balsam versendenden,
flatternde, schwebende,
heimlich belebende,
zweigleinbeflügelte,
knospenentsiegelte, —
11 705 eilet zu blühn!

Frühling entsprieße,
Purpur und Grün!
Tragt Paradiese
dem Ruhenden hin!

MEPHISTOPHELES, *zu den Satanen.*

11 710 Was duckt und zuckt ihr? Ist das Höllenbrauch?
So haltet stand und laßt sie streuen!
An seinen Platz ein jeder Gauch!
Sie denken wohl, mit solchen Blümeleien
die heißen Teufel einzuschneien;
11 715 das schmilzt und schrumpft vor eurem Hauch.
Nun pustet, Püstriche! . . . Genug, genug!
Vor eurem Broden bleicht der ganze Flug.
Nicht so gewaltsam! Schließet Maul und Nasen!
Fürwahr, ihr habt zu stark geblasen.
11 720 Daß ihr doch nie die rechten Maße kennt!
Das schrumpft nicht nur: es bräunt sich, dorrt, es brennt!
Schon schwebt's heran mit giftig klaren Flammen;
stemmt euch dagegen, drängt euch fest zusammen! —
Die Kraft erlischt, dahin ist aller Mut!
11 725 Die Teufel wittern fremde Schmeichelglut.

CHOR DER ENGEL

Blüten, die seligen,
Flammen, die fröhlichen,
Liebe verbreiten sie,
Wonne bereiten sie,
11 730 Herz, wie es mag —
Worte, die wahren,
Äther, im klaren,
ewigen Scharen
überall Tag —

MEPHISTOPHELES

11 735 O Fluch! O Schande solchen Tröpfen!
Satane stehen auf den Köpfen,
die Plumpen schlagen Rad auf Rad
und stürzen ärschlings in die Hölle.
Gesegn' euch das verdiente heiße Bad!
11 740 Ich aber bleib' auf meiner Stelle.

Sich mit den schwebenden Rosen herumschlagend.

Irrlichter, fort! — Du! Leuchte noch so stark,
du bleibst, gehascht, ein ekler Gallert-Quark.
Was flatterst du? Willst du dich packen! —
Es klemmt wie Pech und Schwefel mir im Nacken.

CHOR DER ENGEL

11 745 Was euch nicht angehört,
müsset ihr meiden!
Was euch das Innre stört,
dürft ihr nicht leiden!
Dringt es gewaltig ein,
11 750 müssen wir tüchtig sein.
Liebe nur Liebende
führet herein.

MEPHISTOPHELES

Mir brennt der Kopf, das Herz! Die Leber brennt!
Ein überteuflisch Element,
11 755 weit spitziger als Höllenfeuer! —
Drum jammert ihr so ungeheuer,
unglückliche Verliebte, die, verschmäht,
verdrehten Halses nach der Liebsten späht.
Auch mir! Was zieht den Kopf auf jene Seite?
11 760 Bin ich mit ihr doch in geschwornem Streite!
Der Anblick war mir sonst so feindlich scharf.
Hat mich ein Fremdes durch und durch gedrungen?
Ich mag sie gerne sehn, die allerliebsten Jungen!
Was hält mich ab, daß ich nicht fluchen darf? —
11 765 Und wenn ich mich betören lasse,
wer heißt denn künftighin der Tor?
Die Wetterbuben, die ich hasse,
sie kommen mir doch gar zu lieblich vor!
Ihr schönen Kinder, laßt mich wissen:
11 770 seid ihr nicht auch von Luzifers Geschlecht?
Ihr seid so hübsch! Fürwahr, ich möcht' euch küssen!

Mir ist's, als kämt ihr eben recht.
Es ist mir so behaglich, so natürlich,
als hätt' ich euch schon tausendmal gesehn,
11 775   so heimlich-kätzchenhaft begierlich, —
mit jedem Blick aufs neue schöner schön!
O nähert euch! O gönnt mir einen Blick!

      Engel

Wir kommen schon. Warum weichst du zurück?
Wir nähern uns, und wenn du kannst, so bleib!

      Die Engel nehmen, umherziehend, den ganzen Raum ein.

      Mephistopheles, *der ins Proszenium gedrängt wird.*

11 780   Ihr scheltet uns verdammte Geister
und seid die wahren Hexenmeister,
denn ihr verführet Mann und Weib. —
Welch ein verfluchtes Abenteuer!
Ist dies das Liebeselement?
11 785   Der ganze Körper steht in Feuer,
ich fühle kaum, daß es im Nacken brennt. —
    Ihr schwanket hin und her: so senkt euch nieder!
Ein bißchen weltlicher bewegt die holden Glieder!
Fürwahr, der Ernst steht euch recht schön!
11 790   Doch möcht' ich euch nur einmal lächeln sehn;
das wäre mir ein ewiges Entzücken.
Ich meine so, wie wenn Verliebte blicken:
ein kleiner Zug am Mund, so ist's getan.
    Dich, langer Bursche, dich mag ich am liebsten leiden,
11 795   die Pfaffenmiene will dich gar nicht kleiden,
so sieh mich doch ein wenig lüstern an!
Auch könntet ihr anständig-nackter gehen,
das lange Faltenhemd ist übersittlich. —
Sie wenden sich! — Von hinten anzusehen! —
11 800   Die Racker sind doch gar zu appetitlich!

      Chor der Engel

Wendet zur Klarheit
euch, liebende Flammen!
Die sich verdammen,
heile die Wahrheit,
11 805   daß sie vom Bösen
froh sich erlösen,
um in dem Allverein
selig zu sein.

MEPHISTOPHELES, *sich fassend.*

Wie wird mir? — Hiobsartig, Beul' an Beule
11 810 der ganze Kerl, dem's vor sich selber graut,
und triumphiert zugleich, wenn er sich ganz durchschaut,
wenn er auf sich und seinen Stamm vertraut;
gerettet sind die edlen Teufelsteile,
der Liebespuk, er wirft sich auf die Haut.
11 815 Schon ausgebrannt sind die verruchten Flammen,
und, wie es sich gehört, fluch' ich euch allzusammen!

CHOR DER ENGEL

Heilige Gluten!
Wen sie umschweben,
fühlt sich im Leben
11 820 selig mit Guten.
Alle vereinigt
hebt euch und preist!
Luft ist gereinigt:
atme der Geist!

Sie erheben sich, Faustens Unsterbliches entführend.

MEPHISTOPHELES, *sich umsehend.*

11 825 Doch wie? — Wo sind sie hingezogen? —
Unmündiges Volk, du hast mich überrascht! —
Sind mit der Beute himmelwärts entflogen;
drum haben sie an dieser Gruft genascht!
Mir ist ein großer, einziger Schatz entwendet:
11 830 die hohe Seele, die sich mir verpfändet,
die haben sie mir pfiffig weggepascht!

Bei wem soll ich mich nun beklagen?
Wer schafft mir mein erworbenes Recht?
Du bist getäuscht in deinen alten Tagen,
11 835 du hast's verdient, es geht dir grimmig schlecht.
Ich habe schimpflich mißgehandelt,
ein großer Aufwand, schmählich, ist vertan!
Gemein Gelüst, absurde Liebschaft wandelt
den ausgepichten Teufel an!
11 840 Und hat mit diesem kindisch-tollen Ding
der Klugerfahrne sich beschäftigt,
so ist fürwahr die Torheit nicht gering,
die seiner sich am Schluß bemächtigt.

53 Bergschluchten

Wald, Fels, Einöde.

Heilige Anachoreten gebirgauf verteilt, gelagert zwischen Klüften.

CHOR und ECHO

Waldung, sie schwankt heran,
11 845 Felsen, sie lasten dran,
Wurzeln, sie klammern an,
Stamm dicht an Stamm hinan.
Woge nach Woge spritzt,
Höhle, die tiefste, schützt.
11 850 Löwen, sie schleichen stumm-
freundlich um uns herum,
ehren geweihten Ort,
heiligen Liebeshort.

PATER ECSTATICUS, *auf- und abschwebend.*

Ewiger Wonnebrand,
11 855 glühendes Liebeband,
siedender Schmerz der Brust,
schäumende Gotteslust!
Pfeile, durchdringet mich,
Lanzen, bezwinget mich,
11 860 Keulen, zerschmettert mich,
Blitze, durchwettert mich! —
Daß ja das Nichtige
alles verflüchtige,
glänze der Dauerstern,
11 865 ewiger Liebe Kern!

PATER PROFUNDUS *Tiefe Region.*

Wie Felsenabgrund mir zu Füßen
auf tieferm Abgrund lastend ruht,
wie tausend Bäche strahlend fließen
zum grausen Sturz des Schaums der Flut,
11 870 wie strack mit eignem kräftigen Triebe
der Stamm sich in die Lüfte trägt, —
so ist es die allmächtige Liebe,
die alles bildet, alles hegt.

242

Ist um mich her ein wildes Brausen,
11 875 als wogte Wald und Felsengrund;
und doch stürzt, liebevoll im Sausen,
die Wasserfülle sich zum Schlund,
berufen, gleich das Tal zu wässern, —
der Blitz, der flammend niederschlug,
11 880 die Atmosphäre zu verbessern,
die Gift und Dunst im Busen trug, —
sind Liebesboten: sie verkünden,
was ewig schaffend uns umwallt.
Mein Innres mög' es auch entzünden,
11 885 wo sich der Geist, verworren, kalt,
verquält in stumpfer Sinne Schranken,
scharfangeschloßnem Kettenschmerz.
O Gott! Beschwichtige die Gedanken,
erleuchte mein bedürftig Herz!

PATER SERAPHICUS *Mittlere Region.*

11 890 Welch ein Morgenwölkchen schwebet
durch der Tannen schwankend Haar?
Ahn' ich, was im Innern lebet? —
Es ist junge Geisterschar.

CHOR SELIGER KNABEN

Sag uns, Vater, wo wir wallen,
11 895 sag uns, Guter, wer wir sind!
Glücklich sind wir: allen, allen
ist das Dasein so gelind.

PATER SERAPHICUS

Knaben! Mitternachts-Geborne,
halb erschlossen Geist und Sinn,
11 900 für die Eltern gleich Verlorne,
für die Engel zum Gewinn!
Daß ein Liebender zugegen,
fühlt ihr wohl, so naht euch nur!
Doch von schroffen Erdewegen,
11 905 Glückliche, habt ihr keine Spur.
Steigt herab in meiner Augen
welt- und erdgemäß Organ:
könnt sie als die euern brauchen;
schaut euch diese Gegend an!

Er nimmt sie in sich.

11 910 Das sind Bäume, das sind Felsen,
Wasserstrom, der abestürzt
und mit ungeheurem Wälzen
sich den steilen Weg verkürzt.

SELIGE KNABEN, *von innen.*

Das ist mächtig anzuschauen,
11 915 doch zu düster ist der Ort,
schüttelt uns mit Schreck und Grauen:
Edler, Guter, laß uns fort!

PATER SERAPHICUS

Steigt hinan zu höherm Kreise,
wachset immer unvermerkt,
11 920 wie, nach ewig reiner Weise,
Gottes Gegenwart verstärkt.
Denn das ist der Geister Nahrung,
die im freisten Äther waltet:
ewigen Liebens Offenbarung,
11 925 die zur Seligkeit entfaltet.

CHOR SELIGER KNABEN, *um die höchsten Gipfel kreisend.*

Hände verschlinget
freudig zum Ringverein!
Regt euch und singet
heil'ge Gefühle drein!
11 930 Göttlich belehret,
dürft ihr vertrauen:
den ihr verehret,
werdet ihr schauen.

ENGEL, *schwebend in der höheren Atmosphäre, Faustens
Unsterbliches tragend.*

Gerettet ist das edle Glied
11 935 der Geisterwelt vom Bösen:
wer immer strebend sich bemüht,
den können wir erlösen.
Und hat an ihm die Liebe gar
von oben teilgenommen,
11 940 begegnet ihm die selige Schar
mit herzlichem Willkommen.

DIE JÜNGEREN ENGEL

Jene Rosen, aus den Händen
liebend-heiliger Büßerinnen,
halfen uns den Sieg gewinnen,
11 945 uns das hohe Werk vollenden,
diesen Seelenschatz erbeuten.
Böse wichen, als wir streuten,
Teufel flohen, als wir trafen.
Statt gewohnter Höllenstrafen
11 950 fühlten Liebesqual die Geister;
selbst der alte Satansmeister
war von spitzer Pein durchdrungen. —
Jauchzet auf! Es ist gelungen.

DIE VOLLENDETEREN ENGEL

Uns bleibt ein Erdenrest
11 955 zu tragen peinlich,
und wär' er von Asbest,
er ist nicht reinlich.
Wenn starke Geisteskraft
die Elemente
11 960 an sich herangerafft,
kein Engel trennte
geeinte Zwienatur
der innigen beiden:
die ewige Liebe nur
11 965 vermag's zu scheiden.

DIE JÜNGEREN ENGEL

Nebelnd um Felsenhöh'
spür' ich soeben,
regend sich in der Näh',
ein Geisterleben.
11 970 Die Wölkchen werden klar;
ich seh' bewegte Schar
seliger Knaben,
los von der Erde Druck,
im Kreis gesellt,
11 975 die sich erlaben
am neuen Lenz und Schmuck
der obern Welt.
Sei er zum Anbeginn,
steigendem Vollgewinn
11 980 diesen gesellt!

DIE SELIGEN KNABEN

Freudig empfangen wir
diesen im Puppenstand;
also erlangen wir
englisches Unterpfand.
11 985   Löset die Flocken los,
die ihn umgeben!
Schon ist er schön und groß
von heiligem Leben.

DOCTOR MARIANUS *In der höchsten, reinlichsten Zelle.*

Hier ist die Aussicht frei,
11 990   der Geist erhoben.
Dort ziehen Fraun vorbei,
schwebend nach oben.
Die Herrliche, mitteninn,
im Sternenkranze,
11 995   die Himmelskönigin, —
ich seh's am Glanze.

Entzückt.

Höchste Herrscherin der Welt,
lasse mich im blauen,
ausgespannten Himmelszelt
12 000   dein Geheimnis schauen!
Billige, was des Mannes Brust
ernst und zart beweget
und mit heiliger Liebeslust
dir entgegenträget!

12 005   Unbezwinglich unser Mut,
wenn du hehr gebietest;
plötzlich mildert sich die Glut,
wie du uns befriedest.
Jungfrau, rein im schönsten Sinn,
12 010   Mutter, Ehren würdig,
uns erwählte Königin,
Göttern ebenbürtig!

Um sie verschlingen
sich leichte Wölkchen:
12 015   sind Büßerinnen,
ein zartes Völkchen,
um ihre Kniee
den Äther schlürfend,
Gnade bedürfend.

12 020 Dir, der Unberührbaren,
ist es nicht benommen,
daß die leicht Verführbaren
traulich zu dir kommen.

In die Schwachheit hingerafft,
12 025 sind sie schwer zu retten.
Wer zerreißt aus eigner Kraft
der Gelüste Ketten?
Wie entgleitet schnell der Fuß
schiefem, glattem Boden!
12 030 Wen betört nicht Blick und Gruß,
schmeichelhafter Odem?

> *Mater gloriosa schwebt einher.*

CHOR DER BÜSSERINNEN

Du schwebst zu Höhen
der ewigen Reiche;
vernimm das Flehen,
12 035 du Ohnegleiche,
du Gnadenreiche!

MAGNA PECCATRIX (St. Lucae 7.36)

Bei der Liebe, die den Füßen
deines gottverklärten Sohnes
Tränen ließ zum Balsam fließen
12 040 trotz des Pharisäerhohnes; —
beim Gefäße, das so reichlich
tropfte Wohlgeruch hernieder; —
bei den Locken, die so weichlich
trockneten die heil'gen Glieder —

MULIER SAMARITANA (St. Joh. 4)

12 045 Bei dem Bronn, zu dem schon weiland
Abram ließ die Herde führen; —
bei dem Eimer, der dem Heiland
kühl die Lippe durft' berühren; —
bei der reinen, reichen Quelle,
12 050 die nun dorther sich ergießet,
überflüssig, ewig helle,
rings durch alle Welten fließet —

MARIA AEGYPTIACA (Acta Sanctorum)

Bei dem hochgeweihten Orte,
wo den Herrn man niederließ; —
12 055 bei dem Arm, der von der Pforte
warnend mich zurückestieß; —
bei der vierzigjährigen Buße,
der ich treu in Wüsten blieb; —
bei dem seligen Scheidegruße,
12 060 den im Sand ich niederschrieb —

MAGNA PECCATRIX, MULIER SAMARITANA, MARIA AEGYP-
TIACA: *zu drei.*

Die du großen Sünderinnen
deine Nähe nicht verweigerst
und ein büßendes Gewinnen
in die Ewigkeiten steigerst,
12 065 gönn auch dieser guten Seele,
die sich einmal nur vergessen,
die nicht ahnte, daß sie fehle,
dein Verzeihen angemessen!

UNA POENITENTIUM, *sonst Gretchen genannt, sich anschmiegend.*

Neige, neige,
12 070 du Ohnegleiche,
du Strahlenreiche,
dein Antlitz gnädig meinem Glück!
Der früh Geliebte,
nicht mehr Getrübte,
12 075 er kommt zurück!

SELIGE KNABEN, *in Kreisbewegung sich nähernd.*

Er überwächst uns schon
an mächtigen Gliedern,
wird treuer Pflege Lohn
reichlich erwidern.
12 080 Wir wurden früh entfernt
von Lebechören;
doch dieser hat gelernt,
er wird uns lehren.

DIE EINE BÜSSERIN, *sonst Gretchen genannt.*

Vom edlen Geisterchor umgeben,
12 085 wird sich der Neue kaum gewahr,
er ahnet kaum das frische Leben,
so gleicht er schon der heiligen Schar.
Sieh, wie er jedem Erdenbande
der alten Hülle sich entrafft,
12 090 und aus ätherischem Gewande
hervortritt erste Jugendkraft!
Vergönne mir, ihn zu belehren:
noch blendet ihn der neue Tag.

MATER GLORIOSA

Komm! Hebe dich zu höhern Sphären!
12 095 Wenn er dich ahnet, folgt er nach.

DOCTOR MARIANUS, *auf dem Angesicht anbetend.*

Blicket auf zum Retterblick,
alle reuig Zarten,
euch zu seligem Geschick
dankend umzuarten!
12 100 Werde jeder bess're Sinn
dir zum Dienst erbötig;
Jungfrau, Mutter, Königin,
Göttin, bleibe gnädig!

CHORUS MYSTICUS

Alles Vergängliche
12 105 ist nur ein Gleichnis;
das Unzulängliche,
hier wird's Ereignis;
das Unbeschreibliche,
hier ist es getan;
12 110 das Ewig-Weibliche
zieht uns hinan.

Notes: *FAUST II*

FOREWORD

to the users of these notes

In these explanatory notes we have sought to give full information concerning each point of probable difficulty to an American college student. We have tried to give rather too much than too little, without allowing the notes to become too voluminous to be usable.

It has not been our purpose to discuss questions of textual criticism. We have instead made our choice of the various alternatives at each of the textual cruces and have then allowed our text to stand on its own merits without discussion. Only in the case of an unsatisfactory textual solution have we discussed the problem in our notes, in order to explain why the text as we print it is unsatisfactory.

We have not undertaken to present the many literary analogies, parallel passages, and "influences" which Goethe's text constantly suggests, unless it has seemed to us that a reference to these matters would help make the meaning of the text more apparent.

The complete vocabulary which we have prepared for FAUST has made it unnecessary for us to offer translations of individual words in our notes, but the student will find many paraphrases designed to make clear the over-all meaning of difficult lines, as well as an occasional direct rendition of the text into English.

Scholarly opinion is divided concerning the meaning of a number of passages in FAUST. We have not given the history of such divisions of opinion, but have tried to say what we believed the correct interpretation to be, and have then indicated the other opinions which seem to us tenable. In those few cases in which we could not ourselves agree, we have given all the interpretations which appear reasonable to any of us.

These notes do not attempt to deal with the many intricate problems of FAUST interpretation which are raised, particularly, by the second part of the poem. Our primary purpose is to make the text accessible to the student. We have endeavored to provide interpretation only when this appears to be needed for a first-level understanding of the text. Our efforts at higher-level interpretation are to be found in the introduction we provide, not in the notes.

Only one abbreviation which might be unfamiliar is used in these notes. This is **SD** which, when prefixed to a line number, indicates the stage direction at that place.

Bibliographical references are few and as a rule self-explanatory. The following list may, however, be useful:

URFAUST   The earliest preserved form of Goethe's FAUST.

FRAGMENT   The first form of FAUST published by Goethe, 1790.

Eckermann   GESPRÄCHE MIT GOETHE IN DEN LETZTEN JAHREN SEINES LEBENS by Johann Peter Eckermann, Leipzig, 1836–1848. The pertinent passages for FAUST are also to be found in Gräf, H. G., GOETHE ÜBER SEINE DICHTUNGEN, 2. Teil, 2. Band, Frankfurt a. M., 1904.

Hederich, Benjamin: GRÜNDLICHES MYTHOLOGISCHES LEXIKON . . . , verbessert von J. J. Schwabe, Leipzig, 1770.

NOTES

The first part of FAUST was not composed in acts; it is a series of
scenes. The second part was ultimately arranged in five acts by
Goethe, who in 1826–1832 was evidently thinking in terms of the
production of his play in the theater. Lines 4613–6036, the greater
part of the first act, were printed in 1828 in the twelfth volume of the
edition of Goethe's works known as the *Ausgabe letzter Hand*. Part
of this material was written much earlier.

The structure of this first act is essentially one of two parts — (1) the
Emperor's lack of funds, (2) the Emperor's demand for entertainment.
Faust and Mephistopheles appear as adventurers at the Emperor's
court. They find him in financial straits and they solve his troubles
by persuading him to issue paper currency against the security of gold
as yet unrecovered from the earth. They also provide the climax for
an elaborate Shrovetide masque, in which the whole court takes part.
The two adventurers are retained at court, and Faust agrees to produce the shades of Helena and Paris for the entertainment of the
Emperor.

Here Faust collides with Mephistopheles' alleged lack of authority
over the shades of antiquity. Nevertheless Mephistopheles provides
Faust with a key to these mysteries of the other world and sends him
off to the realm of the "Mothers," from whom he is to get power to
produce Helena.

Having brought the shade of Helena to the Emperor's court, Faust
is enamored of her beauty, attempts to rescue her from Paris, lays
hands upon the "shade," whereupon the whole vision dissolves in an
explosion. Mephistopheles carries Faust off unconscious and takes
him back once more to the study in which we first met him.

There is no dramatic motivation of the appearance of Faust and
Mephistopheles at the Emperor's court, beyond the fact that as adventurers they might well hope for amusement and profit there.
However, Goethe's purpose is clear enough in the light of the Faust
legend. All forms of the legend which Goethe knew contain a scene
in which Faust and Mephistopheles appear before the Emperor and
perform spectacular feats of conjuring. Most important for Goethe
was the scene in which the shade of Helena was produced for the delectation of the court.

The connection of the sojourn at the imperial court with the action of Part I of FAUST is tenuous and unstated. The bridge between the two parts is our first scene, in which a weary, restless Faust is refreshed by a night of sleep in a pleasant place on a mountain meadow.

28. ANMUTIGE GEGEND

The scene depicted is reminiscent of Goethe's journey to Lucerne, Switzerland, in 1797, and Faust's monologue (4679–4727) was probably composed as early as 1798, in the winter after the poet's Swiss visit. The scenic detail best fits the region around St. Gotthard.

The *Dämmerung* is the evening twilight. Faust, perhaps shortly after his harrowing experience in Gretchen's prison cell, tosses restlessly on his flowery couch, surrounded by a hovering host of kindly spirits, led by Ariel, the airy fay of Shakespeare's THE TEMPEST. This is presumably the same Ariel who appears (4239, 4391) in the *Walpurgisnachtstraum*, where he leads many spirits with his song. We have to think of Faust as recovering, under the ministrations of these spirits, from a complete collapse after Gretchen's death.

4613   **Frühlingsregen**   In the spring the lovely rain of blossoms falls equally upon all; the green wealth of growing grain shows itself to all men. So too the elves give their aid to everyone who requires it. The passage suggests Matthew 5.45 'For he maketh his sun to rise on the evil and the good and sendeth rain on the just and the unjust.'

4617   **Geistergröße**   Subject of *eilet*. After the two if-clauses, the verb might be expected to precede its subject. — The elves hasten to aid the unfortunate man, and they do so because of their quality of spiritual greatness. The additional implication of 4617 is that it is astonishing to find such greatness in such little creatures. The form *Geistergröße* is unique, and is understood to represent *Geistesgröße von Geistern* [Grimm, *DWb.*].

4620   **sie**   Accusative, either singular with the antecedent *Geistergröße*, or plural with the antecedent *Elfen*. — **Unglücksmann**   Faust, the man of misfortune. Perhaps intended both actively and passively: the one who suffers and the one who brings misfortune.

4621–4633   These lines are spoken, not sung. Ariel interrupts his song to speak to the circle of spirits hovering over Faust.

4624   The reference is to Faust's sense of guilt in the tragedy of Gretchen.

4625   **Graus**   The horror of the scene in the prison cell.

4626   An allusion to the four watches of the night, each of three hours duration, according to Roman usage.

4627   Each watch has its own song; see 4634–4665.

4629   **Lethe**   A river which flowed close by the Elysian fields. It was known as the river of oblivion. Souls which drank from its waters forgot their past experiences. By the bathing of Faust's body in dew from Lethe, Goethe probably meant to suggest the relaxation of muscular tensions characteristic of the paroxysm through which Faust is passing.

4632   **Elfen** 'elves.' There were at least two, possibly three kinds of elves. Certainly there were light elves and dark elves, and perhaps also brown elves (Scotch "brownies"). The light elves lived among the gods, the dark elves among the dead in the nether world. The dark elves are identified with the dwarfs. All elves are irresistibly moved by the song and the dance. There are many sources of information about the dark elves and their harmful doings among men. We know very little, however, about the behavior of the light elves, and Goethe's statement that it is the finest duty of these elves to restore the unhappy sleeper to health appears to rest on no well-known tradition.

4633   **dem heiligen Licht** The fact that these elves regard the light of day as sacred may put them in the category of the light elves.

SD 4634   The following four stanzas are sung by the spirits which hover over Faust as he lies upon the greensward. The stage direction indicates a rather complicated operatic arrangement of the parts, so that at times we have a solo or a duet, while at other times all voices participate. In the first manuscript (now lost), each stanza is said to have had a musical direction: Sérénade (evening song), Notturno (night song), Mattutino (morning song), and Reveille (call to awake).

4637   **die Dämmerung** This is the song of the first watch of the night, eventide, which brings with it (*senkt*) sweet fragrances and enshrouding mists.

4638   **lispelt** With *wiegt, schließt* in the following lines, may best be taken like *senkt*, as predicates of *die Dämmerung*. Some commentators take them as imperatives.

4641   The day is thought of as a lighted citadel, the gates of which the evening swings shut before the eyes of the weary wayfarer.

4642   These pictures are not static. The view shifts and time passes. The second stanza describes the second three-hour vigil of the night. First the great stars and then the more remote faint stars shine and are reflected in the lake. Then the full splendor of the moon dominates the scene.

4643   The stars are proverbially chaste, and hence holy. *heilig*, here an adverb, implies something like 'in chaste holiness.' — With *schließt* supply the impersonal subject *es*, 'One star joins another.'

4647   **klarer Nacht** An adverbial genitive of place, 'in the clear night,' analogous to the idiom: *des Weges gehen* 'proceed on one's way.'

4650   **Stunden** The 'hours' of Faust's past life are extinguished from his memory. The sufferings and the joys of his past are gone; the dew of Lethe has done its work.

4652   The elves address Faust, putting into his mind the idea that he will recover, that he can look forward confidently to the new day, and that if he did open his eyes he would see the landscape unfolding before him out of the departing night. This is the third watch.

4654   Again a changing scene. The hills loom up out of the darkness and
       as the light increases bushes appear on the hills, providing shade
       in which to rest.

4656   Growing grain as it passes from green to golden has a stage at which
       it appears to be silvery. The time at which this happens varies with
       the climate and with the kind of grain. The range indicated would
       be from late May to early July.

4658   **Wunsch um Wünsche** 'one wish after another.'

4660   **umfangen** 'embraced' by the sleep which holds him.

4661   By implication the awakening Faust is compared with a newly
       hatched bird emerging from its shell, or a butterfly emerging from
       the chrysalis. This is to be a new Faust.

4662   **erdreisten** 'make bold' to attack life's problems. What Goethe
       here hints at is more fully stated in WILHELM MEISTERS WANDER-
       JAHRE (*Maximen und Reflexionen*, 594): ,,Ein jeder Mensch sieht die
       fertige und geregelte, gebildete, vollkommene Welt doch nur als ein
       Element an, woraus er sich eine besondere, ihm angemessene Welt
       zu erschaffen bemüht ist. Tüchtige Menschen ergreifen sie ohne
       Bedenken und suchen damit, wie es gehen will, zu gebaren, andere
       zaudern an ihr herum, einige zweifeln sogar an ihrem Dasein.''

4663   **wenn** = *wenn auch*, 'even if.'

4665   **versteht und rasch ergreift** Since no object is given, something like
       alles may be understood: 'the noble man who understands every-
       thing and quickly makes it his own.'

SD 4665   "The dawn comes up like thunder." At dawn Helios (or, as
       Goethe has it in line 4670, Phoebus-Apollo) drove the four-horse
       chariot of the sun up out of the eastern ocean with a tremendous
       clatter. See also lines 243–246.

4666   **die Horen** The Hours, Seasons, guardians of the gates of heaven.
       They harness the horses for the sun-chariot each morning. Goethe
       appears to make them participate in the uproar of the dawn.

4667   **tönend** See line 243 and the note.

4669   **Felsentore** Evidently the gates of heaven, more commonly thought
       of as being composed of clouds. Homer has them make a loud noise
       when they open (ILIAD VIII, 393).

4670   **Phöbus** Apollo, the charioteer of the sun.

4674   The ear of the elf is confounded by the completely inordinate uproar
       and is not able to listen to it.

4675   The elves are bidden to withdraw lest the too great noise of the sun
       destroy their hearing.

4679–4727   The metrical form of this monologue is known as the *terza rima*
       (in German, *Terzine*). This is an Italian form best exemplified in
       Dante's DIVINE COMEDY. The essence of it is the interlocking
       riming of groups of three lines: aba bcb cdc ded . . . yzy z.

4680   **Dämmerung** The twilight of the dawn.

4681   One more night has passed without the earth's having dissolved
       into chaos.

4682   The freshness of the earth at dawn is compared with the refreshed
       new vigor of an awakened sleeper.

4683 **Lust** Used metaphorically for things which excite Faust's delight. Increasingly, as the dawn becomes day, the earth reveals to Faust reasons for rejoicing.

4684 **regst und rührst** Taken together mean 'inspire, arouse.'

4685 **zum höchsten Dasein** 'to the perfection of existence.'

4688 This is an alpine landscape, with clouds of mist hanging along the sides of deep valleys until the sun rises high enough to dissipate them. The first rays of the rising sun light up the summits, but as the sun rises higher its rays fall into the deeper valleys.

4690 **entsprossen** The past participle, with which *sind* should be understood, by analogy to *ist ergossen* above.

4695 **Hinaufgeschaut!** Faust speaks to himself. An imperative participle; see note to line 3704.

4697 **des ewigen Lichts** Genitive with *genießen*, as in lines 7267, 11 349, instead of the accusative, as in lines 1416, 1822, 3221, 4198, 5161.

4699 **grüngesenkt** = *grün in Grün gesenkt.* These meadows, themselves green, seem to be sunk into the green of the pines and fir trees around them. The observer watches the effect of the sunrise upon the scene before him. First the mighty summits of the mountains catch the new light. Next the light falls upon the green meadows of the high mountain pastures giving them (as the rays of the rising sun strike them) new brilliance and clarity of delineation. Some interpreters take *grüngesenkt* to be a combination of the green of the meadows with the lowering of the line of vision of the observer (*gesenkt*) 'meadows green as the lowered eye observes them.'

4701 **stufenweis** Step by step the rays of the rising sun fall lower on the sides of the mountains and set them out in new clarity to the view of the onlooker.

4702 **Sie** The sun.

4704–4714 The experience of the spectator watching the sunrise is compared with the experience of a man watching for the fulfillment of his highest wish. As the sun has burst forth with blinding brilliance from the infinite reaches of space, so, out of the eternal depths revealed by the opening of the gates of fulfillment, a flame bursts forth, far in excess of that the watcher expected, and unbearable to his eyes. Instead of lighting his torch of life at this source of light, the watcher is engulfed in a sea of flames.

   The comparison is continued in the metaphor of the last lines of the passage. As the watcher turns his eyes from the blinding light of the sun to the earth still veiled in the mists of morning, so the man who aspires to transcendent experiences turns from them to the satisfied immediacy of earliest youth which seeks no transcendent knowledge of the universe, but desires only to learn of the world at hand.

4706 The way to the fulfillment of this ardent hope passes through a great portal, the gates of which are widely opened.

4711–4712 **die . . . umwinden** Some plural noun has to be supplied as the antecedent of *die*: something like *die Flammen.* The observer cannot be sure whether it is the flames of love or the flames of hatred, or the flames of both love and hatred, which engulf him:

these elemental forces produce alternately pain and joy (4712). The order of the nouns *Liebe : Haß, Schmerz : Freuden* produces a trope called "chiasmus."

4715   This attitude of Faust contrasts sharply with that of the earlier Faust (lines 1074–1075) who wished for wings so that he might always follow the sun on its course.

4720   **Schaum an Schäume** This may be construed as an absolute phrase, equivalent to a prepositional phrase like the phrase *in tausend . . . Strömen* of the preceding clause: 'roaring high in the air, foam upon foam.' According to another interpretation, *sausend* is construed as a transitive verb with the object *Schaum an Schäume*, and the whole then means: 'sending up with a roar foam upon foam.'

4725–4727   Human endeavor is symbolized by the rainbow: human life is like the colorful reflection of the light of the sun from myriad drops of water cast up into its rays. The individual drops are cast into the light, reflect the rays of the sun for a moment, and then disappear. The sun and the rainbow remain. As we observe human life, therefore, we are urged to remember that what we see is reflected light, not light directly from the source, and that the permanence which human life appears to have implies the continuous casting up of individual human lives into the light which they reflect. It is probably correct to equate light with truth in the metaphor. We know the truth only indirectly from its reflection in the lives of men. The reference is to philosophic truth, not to specific facts. — The long soliloquy (4679–4727) ends, as it began, with a reference to *das Leben*.

KAISERLICHE PFALZ

In this 'Imperial Palace,' Goethe provided an intentionally vague setting for the following six scenes, which make up the main body of the first act. The whole is conceived as a satire of a ruler who had every possible capacity for losing his kingdom (see Eckermann's report of October 1, 1827). The imperial conditions satirized are roughly parallel to those which existed in the time of Maximilian I, "The Last Knight," who ruled over the Holy Roman Empire from 1493 to 1519.

The Faust tradition brings Faust to the imperial court to display his powers as a conjurer and magician. One of Faust's best tricks was to produce phantoms of great personages of the past. Goethe, by causing Faust to produce the phantom of Helen of Troy, provided the initial impulse for the Helena episode of Act III.

Goethe originally planned to explain the appearance of Faust at the imperial court in a scene in which Mephistopheles was to persuade the Faust of *Anmutige Gegend* that such an adventure would be amusing. This explanatory scene was never fully worked out, and Goethe dropped it entirely from the text when he printed the first act of Part II in 1828. There is now no clear indication of the relation of this scene in time to the scene which precedes it. It would appear from the reference to mummery in lines 4765–4769 that this convocation of the peers of the realm takes place in the pre-Lenten period of Carnival. The reference to Ash Wednesday (5058) makes this inference seem secure. This period is usually in February or early March. On the other hand, the stage directions for the scene *Anmutige Gegend* call for green turf with spring flowers, and line 4613 indicates 'blossom time,' which in these regions is rather May than February. One is well advised not to concern oneself too seriously with problems of time and place in this part of FAUST.

29. SAAL DES THRONES

SD 4728 **Staatsrat** At the annual Reichstag, convened before the Emperor, all court officials, from the highest rank (*Staatsrat*) to the lowest (*Hofgesinde*), have been assembled to hear the Emperor's address on the state of the nation. — **Astrolog** One of the two most trusted advisors of this ruler. The other, and more important one, is the Fool. Astrology, as a means of predicting the future, was taken seriously by many important people in the sixteenth and seventeenth centuries. A well-known case in point is that of the great general Albrecht von Wallenstein (1583–1634), who in his later years took few decisive steps without the approval of his astrologer. Rudolf II of Hapsburg (ruled 1567–1612) relied similarly on his astrologer, the great scientist Johannes Kepler.

4728 The standard formula for royal address to the immediate vassals of the court was: "Liebe Getreue!" These are princes of the realm. The Emperor does not go on with his address when he notices the absence of his fool.

4730 **Den Weisen** The astrologer, on the Emperor's right. The place of the court fool, on the Emperor's left, is vacant.

4734 **Fettgewicht** Metonymy for 'very fat person,' say, 'tub of fat.' Gluttony and alcoholism are two manifestations of the moral decay of this court. The Fool exemplifies notable excess in both.

4735 **tot oder trunken** There is a third possibility not mentioned in FAUST: Mephistopheles may have removed this fool for a time. Goethe, in his account of this scene to Eckermann, October 1, 1827, says that this fool was "schnell beseitigt" by Mephistopheles.

4743–4750 Theoretically there should be a single answer to all of these riddles and that answer should be "folly" or "court fool." Another possible answer is "money." The linking of apparently irreconcilable opposites in these questions is effective in its combination of bafflement and evident intent.

4753 **Sache dieser Herrn** His chancellor, his general, his treasurer, his marshal have come to ask him hard questions which he finds it as difficult to answer as riddles. He invites the fool rather to solve these problems than to propose riddles of his own.

4755 **ging weit ins Weite** Probably a euphemism for *ist tot.*

4757–4760 This protestation of the crowd has to be thought of as individual complaints from the group, each speaker uttering a half-line, as indicated by the dashes. It is not intended to be spoken in chorus.

4758 **Wie kam er ein?** A reference to the fact that the halberds of the guards (4741) failed to keep him out.

4763 The astrologer has approved the calling of this meeting.

4767 The Emperor has prepared a carnival, patterned after the well-known carnival of Rome. His primary interest in life is to amuse himself with exotic and lavish festivities. He dislikes being hindered by matters of state, 'when we plan to have a carnival masquerade at which we shall all wear costumes and masks.'

4771 What has happened (*geschehen*) is the convocation of the council; what the Emperor wishes to get on with (*getan*) is the actual deliberations of this group of officials.

SD 4772 **Kanzler** The Archbishop of Mainz, one of the electoral princes, was by imperial law the Chancellor of the Empire.

4772–4808 The Chancellor complains that the machinery of the law has completely broken down in the empire. — The reference to a halo suggests the sanctity of the Emperor's person as "King by divine right."

4781 One evil, by over-prolific self-reproduction, becomes many evils.

4782 **Wer** 'Whoever.'

4784 **Mißgestalt** Metonymy for a person or a thing having a misshapen form. Here the reference is to officers of law and order who are caricatures of what they should be and who hold sway in a situation which is a caricature of law and order.

4785–4786 These two clauses also depend upon *wo* (4784). 'Where a caricature of law prevails by law, and where a whole world of topsy-turvy perversity is evolved.'

4787 **Der . . . der** 'this one . . . that one.'

4794 'the growing tumult of revolt.'

4795–4800 The guilty perversely boast of their crimes, while the innocent, who seek to protect themselves in this topsy-turvy world, are pronounced guilty. In this way society (*alle Welt*) is on the point of breaking up into its individual components, and right (*was sich gebührt*) is on the point of being destroyed.

4801 **Sinn** The sense of justice (4775).

4803 **ein wohlgesinnter Mann** The *Richter* of 4805.

4807 **schwarz** 'I have not painted this picture with bright colors. Indeed, I have used very dark colors. Yet I should prefer to hide this picture with a still denser veil of obscurity.' The chancellor suggests that this is not a thing one likes to look at and that he would not bring the matter up at all except that the Emperor's very throne is endangered by this lawlessness (4811). — zög' ich . . . vor 'would draw over' (and thus conceal).

SD 4812 **Heermeister** 'Minister of war.' Apparently Goethe's invention: imperial law provided for no such officer.

4812–4830 The minister of war complains about the disintegration of his army. The conditions are much like those of the period of the robber barons during the reign of Maximilian I (1493–1519). The burghers fortified their towns and the barons reinforced their castles high on inaccessible rocky heights. This speech could well enough have been made at the Reichstag in Mainz (1517).

4818 **halten . . . fest** The rebellious *Bürger* and *Ritter* keep their fighting forces intact for their own use, instead of sending off their quota of troops — with the necessary supplies — to the Emperor for the common good.

4823 **Verbiete wer . . .** 'Let anyone forbid . . .' = 'If anyone should forbid . . .'

4824 The conclusion of the implied condition ('if anyone should . . .') is put into the indicative to increase the sense of the certainty of its occurrence.

4825 **sie** These mercenary soldiers.

4829 **Könige** In line 4831 they are called 'allies.' — **draußen** means beyond the boundaries of the Emperor's rule. — There were a number of kingdoms more or less closely associated with the Empire as vassal states or allies. Theoretically, all Europe was subject to the Emperor; but Holland, Spain, France, Bohemia, Sicily, Naples, all at one time or another refused to cooperate.

SD 4831 **Schatzmeister** Also an office not specifically authorized by imperial law.

4833 **Röhrenwasser** was proverbially unreliable. 'Piped water' was the usual comparison when something hoped for failed to arrive.

4834–4851 The situation is that of the tax collector at the time of the disintegration of the old feudal system. The old nobility, ruined by the crusades and other wars, had to give up their homes to new owners (4836), who owed no feudal homage to the Emperor. In the feudal bargain between Emperor and vassal, land was given the latter in return for certain rights to income which should be paid the Emperor's treasury. The Emperor could, if properly pressed, be persuaded to relinquish these rights. Act IV gives a good illustration of the technique of persuasion.

4841 **wie sie heißen** 'whatever their names may be.' — **Parteien** Such as the Ghibellines (*Waiblingen*) and the Guelfs (*Welfen*); see line 4845. The Ghibellines were Swabian Hohenstaufens of the twelfth century and later; the Guelfs were Bavarians and Saxons. Frederick Barbarossa and Henry the Lion were distinguished representatives respectively of the two parties. Philip of Swabia and Otto IV were later opponents in this strife. The use of these names is an anachronism, for at the time otherwise indicated by our context (the early sixteenth century) these parties were entirely unimportant in imperial affairs.

4843–4844 'It is immaterial whether these parties are against us or for us; in either case they have become indifferent and without energy.'

4846 **auszuruhn** Armed conflicts between these factions exhausted their current resources of men and money, and periods of recuperation were necessary.

4850 The metaphor of scratching and scraping applied to the laborious gathering together of small means.

SD 4852 **Marschalk** The old form of the title of the first officer of the court, the *Hofmarschall*. Under imperial law this office was held by the Elector of Saxony. Usually the Marshal's duties were confined to the supervision of the Emperor's stables, the hunt, and other forms of entertainment in the imperial household. The kitchen, wine-cellars, banquets — hospitality in general — came under the super-vision of the steward (*Truchseß*).

4859 **Deputate** The income of the Emperor was in the form of "rents" or revenue assessments, part paid in money and part in kind. He collected these "rents" from the princes of the realm, who were his vassals. These princes in turn collected their incomes from the vassals who administered the farms of their countries. A goodly portion of this revenue was in the form of natural produce. These payments in kind were the *Deputate*, and they were the most reliable part of the prince's income.

4863 **Berg'** = *Weinberge.*

4865 **der edlen Herrn** Perhaps with some of the irony that attaches to V.I.P. (Very Important Personage). The Marshal includes the present company in this reference.

4866 **Lager** The reserve stock of the city Ratskeller.

4868 The wine is wasted by the greediness of these carousers who try to drink it out of the largest possible containers instead of drinking with moderation from honest wine glasses.

4870 The moneylender will not allow the state to get out of his clutches. He insists upon being paid each year by a new loan against future income so large that it leaves no margin for improvement of the in-come-producing property.

4872 These loans are thought of as feeding upon and consuming in advance (the income of) year after year.

4875 **vorgegessen Brot** Bread eaten before it is paid for.

4876 The grim humor of a harassed, incompetent monarch.

4877–4882 Mephistopheles flatteringly professes to see no distress in all this splendor and asks a rhetorical question: 'Was there ever lack of confidence where there was firm rule and ready power to destroy any opposition, where intelligent good will and lively and varied activity were at hand?'

4879 **gebeut** Poetic third person singular present indicative of *gebieten.*

4893–4894 **Bergesadern : Mauergründen, gemünzt : ungemünzt** A chias-mus; see note to line 4711. — Coins are deposited in the corner-stones of walls, and otherwise hidden in their foundations.

4896 **Natur- und Geisteskraft** The power which belongs to a gifted man by virtue of his nature and his intelligence, or by virtue of his innate intelligence (hendiadys).

4897–4916 The Chancellor thinks Mephistopheles is putting Nature and Spirit, or Mind, in the place of God. He calls this atheistic and dangerous to the state. — The Chancellor's speech is in a medieval three-part lyric form: two *Stollen* and an *Abgesang*. Lines 4897–4902 and 4903–4908 are parallel in rime and even (to a very con-siderable extent) in syntax and rhetoric. Lines 4909–4916 are the *Abgesang*; longer than either of the two *Stollen* but shorter than both.

The *Abgesang* has a slight break in rime-pattern and meaning-pattern at the midpoint.

4900 To the Chancellor as an orthodox Christian, man is by nature sinful and unclean, and if spirits get into him they are *Lügengeister*, leading him astray from the true faith. This would result in doubt as to the teaching of the church, and of this the Chancellor strongly disapproves.

4903 **Uns nicht so!** Ellipsis, in effect equivalent to *Zu uns darf man nicht so sprechen.* — **Kaisers** Instead of *des Kaisers*. Goethe in his later years was very likely to omit the definite article. This trait at times amounts to a mannerism.

4904–4908 The two social classes, or estates, are the clergy (*Heiligen*) and the knights (*Ritter*). They confront (*stehen*) every storm which threatens the Empire and take as their due recompense the churches and the secular territories of the several states.

4909–4910 **Dem Pöbelsinn . . .** 'Out of the mob-mentality of confused minds there springs . . .'

4911 **die Ketzer** The Chancellor is calling names. People who advocate what Mephistopheles has suggested are 'heretics and witch-masters.'

4915 The reference of *ihr* is uncertain. The best guess is that the Chancellor addresses the whole court (*diese hohen Kreise* 4914), saying that if they allow Mephistopheles to bring in these heretics and sorcerers, they will be putting their faith in a depraved heart — that of the fool, Mephistopheles.

4924 The Emperor speaks to the Chancellor.

4931 The period of the migrations of peoples (*Völkerwanderung*), the fourth to the sixth centuries of the Christian era.

4940 According to ancient law, all treasures which lie deeper in the earth than a plow runs belong to the Emperor. These laws are recorded in various places, most interestingly in the *Sachsenspiegel* (about 1222) and the *Schwabenspiegel* (after 1250).

4949 According to the astrological lore of the time, the universe was composed of nine or ten hollow, concentric, transparent spheres around the earth. Closest to the earth was the sphere of the Moon, and thence outward the spheres were subject to Mercury, Venus, the Sun, Mars, Jupiter, and Saturn. Enclosing these seven spheres was the eighth, the sphere of the fixed stars, and beyond that the crystalline heaven, and enclosing this the *Primum Mobile*, which got its motion from God and transmitted it to the other spheres. Some versions identify the *Primum Mobile* with the crystalline heaven and thus have nine, rather than ten, spheres. Outside this finite universe was the abode of God, infinite and motionless. The spheres were all in motion and each of the planets moved within its own (moving) sphere. Hence a human observer on the stationary, central earth saw different parts of the several spheres in different relationships with each other, according to the period of their motion. The sphere of the fixed stars was divided arbitrarily into twelve regions, each of thirty degrees, and each characterized by a definite constellation, called a sign of the zodiac, and referred to by astrologers as a 'house' (*domus*).

Each of the planets except the Sun and the Moon (Sun and Moon were considered planets in this astrology) had two such houses, one for the day and one for the night. The Sun and the Moon had only one house each. Horoscopes were based upon observations of the position of the planets in the sky relative to their houses and to the houses of other planets at the moment for which the prediction was to be made. Every hour of the day was believed to be ruled over by one of the planets, and its influence was thought to be beneficial or harmful according to the nature of the house in which it happened to be at that hour. Every house, or constellation of the zodiac, represented a different feature of human life: Aries — life, Taurus — riches, Gemini — brothers, Cancer — parents, Leo — children, Virgo — health, Libra — marriage, Scorpio — death, Sagittarius — religion, Capricornus — dignities, Aquarius — friends, Pisces — enemies.

Of the planets, Mars and Saturn were considered to be definitely hostile to human affairs; the Sun, Venus, and Jupiter were considered to be favorable to man. The Moon and Mercury were considered fickle or merely supporting the influence of any other planet with which they appeared "in conjunction." Hence a properly schooled astrologer, by observing the relative positions of the heavenly bodies in their spheres at the hour for which the horoscope was to be made, would predict probable good or evil outcome for any life or any enterprise.

SD 4955 **blä st ein** 'prompts.' See line 6400, the promptings of the devil.

4955–4970 Purposeful mystification, with many expressions of double meaning — astrological and everyday usage in confusion.

4958 Venus can appear only as Morning Star or as Evening Star in close proximity to the sun. — **spat** is an archaic form beside *spät;* see note to line 3112.

4963 **Metall** Each planet was equated with a certain metal. Thus the Moon was silver, Mercury = quicksilver, Venus = copper, the Sun = gold, Mars = iron, Jupiter = tin, and Saturn = lead.

4969 Mephistopheles, speaking through this astrologer, puts in a reference to a 'very learned man,' because he wishes to establish a pretext for introducing Faust to the Emperor.

4971 **doppelt** Both the alchemistic astrological intention and the everyday meaning of the astrologer's words are apprehended by the Emperor, he thinks, but he can come to no decision. Also, the Emperor hears both Mephistopheles and the astrologer speak these words; see SD 4955.

4973 **Gedroschener Spaß** A joke from which all the substance has been threshed.

4974 **Kalenderei** 'astrological nonsense.' The hocus-pocus of almanac-making and interpretation was the major business of the astrologer. — **Chymisterei** Alchemy, which sought to make gold out of baser metals.

4976 **er** The 'learned man' of 4969–4970.

4979 **Alraune** The plant, mandrake. Superstition teaches that this plant, when it grows beneath a gallows, takes on the form of a human being. If it is forcibly pulled up, it emits a loud shriek which is fatal to anyone who hears it. Yet it is very useful, because a person who has such a plant — duly pulled up from beneath a gallows, washed in red wine, and wrapped in red cloth — can do many miraculous things.

4980 A black dog is the approved agency through which a mandrake can be obtained. One ties the plant securely to the black dog, carefully stops one's ears with wax, as a protection against hearing the fearful shriek, and then induces the dog to pull up the plant by enticing him away from the spot with meat. For additional protection, a loud blast is blown on a horn when the mandrake comes out of the ground.

4981–4984 After all, everyone experiences the itching foot or the stumbling step which indicates something buried underfoot. Why make fun of these supernatural manifestations, or call them witchcraft? — There was formerly a widespread belief in the ability of certain persons to use the divining rod with accuracy, or of others to sense subterranean deposits of metal or of water by some "magnetic" effect upon their bodies.

4992 **Da liegt der Spielmann** (*begraben*) 'That's the lucky spot.' A proverbial saying used when one stumbles.

4993–4996 The symptoms of the crowd are induced by Mephistopheles' powers of suggestion.

5006 An aside by Mephistopheles; supply *ich* as the subject of *wüßte*.

5011 Wall saltpeter, calcium nitrate, is formed by exudation on old mortar. The nitrogen in it is moderately useful as fertilizer and the salt was once widely used as a medicine. Occasionally, when a peasant broke down a wall where this exudation had occurred, he found a hidden treasure (see line 4893).

5013 **kümmerlicher** It is rather the farmer than his hand that is miserable.

5020 **sich** Dative of interest or advantage. See note to line 320.

5026 Popular belief has it that the tartar deposited from old wine upon the inside of the cask becomes solid enough to contain the wine, even after the staves have rotted away.

5036 Proverbially, all cows are black and all cats are gray at night.

5041 Aaron made a golden calf out of the earrings of his people (Exodus 32.4); here this allusion is hyperbolically extended to mean 'untold riches.'

5044 **die Geliebte** Mephistopheles probably refers to the Emperor's mistress, rather than to the Empress.

SD 5048 **wie oben** As at SD 4955, Mephistopheles 'prompts.' The Astrologer, Mephistopheles' mouthpiece, speaks with irony: this treasure hunt is serious business, not to be undertaken until the carnival spirit has passed. Due penance (5051) must be done, in order to earn the lower (riches) by means of the upper (religious fervor). Miracles require strengthened faith.

5049 **Freudenspiel** The pre-Lenten carnival; see lines 4765–4769.

5056 See line 766: "Das Wunder ist des Glaubens liebstes Kind."

5063–5064 'If these people had the stone of the wise men (which provides riches, power, and long life), the stone would be without a
wise master who knew how to use it properly. They fail to see that
success is causally connected with hard work and merit.'

30. Weitläufiger Saal

This carnival masquerade probably takes place on Shrove Tuesday
(Mardi gras). It is not to be thought of as a consistent allegorical
representation of some important general idea, but rather to be taken
at face value as a masque. It is put together after the fashion of the
Italian Carnivals. In the dramatic economy of Faust, the masque
serves to depict the levity of this court and to introduce Faust into
this milieu.

The masque is well organized. First we have groups of real characters: gardener girls, gardeners, a mother and her daughter, fisher-
men, fowlers, woodcutters, clowns, parasites, an intoxicated man, and
at least one poet. These figures dispose themselves on the stage and
form the frame within which the following "acts" are produced. They
are joined by a second group of figures who come from Greek mythology: the Graces, the Fates, and the Furies. The mythological figures
are followed by allegorical ones: Fear, Hope, Prudence, and a quite
remarkable fiction, Zoilo-Thersites.

We are thus prepared for the two major groups of the masque:
(1) Plutus-Faust, representing wealth, with his charioteer, Poetry,
and his footman, Mephistopheles-Avarice, (2) Pan-Emperor, with his
retinue of fauns, satyrs, gnomes, giants, and nymphs.

5065–5066 The master of ceremonies warns everyone not to expect a
German *Fastnachtsspiel*, at which robust and inelegant dances by
devils and clowns will be performed, or an allegorical representation
of the Dance of Death will be staged. The Dance of Death was a
macabre dance by skeletons, with Death playing the pipe or the
fiddle for their clattering gyrations.

5071 **gewonnen** Until 1493 each newly elected emperor was obliged
to journey to Rome to receive the formal blessing of the Pope (*an
heiligen Sohlen*) and kiss the Pope's slipper (*der Pantoffelkuß*).

5079–5080 Disguised as a fool, the man of sense acts as wisely as he can
under the circumstances.

5083 **zudringlich** 'crowding eagerly.'

5084 **unverdrossen** 'Don't feel abashed' in your caperings; the whole
world is foolish, in the last analysis.

SD 5088 The first group in the procession is disguised as Florentine
flower girls. They sing to the accompaniment of a lutelike instrument called a *Mandoline*. The modern development of this instrument is the Italian mandolin, with five double courses of strings
which are plucked with a plectrum. The older instrument had four

or five courses of single strings and was much more like the modern Spanish guitar. See SD 5177.

5091 folgten They were attracted to this German court by its splendor.

5096–5099 Their flowers are artificial flowers which blossom all year. That they wear such flowers in their hair is a thing of which to be proud, as they see it.

5100–5107 In the making of these artificial flowers, a proper symmetrical arrangement (*ihr Recht*) was given to all sorts of colored pieces cut out of paper. Some readers see in these lines a compliment paid by Goethe to his wife, Christiane Vulpius, who, before her union with the poet, earned her living by making artificial flowers. — The goal of art is beauty and the essential quality of woman is closely related thereto.

5109 Häupten An old dative plural form, without the plural ending *–er*. This form still survives in a few set phrases. — The girls from Florence are thought of as carrying baskets of flowers on their heads and on their arms.

5114 zu umdrängen 'to be surrounded.'

5116–5119 The gardener girls address the others on the stage; they invite offers to purchase their wares (*feilschet*), but admonish against haggling over prices (*Markten*). Each of the flowers is to address the company, as it offers itself for sale, and to say in a few well-chosen words what its excellent qualities are, so a would-be purchaser may know what he is bidding for. First comes the olive branch with olives — that is, a girl duly dressed up to represent an olive branch, or at any rate presenting one and speaking for it. — Another interpretation takes *feilschet = feil bieten* and holds that the chorus of gardener girls is addressing itself.

5122 The antecedent of *'s* is to be supplied from the context, something like 'invidious conflict' (from *beneid'* and *Widerstreit*), which is contrary to the peaceful nature of the olive branch.

5123 Olive culture is the mainstay of the economic life of the Italian provinces. These girls are from Florence.

SD 5128 Ährenkranz A wreath made up of the ripe heads of wheat, barley, rye, or millet.

5128 Ceres A sister of Juno, Pluto, Neptune, and Jupiter, also known as Demeter. She was the goddess of sowing and reaping, of harvest festivals, and of agriculture in general.

5130 Those gifts of Ceres which, to the person using them, are the most highly desired of benefits.

5135 Mode It was a new fashion in the last quarter of the eighteenth century in Weimar to wear artificial flowers, either imported from Italy or made nearer home. See note to lines 5100–5107 above.

5137 Theophrastus of Lesbos (about 372–287 B.C.), pupil of Aristotle and himself a great peripatetic philosopher. Most of his many works are lost, but two concerning plants are preserved and he has therefore sometimes been called the father of botany. The implication is that not even the greatest botanist would venture a name for this artificial bouquet.

5139 mancher Dative singular feminine: the sales appeal is to the ladies.

5144 The rosebuds challenge these artificial flowers. — **Phantasien**
The abstract for the concrete = *Phantasiesträuße* (SD 5132, SD 5136).

5155–5157 'What we promise, what we grant, — that dominates, in the
realm of flowers, eye, mind, and heart, all together.'

5156 Flora, the goddess of flowers.

SD 5158 **Theorben** An arch-lute with fourteen to sixteen strings, half
of which were bass courses tuned in a relatively low range of pitch.

5160 Fruits, as distinct from artificial flowers, offer no deception. They
are enjoyed when tasted, not merely when looked at.

5162 **bräunliche Gesichter** Gardeners with sun-bronzed faces. — Another interpretation takes *bräunliche Gesichter* as accusative, object of *bieten*, and thus understands the nouns *Kirschen*, *Pfirschen*,
and *Königspflaumen* as subjects of *bieten*.

5168–5169 The contrast is between romantic aesthetic pleasures on the
one hand and pragmatic practical enjoyments on the other.

5170 The gardeners now address the flower girls and join them.

SD 5177 **stufenweis** In the arbors in which these wares are displayed
there are terracelike sets of steps, on which the baskets and bouquets
may be tastefully arrayed. — The girls' chorus first appeared at
line 5088 singing to the accompaniment of *Mandolinen*. Now the
'mandolins' seem to have been replaced by *Gitarren*.

SD 5178 **Mutter und Tochter** Solo parts with very earthy content
are set between two groups of fanciful romantic mummers. — The
mother has tried to catch the eye of a desirable suitor for her
daughter by putting her on display, much as the flower girls have
displayed their artificial blooms. Now, the mother advises more
drastic means to catch a husband, somewhat in the sense that the
gardeners have recommended the enjoyment of their wares.

5194 **Pfänderspiel** Any kind of a game in which the penalty for a mistake
or failure is a kiss, or several kisses. — **Dritter Mann** A variety
of drop-the-handkerchief. A number of pairs of players form a circle,
leaving some space between each two pairs, and having one member
of each pair directly in front of the other. Two players are outside
of this circle; one, who is armed with a knotted handkerchief, pur-
sues the other, who at his pleasure enters the circle and stands
before one of the pairs. The player on the outside thus becomes the
'third man' in that 'pair' and must flee at once or be hit with the
handkerchief, in which event he becomes the pursuer of the player
who has hit him.

5196 **Narren** Carnival activities conduce to amorous adventures and
foolish actions. This irresponsible mother advises her daughter to
seize the opportunity to obligate some man to marry her.

SD 5198 The scene may be thought of as a ballet, and the 'most pleasant
dialogues' are in pantomime. This dainty play is interrupted by the
clumsy groups which next appear.

5203 **tragen** They carry the logs they have cut.

5220 The *pulcinelli* traditionally wore tall conical "dunce's caps," and
gaily colored, loose-fitting clown suits of light, flimsy material.

5223 Take the verb *sind*, by implication from 5217, with this *wir*.

5228 **anzukrähen** An allusion to the basic meaning of *pulcinella*, which is derived from *pulcino* 'chicken.'

5229 **auf** 'in response to.'

SD 5237 **Parasiten** In the political sense. — Fawning, greedy parasites were stock figures in ancient comedy.

5244 **Doppelblasen** Possibly an allusion to the Epistle of James 3.10: "Out of the same mouth cometh forth blessing and cursing," but more probably the proverbial "kalt und warm aus einem Munde blasen," which goes back to one of Aesop's fables and means 'to appear both to favor and to oppose a thing.' These parasites flatter the woodcutters, for, without wood, there would be no fires at which to cook for their greedy maws.

5266 **sie** Presumably refers to *frische Lust* and *heitre Lieder*. Others take *sie* to refer to the companions of this Drunken Man.

5269 **Du** Addressed to one of his audience.

5271–5272 His lady cried out in dismay at his carnival costume and turned up her nose at it.

5274 **Maskenstock** Literally, a dummy: a wooden form for the making or the display of a costume, like *Haubenstock, Perückenstock*. — The lady meant that the speaker was "wooden" and "lifeless," perhaps even "brainless."

5293 **Span** Perhaps 'a tub.'

SD 5295 This stage direction suggests Goethe's intention, not fulfilled, to amplify this scene. It is, however, the sort of thing a competent theater director could manage without further text.

In the sketches which Goethe made for this scene there are two groups of lines which appear to be correlated with the words *Naturdichter* and *Hof- und Rittersänger*. The first he called *Natur und Liebe*, and these would seem to be appropriate also to the *zärtliche Poeten*. The second he called *Ruhm und Leidenschaft*, which might be associated with the enthusiasts. It appears probable that Goethe was not satirizing major figures in eighteenth and early nineteenth century German letters, but rather the "à la mode" poets of lesser stature who were in the public eye in 1827 or 1828.

5295 The Satirist, viewing the windy rivalry of the poets of SD 5295, ironically proposes to write something which no one at all would wish to hear.

SD 5298 This stage direction, like that at line 5295, puts something of a burden on the director. Probably it, too, indicates an intention on Goethe's part to amplify the scene at this point.

Poets of the Night and Grave are the exponents of horror, such as E. T. A. Hoffmann, in his *Nachtstücke* (1817) or in the *Bergwerke zu Falun*. Goethe's remarks to Eckermann, March 14, 1830, throw some light on what was here in his mind. In his discussion of the revolution then going on in French literature he said: "So wollten auch die Franzosen bei ihrer jetzigen literarischen Umwälzung anfänglich nichts weiter als eine freiere Form; aber dabei bleiben sie jetzt nicht stehen, sondern sie verwerfen neben der Form auch den bisherigen Inhalt. Die Darstellung edler Gesinnungen und Taten fängt man an für langweilig zu erklären, und man

versucht sich in Behandlung von allerlei Verruchtheiten. An die
Stelle des schönen Inhalts griechischer Mythologie treten Teufel,
Hexen und Vampire, und die erhabenen Helden der Vorzeit müssen Gaunern und Galeerensklaven Platz machen. Dergleichen ist
pikant! Das wirkt!" The Vampire, therefore, is the symbol of this
ghastly, ghoulish vogue in literature. Greek mythology, on the
other hand, was in Goethe's mind the antithesis of this poetry of
horror, and hence Goethe summoned certain figures from Greek
mythology to appear at this point.

SD 5299   The Graces were goddesses presiding over the banquet, the
dance, and polite social intercourse in general. There were three of
them: Euphrosyne, Aglaia, and Thalia. Instead of Thalia, Goethe
used the name Hegemone, which he got from the mythological
lexicon of Hederich, his usual source for this kind of information.
[Benjamin Hederich, GRÜNDLICHES MYTHOLOGISCHES LEXIKON; see
Volume I, p. 325]. We have then, Aglaia, the resplendent one;
Hegemone, the leader; Euphrosyne, the joyous one.

5299–5304   Goethe here follows Hederich. The first grace bestows the
favor, the second receives it, and the third requites the favor with
gratitude.

SD 5305   **die Parzen**   The Fates, whose function it was to spin the
thread of human destiny and to cut it off as they saw fit. Hence
they are equipped with flax, a reel, and a pair of shears. Goethe's
assignment of the spinning to Atropos and the shears to Klotho
reverses the usual arrangement. This is a special concession to the
gaiety of the occasion. The one whose duty normally is to cut the
thread of life has been asked to spin it.

5309   **euch**   Addressed to the revelers of the carnival.

5315   **Grenzen**   Here in the unusual sense of 'limitations.' The word
Grenze is usually applied either to a boundary in space or metaphorically to a limit as if in space, e.g., *die Grenzen der menschlichen Kraft*,
'limits beyond which human strength does not go.'

5316   **möchte**   'might possibly.'

5320   **unsrer Alten**   Refers to Atropos.

5321   **Zerrt**   Like *schleppt* (5324), a present tense form. The tense
normally to be expected after *war . . . erbaut* is past, as in *irrte*
(5326). — The accusation is that Atropos had prolonged the life
of the most useless creatures and had sent the most promising young
people to their graves too early.

5327   **heute**   This being a day of festivity, Klotho has put away the
shears, lest she inadvertently cut off some life and thus spoil the
party.

5333   **verständig**   Supply *bin.*

5335   **Weife**   A reel for winding up the thread which has been spun.
Each length of thread represents a human life.

5343   **zählen, messen**   Either intransitives, equivalent to *zählen sich,
messen sich* with the subjects *Stunden* and *Jahre* respectively, or
infinitives, to be understood with a governing verb such as *muß ich*
(Lachesis) and with the objects *Stunden* and *Jahre.* Either: 'Hours

are counted off, years are measured,' or '(I must) count off hours, measure off years.'

5344 **der Weber** The Supreme Weaver, at his pleasure, takes a skein from the reel to weave this thread into the pattern of human life as he sees fit.

5349 The Furies were attendants of the Queen of Hades, Proserpine, who had a dual nature. When Proserpine is Goddess of Spring, dear to men, she brings with her on her annual visit to earth a cornucopia replete with flowers. When she is Goddess of Death, enthroned beside Pluto in Hades, she sends the Furies out on their cruel missions and is the enemy of youth, life, and hope. Some of this dual nature has been transferred to the Furies, who here, for the special occasion of this carnival, are endowed with unusual attractiveness.

5352 **schlangenhaft** The heads of the Furies are wreathed in serpents. They look like doves, but they are as dangerous as serpents. — **Tauben** is the subject of *verletzen*.

5355 They do not claim to be angels; they confess their evil nature.

SD 5357 All three Furies incited an unpunished evildoer to the frenzies of remorse. But each also had a special function: Alecto instigated suspicion, hatred, jealousy, and war; Megaera incited to envy; Tisiphone drove her victims to vengeance.

5357 **Was hilft es euch?** 'This warning by the Herald will avail you nothing.'

5362 **sie** The *Liebeschätzchen* of 5359.

5366 **Freund** Her fiancé.

5372 **Stunden** The astronomical hours which determine the horoscope of each person. They differ because each horoscope is taken for the moment of the individual's birth. See note to line 4949. — Megaera finds her task of creating trouble easy, because people are different, or unequal, both as to natural endowments and as to their fortunes.

5375 **vom höchsten Glück** To be construed with *sich (weg)sehnte,* meaning approximately: 'No one has firmly in his embrace the one he most has desired who would not, turning from this highest bliss to which he is becoming accustomed, long foolishly for another which he desires even more ardently.'

5376 This line summarizes the preceding two lines in a metaphor. He flees from the sun (the woman who loves him), and seeks to make warm the freezing coldness (of some other lady, who appears to him more desirable).

5378 **Asmodi** Asmodeus, the evil spirit of anger and lust who foments discord between husband and wife. He is a figure of Jewish demonology, where he is King of the Demons, having Lilith as his Queen.

5382 **dem Verräter** The traitor who is faithless to vows of love is to die by poison or by the dagger.

5384 **hat durchdrungen** The present perfect, used as a very vivid future: 'will run you through' (as a sword runs through its victim).

5386 **Gischt** Apparently a play of words, based on the hackneyed phrase *Gift und Galle* 'bitterness.'

5388 **er** The 'traitor' of line 5382. — **beging** Prose would be: *wie er es auch begangen hat* (or *hätte*) 'Regardless of the circumstances under which he committed this (betrayal),' or 'As surely as he did it, just so surely will he pay for it.'

5390 Tisiphone's "cause" is vengeance. She addresses her appeal to the rocks, because they are unfeeling and relentless. They give her the reply she seeks: the echo of her complaint. This confirms her in her purpose: *Rache.*

5392 **wechselt** 'He who is inconstant in his love . . .'

5394 **euresgleichen** This is addressed to all and sundry — the participants in the masque and the others on the stage.

5397 **Schlangenrüssel** This beast is a richly and gaily decorated elephant (Power) guided by a beautiful damsel (Prudence) seated upon its neck. On its back it bears a towering structure in which another lady stands, most resplendent in her beauty (Victory).

5403 The two ladies in chains are Fear and Hope, who speak at 5407 and 5423. The words of each are equally misleading.

5412 **Verdacht** The suspicion that they are hostile to her.

5415 She picks out one individual among the revelers, a former friend.

5418 This amounts to a stage direction for the individual thus "discovered."

5419–5420 Fear would gladly take any route of escape out into the world, but is deterred by the threat of her destruction, which she sees beyond the boundaries of this masque. So she is held gripped between the fog of uncertainty and the terror from beyond.

5438 **wir** Hope and the ladies of the masque, whom she is trying to persuade to follow her.

5440 **irgendwo** 'If we just look about hopefully, we must find the best, the highest good, somewhere. There's no need to do more than hope.'

SD 5441 **Klugheit** Prudence holds Fear and Hope captive, while from her perch on the elephant's neck she points to Winged Victory standing in the battlements of a tower which has been built on the back of the pachyderm.

5444 **Ihr** The people of the crowd, and hence all mankind.

5445 **Den Kolossen** An unusual weak singular accusative form. This noun is regularly strong.

5453 **Glorie** A synonym of *Glanz* 'splendor, radiance.'

SD 5457 **Zoilo-Thersites** A hybrid creature — a combination of Zoilus, the bitter, envious, unjust, carping critic of Homer, and Thersites, the ugliest and most scurrilous of the Greeks before Troy. Probably Goethe intended this character to wear a mask with two faces, one in front and one behind. At any rate, Mephistopheles is responsible for the introduction of this unpleasant person into the midst of the festivities — if indeed he is not himself the wearer of this mask.

5466 Prose order would be: *bringt es mich sogleich in Harnisch.*

5467–5470 This noisome churl is happy only when he can turn everything upside down.

5472 **Meisterstreich** Reminiscent, perhaps, of the blow Ulysses gave Thersites (ILIAD 2, 265). But now something quite uncanny occurs. The doubly masked dwarfish figure becomes a mere shapeless mass which behaves like a great egg, out of which an adder and a bat emerge. — **frommen Stabes** The staff is 'pious' because it is a badge of its bearer's authority, for which respect is demanded.

5494 **Seit** The conjunction, equivalent to *da*.

5499 **wanke, weiche** Indicatives, with the subject *ich* understood.

5504–5505 If what Zoilo-Thersites did aroused suspicion, that was nothing compared with the commotion stirred up in the background.

5511 What the Herald sees is a chariot drawn through the crowd by four snorting winged dragons, which is somehow able to come roaring along in the midst of the people without forcing any of them to move. The Herald can't understand this, but we see that it is some more of Mephistopheles' magic.

SD 5521 **Knabe Wagenlenker** The personification of Poetry, as we know from Goethe's remarks to Eckermann, December 20, 1829, and from lines 5573–5574.

5525 **Räume** The imperial palace.

5542 **Wort** The answer to the riddle.

5546 **Socken** 'shoes.' See note to line 1808.

5551 **lehrten** Unreal subjunctive: 'would teach' the ABC of love.

5559 Greater than his happiness in his possessions. *Besitz und Glück* is hendiadys for an unrecorded compound *Besitzes-Glück*.

5562 **beschreibt sich nicht** 'cannot be described.'

5563–5566 A verb, *beschreiben sich* (or *lassen sich beschreiben*), may be inferred from line 5562. One cannot adequately describe dignity; but the face, the mouth, the cheeks, and the rich comfort of this person's flowing raiment can be described.

5568 The Herald's business requires that he recognize a king when he sees one.

5569 **Plutus** An allegorical personification of wealth, not Pluto, the King of Hades.

5578–5579 Poetry gives life and beauty to the festivities of wealth. It adds spiritual exaltation to the material comforts wealth can give. — One needs to remember that even in Goethe's day many poets depended upon the patronage of princes for their livings.

5588 **Flämmchen** The spark of inspiration; see lines 5630–5639.

5592 **Kleinode** The sentence is elliptical: 'he flips jewels (round about him) as (one sees such things only) in a dream.'

5595 **was einer . . . griffe** 'No matter what one may have seized.' — *griffe* is a past subjunctive form, with past time value, as in earlier German. Another interpretation takes *griffe* as equivalent to *greife*, the present subjunctive, used concessively, and substituted for the sake of the rime.

5596 **des** = *dafür, davon*.

5598–5599 The glittering pearls (of poetry) turn into crawling bugs in the hands of the many (*die liebe Menge* = *hoi polloi*).

5607 der Schale Wesen The inner nature of this outer appearance, with the added implication that in this case *Wesen* and *Schale* are inseparable, as Goethe elsewhere said: "Natur hat weder Kern noch Schale." — Logically, one should expect *Wesen zu ergründen* to be the subject of *sind* (5608), but this has taken its plural number from its predicate *Hofgeschäfte*.

5616–5621 The association between Poetry and Wealth is not a new one. Poetry has always engaged in the glorification of its wealthy patrons.

5617 Palme The palm is the usual token of military or political victory, as the laurel (5620) is the token of victory in a poetic competition.

5623 Genesis 2.23. The man from whose rib Jehovah has just created woman looks upon this creation and says: "This is now bone of my bones and flesh of my flesh." *Geist von meinem Geiste* may be an allusion to this biblical verse.

5627 grünen Zweig Of laurel; see note to 5617.

5629 A paraphrase of the words of the Voice from Heaven acknowledging Jesus as Son, during the baptism of Jesus and just before Jesus was sent into the wilderness by the Spirit; see Luke 3.22, Mark 1.11, Matthew 3.17, John 1.32–34.

5630–5639 A little of the divine afflatus of poetry is vouchsafed to everyone, but many fail to recognize it before it burns out. Only a few momentarily show that they possess it. — Darting flames on the head of a figure were used as symbols of "spirit" by Christian artists, probably on the basis of Acts 2.3–4: "And there appeared unto them cloven tongues like as of fire, and it sat upon each of them. And they were all filled with the Holy Ghost, and began to speak with other tongues, as the Spirit gave them utterance."

5642 The clown squatting on the chariot of Plutus is Mephistopheles, who personifies Avarice.

5645 One of the women has pinched (or thought of pinching) him, but he is so skinny there is no meat beneath his hide.

5648 die Frau Every woman, as lady of her own house.

5653 Laster Covetousness or greed (*Avaritia*) is second on the list of the seven deadly sins in the view of the medieval church.

5654–5665 The fiction is that the women of this court and time had ceased to be careful with money. Hence *Avaritia*, a feminine noun, has changed gender (5665) and become *der Geiz*, a masculine noun, to symbolize the fact that it is now the husbands who have become miserly.

5666 der Drache The Devil, here in the mask of Covetousness. 'Let the old dragon be stingy with his own kind! It is all a hoax anyway!'

5668 Er The skinny fellow, Covetousness.

5671 Marterholz The skinny figure of *der Geiz* is compared with a wooden cross or rack used for torture, or with one of the wooden crucifixes so often set up beside the roads in Roman Catholic countries.

5684–5688 Quite miraculous, since these dragon steeds presumably have no hands.

5686 **Gold und Geiz** The gold is inside; Covetousness is sitting upon the box.

5689–5696 Plutus refers to the material world, represented by the chest of gold, as an all-too-burdensome weight upon the chariot of Poetry. Poetry's place is not amidst the confusion of everyday life but on the high summits of solitary clarity. These words recall those of the *Dichter*, lines 59–66.

5697 **Abgesandten** An ambassador from the material world to the new world he is to create, in which only the good and the beautiful are accepted. These two worlds are thought of as mutually exclusive; men must choose between them (5702).

5705–5706 The act of creating poetry forces the poet to divulge his secret thoughts: poetry is self-revelation by the poet.

5712 **goldnem Blute** Liquid gold which threatens to engulf and to melt the crowns and jewels, which at first appear on the surface of this bubbling mass.

5713 **zunächst** 'next to' (the bubbling gold).

5718 **gemünzte Rollen** A metaphor for rolls of minted coins, *Geld-rollen*. This hot, bubbling mass miraculously does not immediately burn the wrappings of these rolls of coins. Ducats, themselves gold coins, hop out of the chest as if they were just being minted.

5721 **alle mein Begehr** *Begehr* is neuter, *alle* is an invariable, uninflected form of the adjective. Similar uses occur at 1946, *Mir wird von alle dem so dumm*, and at 9849, *alle den Kämpfenden*.

5725 The speakers alternate throughout this section, 5715–5726. The last group proposes to take possession of the chest itself. The preceding group had picked up ducats.

5727 The Herald protests in surprise this unscheduled intervention of the crowd. He sputters: "*Was soll's? Ihr Toren!*" 'What's the meaning of this? You fools!' *Soll mir das?* may be taken either as repetition = *Was soll mir das bedeuten?* or as equivalent to "*Soll mir das geschehen?*" 'Is this going to happen to me?' 'Is this party, for the orderliness of which I am responsible, going to get completely out of hand?'

5734 **soll** 'Is, in your sight.'

5735 **soll** 'Of what use (is truth to you)?'

5736 **Zipfeln** These belong to the *Wahn*, the delusion, which stands for the thing causing the delusion: 'You seize a stupid sham by every tag and end.'

5741 **Sud und Glut** Hendiadys for *siedende Glut* 'boiling fire' (of the treasure chest, 5716). See also *Glut und Sud* (5925).

SD 5748 The following lines are to be managed, like lines 5715–5726, as a series of outcries from various members of the group of bystanders, this time in sequence, as Plutus makes his round forcing back the crowd with the Herald's glowing staff.

5762 The invisible band is a magic circle now quickly drawn around the chest. Included in the area within this circle are only Plutus, *der Geiz*, and the Herald.

5799 This lewd *Geiz* has made a phallus out of the pliable gold. — **übel-fertig** 'skilled in evil.'

5797 It is not probable that this is true, for this rascal, the *Geiz*, is in fact Mephistopheles, who must be supposed to know about all of this hocus-pocus.

5800 Gesetz The authority of the Herald might restrain the *Geiz*, but the hubbub to come will certainly put a stop to this lewd behavior.

5801–5806 das wilde Heer 'Wild,' because it knows no discipline. — These lines are spoken by the arriving vassals of the great god Pan, who describe their own procession, instead of letting it be described by the Herald. A similar device is used at 5816, 5819, 5829, 5864. The first to appear are fauns, satyrs, gnomes, giants, and nymphs.

5804 Pan was the son of Mercury and a wood-nymph, or dryad. He was the god of the woods and fields and the protector of shepherds and flocks. He was noted as the inventor of the syrinx, or shepherd's pipe, which he played like a virtuoso. This Pan seems, however, to be the late Greek god, who ruled over all nature, his name having become confused with the Greek pronominal word meaning 'all' (cf. *Pan-Hellenic*).

5805 was keiner weiß The "Wild Army" says that it knows something which none of the others present knows. This is that the Emperor is disguised in the mask of Pan. Plutus knows this too; see line 5809.

5810 schuldig 'as duty requires.'

5815 This line is addressed to the bystanders and masqueraders outside the circle.

5816 One would expect: *Wir kommen, wir treten*, since these singers are a part of the retinue of Pan (5801). However, they address the onlookers as *geputztes Volk* and then report their own arrival as though they were the Herald.

5819 Fauns were sportive minor deities of Roman mythology, named after Faunus, the grandson of Saturn. They are usually represented as having the ears and legs of a goat.

5829 Satyrs were morphologically peculiar forest deities of Greek mythology. Like the Roman fauns (see note 5819) they sometimes appear with snub noses, luxuriant beards, goats' ears, and horses' tails. At other times they look like handsome young men except for sprouting horns. In Roman poetry a satyr is likely to be described as having the legs of a goat.

5831 ihm (*dem Satyr*) *sollen sie* (*Fuß und Bein*) *mager sein.*

5834 Freiheitsluft This contrast of freedom on the mountain tops with confinement in the valleys was used effectively by both Goethe and Schiller as a symbol of the contrast of *Natur* with *Kultur*. It is not unlikely that Goethe here remembered Schiller's lines:

> Auf den Bergen ist Freiheit! Der Hauch der Grüfte
> steigt nicht hinauf in die reinen Lüfte;
> die Welt ist vollkommen überall,
> wo der Mensch nicht hinkommt mit seiner Qual.

[*Die Braut von Messina*, 2585–2588]

SD 5840 The gnomes belong to Germanic rather than to classic mythology. These appear to be *Schrate, Wald- und Bergschrate,* little elflike spirits who specialize in mining operations. Hence they carry little lanterns and their clothing is moss-stained.

5841 The *Bergschrate* do not dance in pairs, as the fauns and satyrs did.

5845 **Leuchtameisen** Creatures of the poet's imagination. They are what ants would be if they had the ability to show a flashing light like that of the beetles we call fireflies or lightning-bugs.

5848 **Gütchen** Helpful, friendly little house sprites or goblins, like our brownies.

5851 **Adern** Veins of precious minerals in the rocks.

5853 **Glückauf!** The standard greeting to a miner about to descend into a mine; also a general greeting, used whenever miners meet.

5859 This general murder is war.

5860 **die drei Gebot'** An allusion to Exodus 20.1–17. The three here referred to are: 'Thou shalt not kill' (5859), 'Thou shalt not steal' (5857), and 'Thou shalt not commit adultery' (5857).

5864 The giants are describing themselves in the third person. These particular giants are also creatures of Germanic mythology. A similar giant figure, complete with uprooted pine or fir tree in hand, can be seen on the coats of arms of numerous North German noble families.

5865 The highest mountain in the Harz is the Brocken, the scene of the *Walpurgisnacht* of Part I (Scene 23). These hills lie about 45 miles south and a little east of the city of Hanover, and 135 miles northeast of Frankfurt-am-Main.

5871 The giants proclaim themselves a better bodyguard than the Vatican guards of the Pope in Rome.

SD 5872 There were several classes of nymphs. Pan's partners in the dance here are Dryads, tree-nymphs. There were also the Oreads, nymphs of mountains and caves, and the Naiads, water-nymphs.

5873–5875 Pan is falsely interpreted to mean 'all' by a confusion of two Greek words: *pân,* and a very common pronoun and prefix *pan* (neuter singular of *pas*), meaning 'all' or 'wholly.' His name, *pân,* properly means 'the shepherd,' the protector of grazing animals. — Goethe was aware of this error but assumed that it would not trouble his readers. See also note to line 5804.

5876 The nymphs call upon each other to surround the great Pan.

5884 The noonday silence which comes over nature used to be observed with the remark: "The great Pan is asleep."

5885 **regt** Moved from the beginning to the end of its clause for the sake of the "rime," which is an assonance, rather than a pure rime. Assonance is not unusual in this part of FAUST. See Volume I, p. 143.

5888 No one dares disturb Pan's slumber.

5893 **wo ein noch aus** 'Which way to turn.'

5894–5895 Pan may cause a 'panic' (*der panische Schrecken*); see lines 10 780–10 782.

5896 Paul's Epistle to the Romans 13.7: 'Render . . . honor to whom honor is due.'

SD 5898 The gnomes are miners. Having discovered gold, they send a deputation to their ruler to announce this fact, as is required by law.

5898 **Gute** The vein of gold.

5900 The divining rod was supposed to have the magic power to indicate the location of any treasure which its operator wished to find. These rods, called "dowsers," are still widely used in the search for promising locations for wells.

5907 **Quelle** A rivulet of pure gold and even an abundance of gold coins (5717–5718) have been discovered running from the chest which has been unloaded from the chariot of Plutus. This is the *Feuerquelle* of line 5921.

5914 **im hohen Sinne** 'serenely.'

5917 Plutus (Faust) knows what turn the hocus-pocus is to take. The Herald proceeds to describe it, 5920–5969.

5921–5925 A gaping abyss (*Schlund : Mund*) opens up, from which fire intermittently flames forth.

5925 **Glut und Sud** Like *Sud und Glut* (5741), hendiadys for 'boiling fire.'

5929 **Wesen** 'goings on': the fiery manifestations.

5931 Pan loses part of his disguise, is almost, but not quite, unmasked.

5935 The beard falls into the fire, is ignited, and then flies back to its place, where it sets fire to the rest of Pan's costume.

5940 **es** = *man* The crowd.

5948 The Herald foresees the news report of the day which is to come. That report will say that the Emperor, having participated in the masque in the guise of the great god Pan, was severely burned in a great fire which took place, and is (5951) suffering great agony.

5954 **sie** = *die Schar* (5953). The young courtiers of the Emperor's retinue. The Herald censures their bad judgment in persuading the Emperor to put on a highly flammable costume for which even pine twigs (5955) were used.

5970 **genug** Enough of horror to convince this Emperor that Faust (Plutus) is a very powerful fellow, whom he would do well to retain in his service. Any time evil spirits threaten trouble, Faust, the great magician, will deal with them (5985–5986).

5972 Again using the Herald's staff, Plutus restores order by calling down mists and fog to engulf the flames.

5983 **Wetterleuchten** As the flames are quelled by steam clouds, they flare up occasionally, producing an effect like that of heat-lightning.

31. LUSTGARTEN

This scene takes place on the morning following the masque. Its function is to bring Faust into a position of prominence in the Imperial Court. He becomes a great figure in the great world (2052), and thus

lays the basis for his further enterprises as a feudal lord and land-
holder.

5987 **Flammengaukelspiel** Described in lines 5920–5969. This is the
first indication given in the text that Faust was Plutus.

5990 Since the Emperor (Pan) had entered (5920) the magic circle drawn
by Plutus-Faust (5762), he had enjoyed the proceedings without
fear (5926–5927). He had felt as though he were lord of the nether
world (Pluto; see note to line 5569), amidst all the fire and flames
of Faust's "show." His vision of the vast subterranean vault and
the homage of great crowds of people was an illusion.

5991 **Aus** 'Appearing out of,' 'showing itself in the midst of.' — **Nacht und
Kohlen** Hendiadys, like *Sud und Glut* (5741) 'coal (black) night.'

5995 The dome of the *Gewölbe* (5994).

5996 **ward, verlor** The dome was not stable, it formed and broke up intermittently.

5997 **gewundner Feuersäulen** 'twisted columns of fire.' One may think
of long rows of twisted columns such as the four which support the
baldachin over the main altar in St. Peter's in Rome.

6001 **ein' und andern** 'one and another,' 'various people.'

6002 According to popular superstition, salamanders are unharmed by
flames.

6003 **Element** Mephistopheles speaks here in terms of the philosophy of
Paracelsus (1493–1541). The Emperor may be thought of as a
contemporary of Paracelsus. See also Part I, lines 1273 ff., where
fire, water, air, and earth are cited. Just as the Emperor had fancied
himself the center of homage in a realm of fire (5990–6002), so he
will find himself the ruler of the realm of water, if he throws himself
into the sea (6006). Mephistopheles paints a very flattering picture.

6008 **Rund** A charmed circle (or sphere) within which the Emperor is
secure. This repeats the motif of the circle of 5747.

6009–6010 The choice of colors here is not arbitrary, but carefully
considered and in accord with Goethe's FARBENLEHRE, *Didak-
tischer Teil*, § 164.

6014 The very walls of this submarine palace are alive with the denizens
of the deep which dart back and forth in great hosts with the speed
of an arrow. They, like the sea monsters, would be attracted by the
resplendence of a submarine imperial court, at which they may look
but which they are forbidden to enter. — Goethe was here imagina-
tively describing the wonders of the deep which, up to his time, no
human being had seen.

6022 **Nereiden** Nereids, the fifty daughters of Nereus, god of the sea.
Best known of this host of beauties were Panope, Galatea, Thetis,
and Amphitrite. We encounter these charming creatures as a chorus
in the Classical Walpurgis Night, and Galatea even speaks a few
lines there.

6025 **spätern** One of the manuscript notes penciled in Goethe's own
hand has *alten* instead of *spätern*, and there seems to be no doubt
that the adjective was intended to refer to the older, more experienced Nereids.

6026 Peleus, one of the Argonauts, and a grandson of Jupiter, married
Thetis, daughter of Nereus. From this union sprang Achilles, the
great hero of the Trojan War. Mephistopheles suggests that
Thetis will see in the Emperor a second Peleus and by espousing
him endow him with a throne on Mount Olympus, the home of the
Greek Gods of Heaven. In this way the Emperor could achieve
immortality.

6028 **luft'gen** The third element, the air.

6030 **Erde** The fourth element.

6032 The tales of "A Thousand and One Nights," a very ancient collection of oriental fairy tales, anecdotes, and beast fables, generally
known in English as the "Arabian Nights," in German as "Tausend
und eine Nacht." These tales are alleged to have been told by
Scheherazade to the Emperor of the Indies.

6035 **eure** The Emperor feels himself superior to the everyday world, is
frequently strongly displeased by it. Hence 'your' world — 'you
can have it, I don't want it.'

6039 **als** 'Such as.'

6047 **Lanzknecht** An early sixteenth-century popular version of *Lands-
knecht,* a mercenary soldier in the Imperial army.

6048 **haben's gut** They are prosperous from the openhanded spending
of the soldiery.

6057–6062 This is the warranty under which this paper was to circulate
as money. It lacks the essential "promise to pay" of a responsible
agency, but says only that steps are being taken to make available
the buried treasure of the empire as replacement (*Ersatz*) for
the paper. — The interest of the public of Goethe's day in this kind
of scheme was keener than our own. John Law introduced paper
money into the economy of France in 1716–1718. Louis XV, by
putting such paper currency into circulation without regard to its
redeemability in hard money or goods, caused the whole fiscal structure of the French state to collapse (1721) and cast great discredit
upon the system. In 1789, during the French Revolution, the
French Government resorted to printed money (Assignats), which
within four years was worth only one third its face value. Many
small German principalities tried similar experiments in the late
eighteenth century. Prussian *Tresorscheine* were selling at prices
beyond their real value in December 1829, and the matter was discussed by Goethe and his son (Eckermann, December 27, 1829).

6068 This portion of the doings of the night of the masque is first reported
here. According to these lines one should infer that the Chancellor
and the Treasurer were members of the Deputation of Gnomes
(5898–5913). However, the whole business of the paper money, its
preparation, its circulation, has been accomplished by magical
means, and this alleged signature has been obtained, or falsified, in
the same way.

6072 **Tausendkünstler** Clever fellows who can do all sorts of handwork
with great skill. Also used in the sense of *Schwarzkünstler,* 'magician,' but here equivalent to *Bastler,* or *Boßler,* 'artisans skilled in
many kinds of light handwork.'

6074 **Reihe** Series of notes in all denominations, as indicated.

6081–6082 **überzählig** = *zu groß an Zahl* 'having an unnecessarily numerous membership.' One does not need all of the letters of the alphabet to 'read' the 'sign' of the Emperor on this paper money. This *Zeichen* may be thought of as the usual intricate imperial monogram, which was a rectangular figure of three lines of three letters each, vertically and horizontally, and representing, if the Emperor's name is Frederick, the words, "Signum domini Frederici Romanorum imperatoris invictissimi."

6086 **Flüchtigen** The new imperial notes, once issued, changed hands rapidly. The Proverbs of Solomon have it (23.5): "For riches certainly make themselves wings, like an eagle that flieth toward heaven."

6090 Since the tradespeople required payment as usual in hard cash, these paper notes were first taken to the money brokers for exchange. The money brokers charged a fee for their service in the form of a discount taken from the face value of the notes when they bought them and gave hard money in payment for the balance.

6091 **Schenken** = *Schenkwirt* 'retailer of wines and beer.'

6095–6096 **sprudelt's, kocht's, brät's** 'There is a bubbling, a boiling, a roasting going on.' One would expect also *klappert's*, but the traditional text is *klappert*. Hence one may supply the impersonal *man*, 'people are banging plates about.'

6098 **die Schönste** A lady of pleasure, in search of a paying guest.

6108 **Gürtel** He will lighten his money belt by exchanging metal coins for these paper notes.

6111 **erstarrt** Faust is thinking of the veins of gold in the igneous and metamorphic rocks of the mountains. This gold has solidified from a molten state. Mephistopheles, on the other hand (4931–4938), was thinking in terms of buried treasures of money and jewelry. Faust's fiscal idea is sound and honest: Mephistopheles' is fraudulent.

6121 The necessity for haggling in the exchange of hard money arises from the variations in the purity of the metal, in the coinage of the many different European countries involved, and also from the fact that all gold or silver coins had to be weighed before one knew how much they were really worth.

6125 The buried treasure of ancient peoples will be sold at auction, presumably for hard money, although Mephistopheles passes over this vital point lightly. With the proceeds of this sale, at any rate, the paper money will be redeemed and the people who go to the trouble of presenting it for redemption will be made to appear silly.

6133 Faust and Mephistopheles are appointed custodians of the buried treasure of the land.

6137 **Meister** On the one hand Faust and Mephistopheles, masters of buried treasure and so representatives of *die Unterwelt*, and on the other hand the Treasurer, master of the imperial exchequer, the representative of the upper world.

6144 **er** Each man in turn.

6151–6154 The Emperor observes that an increase of means does not change the nature of these subordinates or fire them with zeal for new adventure. They have never been free men and do not know what the prospect of unlimited possibilities can mean. Since the Emperor also remains what he has always been, some critics see an ironical intent in these lines.

6155 This is the fool who was carried off insensible; see line 4734.

6159 **fallen** The Emperor is throwing bank notes to his old fool.

6161 **wären** The fool is reading the face of the bank note: 'It would appear from what it says here that I have 5000 crowns!'

6170 **gestrengen Herrn** Landed gentry were addressed by their servants and other lesser folk as "*gestrenger Herr*." Mephistopheles says he would be interested in seeing this fool as a landowner on his own estate, with all those possessions about which he has inquired (6167–6169).

32. Finstere Galerie

Faust has led Mephistopheles away from the Great Hall of the palace into a dimly lighted gallery nearby, in order to explain to him privately their next undertaking in the realm of magic.

6177–6182 Faust rejects Mephistopheles' suggestion that they enjoy the fun which might be had from playing tricks on the courtiers and their ladies. He says that Mephistopheles has long since worn out such sources of amusement (*an den Sohlen abgetragen*), and that Mephistopheles is merely trying to avoid the issue. Faust is now being pressed for action in an adventure which Mephistopheles pretends not to wish to undertake. — **Hin- und Widergehn** Just where Mephistopheles has been flitting back and forth is not made clear; he has evidently been evading Faust.

6184 Paris, son of King Priam of Troy, while a visitor in the home of the Greek king of Sparta, Menelaus, made love to the latter's wife, Helena, and carried her off to his home in Troy. Helena, the daughter of Jupiter and Leda, was the fairest of her sex among mortals. Paris was the shepherd-prince, young, handsome, and popular.

6195 **greifst in** 'you are invading.'

6199 **Hexen-Fexen, Gespenst-Gespinsten** Tautological compounds, 'witch-witches,' 'ghost-ghosts,' hence: 'With witchy witches and ghostly ghosts.'

6200 As the antithesis of the beauty of Helen and Paris we have these dwarfs with great goiters. According to folklore a person with a goiter is the impish offspring of a union of the Devil with a witch. Mephistopheles concedes that the kind of ladies he can produce would not be accepted in the role of ancient beauties like Helen of Troy.

6205 **Vater** Suggests an allusion to John 8.44, where the Devil is called: 'a liar, and the father thereof.'

6209 The contrast between the northern, medieval, Christian world and the southern, ancient, pagan world is emphasized.

6216 **Die Mütter** These goddesses are an invention of Goethe, based on remarks of Plutarch (*Life of Marcellus*, Ch. 20; *Concerning the*

Decline of Oracles, Ch. 13 and Ch. 22). To Eckermann's persistent inquiry concerning the philosophical meaning of these figures Goethe's only answer was to repeat line 6217. Poetically, the scene is a very interesting attempt to render perceptible to the senses a supersensuous conception, lying outside the frames of time and place. The interpreter of these lines is well-advised to stick to the text.

6220　Mephistopheles won't (or can't) go: Faust will have to make the trip, if he insists on going through with the project. Hence: *magst* 'may, if you like.' After all, it was Faust who promised to produce these images of Helena and Paris. — **schürfen** From the technical vocabulary of miners; implies searching or prospecting underground.

6228　Faust is unimpressed by Mephistopheles' cryptic speech. He has long since learned rightly to evaluate the hocus-pocus of the Witch's Kitchen.

6231　Faust is reminded of those days long ago when, as Professor of Theology, he felt himself more and more thrust into a vacuum. If he said what he believed to be true, his opponents' contradictions were doubly noisy: he even had to flee into the woods to avoid unpleasant treatment at their hands, and finally, to avoid complete isolation, he was obliged to take up with the Devil. This reminiscence does not correspond in detail with the experiences of Faust set forth in Part I.

6249–6250　**Mystagogen: Neophyten** These words allude to the interpreters of the religious mysteries of the early Christian church and to the new converts to this faith. — **erster** 'foremost.'

6251　**umgekehrt** The *Mystagog* was supposed to clear up mysteries and make complex things appear simple. This one intensifies the mystery and makes simple things appear complex. The mystagogs used mysterious but concrete images for their purposes; Mephistopheles has promised Faust the complete absence of anything he can see, or feel, or otherwise perceive.

6252　**so . . . als** = *sowohl . . . als auch.*

6253　**jene Katze** The cat (Raton) of the old fable (La Fontaine, Book 9, No. 17), who lets the monkey (Bertrand) persuade it to pull hot chestnuts out of the fire for him.

6256　Faust recognizes the complete antithesis between his search for truth and the thinking of Mephistopheles. — **deinem Nichts** 'what you call nothing.'

6259　**Schlüssel** The significant fact is that Mephistopheles has this key, which, like a divining rod, will lead its bearer to the timeless, trackless void where *die Mütter* dwell.

6272　**Schaudern** The most hopeful faculty of humankind is its capacity to apprehend intuitively what it cannot put into words, and to stand in awe of it. Goethe spoke of this kind of awe as the highest achievement of man (to Eckermann, February 18, 1829: ". . . und wenn ihn das Urphänomen in Erstaunen setzt, so sei er zufrieden."). The essential quality of the Urphänomen is its lack of limits (*das Grenzenlose*), and its inaccessibility to study. We know it only by its effects, not directly.

6273–6274 **ihm . . . er** Refer to *der Mensch*, which is implicit in
Menschheit. — However much life in this world may tend to make
this feeling of awe prohibitively expensive, still, being seized with
it, man feels deeply the import of the tremendous unknown.

6277 **in . . . Reiche** 'into the detached realms of images.' — **losgebundne**
= Latin *absoluta* 'detached from all relationships.' — The home of
the Mothers, where phantoms without substance reside. The Ms.
and early editions have *Räume* instead of *Reiche*, which has been
accepted by all modern editors. These 'spaces' or 'realms' cannot
be defined as a place or determined as to time (line 6214). Apparently, the phantoms of all creation are assembled here. Faust is
in search of the phantom of Helena, not yet in search of Helena
herself. That comes later.

6283 **Dreifuß** An allusion to the tripod (stool) on which the oracle of
Apollo at Delphi sat. The tripod of the Mothers glows with a fire
and has a bowl upon it, from which incense vapors arise (6424).

6288 The never-ending amusement of intelligence, whether divine or
human, is the creation of a form, something substantial to match
an insubstantial thought.

6289 **aller Kreatur** 'of all creation.'

6296 **sie** = *die Mütter*.

6298 Paris and Helena are meant.

6302 **Weihrauchsnebel** Presumably, mists of incense arising from the
bowl on the glowing tripod (6424), if treated with proper magical
techniques, may be transformed into visible shapes — for example,
into gods and goddesses. In any event, the phantoms which later
appear are subsequently dissolved in vapors (SD 6563).

6305 The evident poetic purpose of this line is to emphasize the mysterious
hazards of the enterprise upon which Faust has embarked. Mephistopheles' unconcern about his contract with Faust increases the
effect of this mystery.

33. Hell erleuchtete Säle

This scene is an interlude in the interest of realism. Faust's journey
must be made to appear difficult, and the poet can best do this indirectly by insisting that it takes time to accomplish.

6310 The Emperor has promised his guests a special treat: Faust and
Mephistopheles are to produce the spirits of Helen of Troy and her
lover, Paris. If the show fails to materialize, the Emperor will be
made to look ridiculous and thus disgraced. — This situation is
typical of the traditional Faust of the Faust Books.

6313 **laboriert** Mephistopheles lies to the Marshal when he says that
his companion is locked up in seclusion in his laboratory working
on this project. He has sent him off to the abode of the Mothers.

6315 Since buried treasures are the conventional lucky find, the idiom
for finding and recovering any treasure has become: "einen Schatz
heben."

6319   Members of the court are moving about in the thronged halls before the beginning of the spectacle, conversing with one another. A lady approaches Mephistopheles, who, as far as she knows, is a magician.

6327   **er** = *der Mond*   To be inferred from *Mondlicht*.

6332   Prose order would be: *selbst zum Gruß beweg' ich mich ungeschickt*.

6333   The *Fußtritt* was a legally recognized symbol of the authority of the one who gave it over the person to whom it was given. The bridegroom stepped on the foot of the bride immediately after the completion of the marriage ceremony to show that he was now master of this woman. A feudal lord, especially a bishop in his capacity as secular ruler, set his right foot upon the right foot of a vassal to show his sovereignty. The brunette appears to confuse *Fußtritt* with *Füßeln*, the caressing play of lovers' feet under a table (6342).

6336   An allusion to the homeopathic theory of medicine, which Goethe regarded as fraudulent.

6345–6346   **er, ihr, mir**   The eternal triangle of one man and two women.

6357   Superstition has it that a piece of a hangman's rope or a fragment from the ashes of a fire which has burned someone at the stake has great magic powers.

6358   **wir**   The fire by which witches and heretics were burned at the stake was supposed to be tended by devils, to see to it that every fragment of the person and of the embers was consumed. Of course, these devils often had the outward appearance of religious fanatics.

34. RITTERSAAL

The dramatic purpose of this scene is to bring Faust into direct contact with the ideal of feminine beauty, the phantom of Helena, and thus to inspire him to a new all-consuming quest.

6378   This is to be a spirit-show, hence spontaneous and unrehearsed. The Herald cannot announce the play, its actors, and its portent, as is his custom with ordinary performances here. He can merely describe the audience to the audience and invite the show to begin. The Emperor sits in front, facing what appears to be the wall, where on ancient tapestries, like gobelins, he can see depicted the glorious deeds of battle of ancient heroes in the great days of the empire — perhaps the deeds of Frederick Barbarossa, or others of the Hohenstaufen emperors. Or perhaps the scenes were more ancient conflicts, such as the Siege of Troy, or the Wars of Alexander the Great.

6386   **drängen sich**   'are crowded.' People have crowded into their seats to watch the show.

SD 6391   The Astrologer is at the right hand of the Emperor, as usual (SD 4728), and speaks for him, echoing the Herald's signal to begin, and describing the opening of the curtains of the theater. He is also to be master of ceremonies, and therefore mounts the stage.

6394   The tapestries are rolled up as if they were being consumed in a great fire.

6397 **zu erhellen** Dependent upon *scheint* (6396).

SD 6399 The *Souffleurloch* is a recess below the level and in the center
of the front margin of the stage, usually hidden from the audience
by a low hood. Here the prompter sits with his book in easy view
of the players, whom he directs and prompts as necessary.

6405 The columns are compared with Atlas, who supported the vault of
heaven on his shoulders. The temple is evidently a Doric structure.

6409–6410 **wär', wüßt', sollte** 'So that's what they mean by antique. I
shouldn't know what to say in praise of it. It ought to be called
unwieldy and overweighted.'

6412 This architect is praising the characteristic features of the Gothic
(northern, medieval) style. *Schmalpfeiler . . . strebend* appears to
refer to the delicately arched buttresses (*Strebepfeiler*) which, together with the pointed arch, are the marks of Gothic as compared
with Romanesque style of architecture. The Greek Doric temple
displeases him. What Winckelmann, the great German critic of
ancient art, would call "die edle Einfalt und die stille Größe" of
this Greek structure appears rude and awkward to the Architect.

6416–6418 The Astrologer asks that reason be held captive by magic
words and fancy allowed free play.

6420 An adaptation of the saying: "Credo, quia impossibile," 'I believe,
because it is impossible,' which is a misquotation from Tertullian's
De carne christi, Ch. 5, where this Carthaginian foe of heretics,
gnostics, and philosophers in general had defiantly said concerning
God's fatherhood of Christ: "Credo, quia absurdum," 'I believe
it, because it is silly,' and concerning Christ's resurrection: "Certum
est, quia impossibile est." 'It is certain, because it is impossible.'

6423–6424 **Dreifuß, Schale** The tripod is the support upon which the
Schale — a shallow bowl — rests.

6427–6438 Faust's incantation as he prepares to conjure up the shades
of Paris and Helena by touching the tripod with his key. In the
process he says something about these mysterious Mothers. They
have heads about which float active but inanimate images of life,
indeed images of everything that ever was. Some of these are assigned by the Mothers to the realm of day, and are caught up by
the course of life. That is, the images acquire living form. Others
are assigned to the realm of night and these the magician can produce
at will for the delectation of his audience. It would appear, then,
that Faust has said that some of the past is made accessible to human
reason by these Mothers, while other parts of the past are not subject to pragmatic study but are accessible only as phantoms.
Some critics understand the distinction made to be essentially the
distinction between rational, pragmatic knowledge of the past and
the "unconscious, instinctive retention of the past" which some
scholars seek in the subconscious and others see in mythology.

6442 **gedehnt** These participles describe a progression of developments.
The cloud is elongated, compressed then to spherical form, two parts
of it appear interlocked, then divided, and then made a pair. This
describes a process of becoming (*ein Werden*), and the pair which
finds shape from the cloud is Paris and Helena. They are the
persons referred to by the pronoun *sie* in 6444 and 6446. The process

is analogous to that of Goethe's lyric poem "Howards Ehren-gedächtnis" (1820–1821), where the changing forms of clouds delight the god who directs them.

6445   At this point soft music begins to play. The phantoms of Paris and Helena move in time with this music in a kind of ballet.

6459   **Schäferknecht** Alludes to the fact that Paris, son of Priam, was indeed a shepherd-prince. With a leopard skin over his shoulder he does not look like a prince to these northern, medieval courtiers.

6466   The Lord Chamberlain is master of decorum at court.

SD 6468, 6470, 6472   **Derselbe** = *der Kämmerer.*

6471   Paris was asleep on Mount Ida when three goddesses, Juno, Venus, and Minerva, came to ask him to be the judge of their respective claims to the golden apple of Eris (Discord).

6477   Ambrosia, usually the food, as nectar was the drink, of the Greek gods. Sometimes poets have referred to it as a perfume or unguent. Homer (ILIAD 14, 170) has Hera (Juno) use ambrosia as a bathing oil to cleanse her body before anointing it with 'purer oil' when she sets forth on a venture of amorous conquest. The old lady of our passage pretends to more wisdom than she has, though the same notion that youth exhales a fragrance of its own reappears at 9046.

6479   'So that's the lady! She wouldn't excite me at all!'

6483   **Feuerzungen** An allusion to Acts 2.3–4: "And there appeared to them cloven tongues, like as of fire, and it sat upon each of them. And they were all filled with the Holy Ghost and began to speak with other tongues, as the Spirit gave them utterance." Our line represents an interrupted or elliptic utterance: 'And had I tongues as of fire, I could not describe this beauty.'

6487   The appearance of this phantom of Helena provides a new driving force in Faust's career and a new motivation for the poem. Part I dealt in the main with the problem of Faust in the bourgeois world, with his love for and desertion of Gretchen as its principal manifestation. Here he is established in imperial favor and could operate to his heart's content in the greater world of national and international affairs. However, he is carried away by this image of Helena, and is destined to devote himself to the effort to acquire possession of the reality of which this image is the reflection.

6492–6497   The world for the first time appears to Faust as desirable and substantial. He hopes he may die (6493) if he ever turns from this ideal beauty which is revealed to him in the shade of Helena. He recalls another deep experience of beauty — the figure he saw in the mirror in the Witch's Kitchen (2429–2440) — but he feels that this was but a pale adumbration of the beauty of woman, as he now sees this beauty in Helena.

6502   **zu klein** This criticism of Helena is similar to the reaction of many observers to the Venus de' Medici, an ancient statue, copied after the original of Praxiteles. This Venus has an unusually small head.

6509   Endymion was a shepherd youth who was so surpassing fair that the goddess of the moon repeatedly visited him. When her love was discovered, Jupiter gave Endymion the choice between death, in whatever form he might prefer, and perpetual youth coupled with perpetual sleep. Endymion chose the latter alternative, and in his slumber he is still watched over lovingly by the goddess of the moon.

6510 **Derselbe** = *der Poet* of line 6508.

6528–6530 A scurrilous allusion to Helena's hectic love-life. As a mere child she was abducted by Theseus (see note to 6530). After being much sought after by many suitors, she was duly given in marriage to Menelaus. She deserted him to run away with Paris, whom she married in Troy. Upon his death she married his brother, Deiphobus (see note to 9054). After the fall of Troy she returned to Menelaus.

6530 A malicious allusion to the fact that Theseus had stolen Helena from her home in Sparta when she was quite young. She was quickly rescued by her brothers, Castor and Pollux.

SD 6533 **Gelahrter** An old form of *Gelehrter*, used with irony to characterize the pedant. *Hochgelahrter* is used without irony in line 984 and marks the speaker, the old peasant, as an old man. In line 4969 Mephistopheles, speaking through the Astrologer, uses the adjective *hochgelahrte*. Elsewhere Mephistopheles uses the modern form; see 1325, 4917, 6590, 6638, 6644.

6537 An allusion to the ILIAD, Book 3, 156–158, where the Old Men of Troy say:

> Tadelt nicht die Troer und hellumschienten Achaier,
> die um ein solches Weib so lang' ausharren im Elend!
> Einer unsterblichen Göttin fürwahr gleicht jene von Ansehn!
>
> [Translation by Voß]

> Small blame is it that Trojans and well-greaved Achaians
> should for such a woman long-time suffer hardships;
> marvellously like is she to the immortal goddesses to look upon.
>
> [Translation by Chapman]

6555 **Doppelreich** The twofold realm of the real and the ideal, which a spirit may here construct for itself. Essentially, this would be achieved by giving substantial reality to an ideal of beauty, such as the shade of Helena. — **sie** = Helena, who was once remote and now is near at hand.

6557 **doppelt** Once because he had brought her forth from the shades of the Mothers; and once because, as he now intends to do, he will rescue her from Paris, who appears to be carrying her off.

Act II

The basic problem which confronted the poet at this point in the development of his play was that of bringing together in a world of reality his hero, Faust, and Helena, the archetype and symbol of classic beauty. Faust has conjured up the shade of Helena and has been so captivated by this apparition of grace that he will stake his life upon the quest for the reality this shade represents. Helena must return to life upon earth and Faust must bring this about. To accomplish this, he must go to the realm of Persephone (Proserpine) and obtain from her the permission for Helena's return from death to life.

This is an undertaking which transcends the powers of Mephistopheles. He is a stranger in the world of the spirits of classic antiquity and hence unable to lead Faust in this adventure. For this task of leadership Goethe invented Homunculus, a non-corporeal spirit in a glass bottle. This much discussed figure represents pure spirit unhampered by finite form, yet as such imperfect, since the complete *homo sapiens* must have body as well as spirit. The private problem of Homunculus is precisely how to acquire this body. To be sure, when he does so he will no longer be Homunculus, but something else, which may evolve into a man.

When Mephistopheles asks him to look at the unconscious Faust, Homunculus at once discerns Faust's crucial ambition and the way the problem must be attacked, if Faust is to live. The party of three — Homunculus, Mephistopheles, and Faust — sets out for Greece, where each is to work his way through the Classical Walpurgis Night into the classic world of ancient Hellas.

Having alighted upon the soil of Greece, Faust swiftly revives and each of the trio sets out on his own quest. The remainder of Act II therefore has three threads of action, as we observe (1) how Homunculus finally finds his destiny by plunging into the sea to begin corporeal life there, (2) how Faust is led to Manto, who promises to guide him to the throne of Persephone, as she once guided Orpheus, and (3) how Mephistopheles prepares himself for the adventure in classic Greece by acquiring an appropriately repulsive classic shape from the daughters of Phorkys.

The first two scenes constitute the transition from the German world of the Emperor's court and Faust's study to the Classical Walpurgis Night, which is itself the transition to the central action of the entire second part of FAUST, the Helena Episode.

35. HOCHGEWÖLBTES, ENGES GOTISCHES ZIMMER

After the explosive conclusion of the spirit-play at the Emperor's palace, Faust, in a condition of total insensibility, has been carried back to his old study and laid on his bed by Mephistopheles. He has been away from his starting place long enough for the new student, who interviewed Mephistopheles, believing him to be Faust (1867–2048), to become a Baccalaureus, that is, to receive his first degree. This has required certainly not less than three or four years. He is still a student, since the Bachelor's degree merely marked the half-way stage in his seven or eight years' course toward the Magister, which was a degree entitling its holder to teach others.

6567 schwergelöstem = *schwer zu lösendem* 'difficult to loosen.'

6572 A reference to the stained glass windows of the study (line 401).

6577 A reference to lines 1737–1740.

6582 **Pelz** The *Pelzrock* of line 1846.

6584 The *Schüler* of lines 1867–2048.

6588 **Dozent** = *Hochschullehrer* 'professor.'

6590 **'s** 'it,' the air of infallibility.

SD 6592 **Farfarellen** Used by Goethe in the sense of a small moth. The Italian *farfarello* is the name of a demon in Dante's *Inferno*, while the Italian word for the moth in question is *farfalletta*.

6593 **Patron** Mephistopheles called himself (1516–1517) 'Lord of rats and mice, of flies, frogs, bedbugs, and lice,' and is probably to be regarded as lord of all vermin.

6600–6603 Moths in a fur coat are well hidden, but the Devil in a human heart is even more difficult to find.

6605 **säe** The present subjunctive third person singular, used as an optative: 'let one sow.'

6609 Take *euch* with both verbs: *Eilt euch, ihr Liebchen, euch zu verstecken.*

6615 **Grillen** Here in the double sense of 'insects' and 'whims.' Mephistopheles immediately acts on a whim.

6617 **Prinzipal** There is something of a double meaning in this word also. First, it means 'director,' and in Goethe's day was often applied to the director of a traveling troupe of actors. Mephistopheles is about to take the leading role in a theatrical performance. The other meaning of *Prinzipal* is 'boss' or 'head man' in a business house.

SD 6619 A bit of Mephistophelian mischief, to arouse the inanimate halls of learning. These were usually far from being the luxurious structures of our own times. The buildings were rickety, unheated, and often without glass in the windows. Chairs in the lecture halls were a rarity; straw was strewn on the floors, and the students often sat on the floor. Despite the relative luxury of Faust's study, this building is a rambling, dilapidated structure with a long dark corridor.

6624 **das Estrich** *Estrich* is normally a masculine noun. The only other occurrence in Faust, at line 4891, could be either masculine or neuter.

6633 This *Famulus* has been assigned to his duties by Wagner (now Professor Wagner), and he is terrified by the tumultuous appearance of a person whom he must believe to be the great Doctor Faust, returned as mysteriously as he had disappeared (6660).

6634 **Nikodemus** The choice of the name should indicate the character of the person. The Nicodemus of the Gospel of John (3.1) was a Pharisee and a member of the Sanhedrin; he was a good man, a seeker after truth, but a literal-minded conservative.

6635 **Hochwürdiger Herr** 'Right Reverend Father.' The famulus addresses Mephistopheles as he would address a member of the clergy.

— **Oremus!** Latin, 'let us pray.' This, like the making of the sign of the cross, is a defense against evil spirits.

6637   **Student**   A member of the university who has not yet attained a degree.

6638   **Bemooster Herr**   A blend of the terms *bemoostes Haupt* and *alter Herr*, which are used to designate a student who has been in the university a comparatively long time. Occasionally an indolent student, or one lacking in decisiveness, remains for years at a university without standing his examinations for a degree.

6643   In the later development of the Faust story Wagner was made the famous successor of Faust. The *Wagnerbücher* appeared in a number of editions from 1593 onward, the most interesting one in 1714 in Berlin.

6644   **jetzt**   Since Doctor Faust has withdrawn from the academic world.

6650   St. Peter (Matthew 16.19) was given the keys of the Kingdom of Heaven. Wagner also has the knowledge, that is, the keys to unlock the mysteries of the material and of the spiritual world.

6655   **erfand**   Here in the older sense, like English 'find out,' meaning 'discovered.'

6667   **Sternenstunde**   The astrological notion that the conjunction of the planets brings bliss or destruction to men. (See note to line 4949.) Nicodemus is afraid the stars are not propitiously arranged with reference to Faust's deserted study, which seems to him to have been burst open by an earthquake.

6670   **kamt** = *wäret . . . gekommen.*

6678–6682   Dr. Wagner is engaged in a laboratory experiment involving the use of a charcoal fire. He is intent upon its outcome and eagerly seeks (*lechzt*) every moment he can find to devote to it. He has, therefore, ordered his famulus not to disturb him (6673).

6686   **dort hinten**   'off yonder'; see 6711.

6687   **den Neusten**   He belongs to the most recent group of graduates, at the half-way point in the curriculum.

6688   **erdreusten**   'Be brazenly audacious,' a middle-German variant of *erdreisten*. It connotes an amused tolerance of the expected bombast.

SD 6689   In the person of this Bachelor of Arts, who is the neophyte of lines 1868–2048, Goethe personifies the presumptuous egotism of youth, which believes without doubt that the world was created for its immediate personal benefit, and that the world is in dire need of its genius. See the conversation with Eckermann, December 6, 1829.

6692   **der Lebendige**   We young students, who have some life in us.

6694   This life of the scholar, for which he was supposed to be fitting himself, appeared to him a living death.

6699   **verwegen wie nicht einer**   'I'll take as many chances as anyone else.' He has been attracted to the scene by the thunderous, earthquake-like upheaval which resulted when Mephistopheles rang the old bell. But he thinks he has ventured far enough into these ruins.

6707   **Bücherkrusten**   Metonymy for 'books.' The 'crust' is the heavy pigskin binding characteristic of medieval books.

6721   As the Baccalaureus addresses the supposed Professor, he shifts from
       lively four-beat lines to five-beat iambic lines with *abba* rime, as if
       to speak in sonnet form. Yet he completes no more than three lines
       before he reverts to his former easy *Knittelvers*. — **Lethes trübe**
       Fluten 'the murky waters of forgetfulness'; see note to line 4629.

6724   **Ruten**   The liberal use of the rod to drive home the lesson was still
       recognized in medieval universities as proper to the discipline of the
       younger pupils. The brutal application of this discipline occasion-
       ally resulted in the death of a student.

6729   **Raupe**   'larva' (caterpillar). The larva, the chrysalis (pupa), and
       the butterfly are the three stages in the metamorphosis of this insect.
       Mephistopheles, by using this metaphor, continues the theme of lines
       6604–6615.

6731   **Lockenkopf**   Probably the boy's own long curly locks, in which
       he first appeared at the university. This type of hairdress and the
       lace collar would mark him as a member of a well-to-do family. It is
       not likely that as a 'freshman' he would appear in the *Allonge*, or
       Staatsperücke, which was a powdered wig with long flowing locks.
       Lace collar and *Allonge* were worn by members of the court, clergy,
       and professional classes in the early eighteenth century.

6733   **Zopf**   The wig commonly associated with pedantry and narrow-
       mindedness, while the *Schwedenkopf* (6734) was a close-cropped
       style of haircut, which succeeded the powdered wig in Europe. In
       Weimar, many of the young men of high position shifted from *Zopf*
       to *Schwedenkopf* about 1780. The style is said to have its name
       from the fact that the Swedes first gave it general vogue. Con-
       ventionally, the *Allonge* symbolizes dignified reserve, the *Zopf*
       symbolizes pedantry, and the *Schwedenkopf* revolutionary disrespect
       of convention.

6736   **absolut**   A word with double meaning (see 6739). So too is *kommt*,
       which may be taken either as indicative or as imperative. If one
       takes *kommt* as imperative, then *absolut* means devoid of hair, and
       Mephistopheles is merely warning the young man not to carry his
       radicalism so far as to shave off all his hair. It is likely, however,
       that a more profound irony is intended. Mephistopheles says in
       effect: 'You, a person for whom everything is "absolute" and who
       look to be resolute and substantial, still are a vagrant. You cannot
       go home, either physically or in your thinking.' In philosophy the
       absolute is the antithesis of the relative and is characterized by
       having no dependence upon anything else. The philosophy of the
       absolute believes in knowledge a priori, that is, in knowledge in-
       dependent of experience (6758). Fichte found the absolute in the
       ego; others tried to define it differently, notably Schelling and
       Hegel. Fichte's absolutism was popular in some circles in Jena from
       1790 onward and it is probable that Goethe was poking fun particu-
       larly at Fichte's followers.

6737   **Mein alter Herr**   An expression of benevolent condescension.

6738   **erneuter Zeiten**   Times made new by a changing order.

6745   **gelben Schnäbeln** = *Gelbschnäbeln*   Young birds before they are able
       to fly = callow youths.

6750 **Schelm** 'scoundrel.' The Baccalaureus is not quite willing to go all the way with Mephistopheles and refer to his teacher as a dolt and numskull. And he means 'scoundrel' only in the sense of one who trifles with the truth in the interests of comfort and piety.

6758–6761 An utterance typical of brash, keen-minded young scholars with a new set of names for familiar things. They reject all past scholarly work as useless — not worth learning about. This particular chap appears to have no patience with the empiricist point of view, which teaches that experience is the best source of knowledge.

6767–6768 These lines recall the words of Faust (604–605).

6771 The young man seeks to make a virtue, truthfulness, out of a typical German shortcoming, bluntness of speech and lack of conciliatory skill. Of Germans, Mme de Staël said (1810): "Les allemands, à quelques exceptions près, sont peu capables de réussir dans tout ce qui exige de l'adresse et de l'habileté . . . Ils ne savent pas traiter avec les hommes." Goethe said of them (1813): "Deutsche haben keinen Geschmack, weil sie keinen Euphemismus haben und zu derb sind."

SD 6772 **Rollstuhle** a chair on casters, or a wheel chair.

6774 **zur schlecht'sten Frist** 'To gain a most miserable delay in one's passing from the scene.'

6782 **die halbe Welt gewonnen** To be taken in the sense of a conquest of ideas, rather than in a military sense. The half-informed young men of the period from 1810 to 1830 were caught up in the tremendous lift of German idealistic philosophy, which culminated in the system of Hegel. These lines need not be understood to express contempt of Hegelianism, which was and is the most comprehensive and complete synthesis ever attempted by the human mind, nor yet of the great Fichte, but rather of those bumptious disciples of Fichte, Schelling, and Hegel, who with youthful energy and lack of wisdom were disturbing the academic scene at this time.

6787–6788 This idea has been entertained by young men under thirty from time immemorial. Schopenhauer at the age of thirty wrote to Goethe (July 23, 1818) expressing his approval of the less drastic notion of the French littérateur, Helvetius, that a man has had all the ideas he ever will have by the time he is thirty, or at most thirty-five.

6790 Mephistopheles said of himself (lines 1342–1344) that destruction was his proper element.

6791 A perversion of Fichte's doctrine that the universe is the manifestation of pure will, the symbol of the moral idea, which is the real *Ding-an-sich*, or the real absolute. This youngster mistakes his own will for this absolute, universal, pure will.

6794 This sentiment was several times described by Goethe. So to Eckermann, December 6, 1829: "Auch glaubt jeder in seiner Jugend, daß die Welt eigentlich erst mit ihm angefangen, und daß alles eigentlich um seinetwillen da sei." Also in an epigram (*Sprichwörtlich*, 1810–1812):

> Das junge Volk, es bildet sich ein,
> sein Tauftag sollte der Schöpfungstag sein. *(cont.)*

This attitude of our young Baccalaureus may be explained also as resulting from the misapprehension of Fichte's doctrine of the moral will. It seems that this young man has gone even farther than Mephistopheles' motto in his album (line 2048) had indicated. He has not only made himself acquainted with good and evil, he has made himself the creator.

6802   These 'narrow-minded ideas' are perhaps those of the empirical doctrine of materialism, in something like the sharp form given it by the French physician and philosopher Cabanis (1757–1808): "Intellectual and moral phenomena are, like all others, necessary consequences of the properties of matter and the laws which govern beings." Perhaps these lines refer more generally to the revolt of the romanticists against the more pragmatic among the rationalists, when young men went about shouting: "*Krieg den Philistern!*" ('Philistines' in this use means 'literal-minded people' whose interests are material and commonplace.)

6804   **innerliches Licht** = *lumen naturale:* a well-known philosophical and theological term for reason, logical thought as opposed to intuition.

6807   **Original** This seems to be the starting point of the use of the term *Original* for a person *sui generis*, 'derived from no other source and hence unique in his qualities.' — Decidedly ironical, in view of lines 6808–6810.

6811–6814 **diesem** With this young bachelor of arts. These lines are addressed to the audience, and indeed to an audience of older, experienced persons. — Mephistopheles echoes, benevolently or sardonically, the same confidence that the Lord expressed about Faust, in lines 310–311.

6813   **Most** Fruit juice in the process of fermentation. The word is a widely used metaphor for impetuous, effervescent youth. When the process of fermentation is completed, the result is a wine.

6814   **'e Wein** = *einen Wein* A dialectal form, giving these two lines something of the air of a popular proverb.

36. LABORATORIUM

The scene is an elaborate alchemist's workshop, where all manner of extensive physical and chemical experiments could be undertaken. The center of all operations was the oven and forge-fire where ingredients were heated. The alchemists, as philosopher-scientists, believed that they could imitate in their laboratories the processes of nature and produce there any of nature's products. They were usually most interested in producing gold and the legendary "philosopher's stone." They were also very active in their attempts to produce living organisms by chemical and physical means, and here the abiogenesis of a human being was a primary interest. — Goethe's treatment of these matters is based primarily upon the works of Theophrastus Paracelsus (1493–1541), especially the *De generationibus rerum naturalium.*

The relationship of this scene to the preceding one in time is not wholly clear.

6819   **die Glocke**   Either the bell of the near by church (see SD line **737**) which tells Wagner that the hour has come when, according to his computations, his experiment should come to fruition, or (less likely) the bell of SD 6619.

6823   **Finsternisse**   Either the plural form in lieu of the singular, as in line 10 758, or plural, 'dark places.' It is probably to be taken as equivalent to *das Dunkel* (6827) and to refer to the darkness within the phial.

6824   The phial is a laboratory flask. This one contains the results of a long process of chemical treatment or mechanical mixing from which Wagner hopes to produce a living organism.

6826   The quality of the carbuncle essential to this comparison is its deep, rich red color, like ruby or garnet.

6829   The implication of earlier failures is clear. This gives a foundation for Dr. Wagner's reputation for zeal and persistence.

6831   Mephistopheles' greeting is a most unusual use of the interjection *Willkommen* by the person who is arriving. The word here appears to be equivalent to the French *"Salut!"* or the South German *"Grüß Gott!"* In the following line *willkommen* is the adjective, in an elliptical utterance meaning: 'You are welcome with the star of this hour.'

6832   **Stern der Stunde**   Every hour of the day is presided over by one of the seven planets. Each day gets its name from the name of the planet which rules its first hour (midnight to 1 A.M.). Thus Saturday (Saturni dies) is so called because Saturn rules its first hour. Thereafter each hour is ruled in turn by one of the seven planets: Saturn, Jupiter, Mars, Sol, Venus, Mercury, Luna. Hence Saturn would rule the 1st, 8th, 15th, and 22nd hour of Saturday. The 23rd hour would be ruled over by Jupiter, and the 24th by Mars, so that the first hour of Sunday would be ruled by Sol, the sun.

    Just what Wagner means by his reply to Mephistopheles' greeting is not clear, but we may take it that his 'Welcome' is addressed equally to Mephistopheles and to the ruling planet of the hour which has just taken over at the tolling of the bell.

6840–6844   What is here adumbrated is the process of natural reproduction of living organisms. That the analysis does not correspond step by step with the process as modern embryology understands it, is not surprising. Essentially, Wagner says that he and his kind can now dispense with natural means of reproduction, and need no longer hold in honor the hitherto indispensable procedure of zoological reproduction. — **Der zarte Punkt** may be the germ cell, **die holde Kraft** the life principle, or vital force, which was held to distinguish living organisms from inorganic compounds (see *organisieren : kristallisieren*, 6859–6860). Others understand *der zarte Punkt* to mean the ovum and *die holde Kraft* to be the sperm. — **sich selbst zu zeichnen** 'to draw, to make an image of, to reproduce itself.'

6858   **verständig zu probieren**   'To analyse and test with our intelligence.' Mephistopheles ridiculed this procedure in lines 1936–1941.

6859 **sie** = *die Natur.*

6864 No one knows exactly what Goethe meant by crystallized human
beings. The best guess appears to be that he meant human beings
who behaved like mere chemical compounds, lacking the vital
principal of organic life, — that is, "*verkalkt*," "*versteinert*" 'petrified
old fossils.' — Another possibility is that *kristallisiertes* means
'enclosed in a crystal, or bottle' and thus refers to a "*spiritus
familiaris*" or personal protecting and guiding spirit. The nature
of these familiar spirits is discussed at some length in Widmann's
Fausts Leben as revised by Nicolaus Pfitzer (1674).

6868–6870 **des Zufalls lachen** 'We will eliminate accident or chance
in the creation of humankind, and a thinker will then be able to
produce a brain which can think.'

6872 **also** Since the contents of the flask have developed according to
his plans and expectations, the process has now come to the point
where Wagner believes it must be on the verge of completion.

6874 **Männlein** A homunculus. We have here an interesting conflict
between Goethe's conception of his Homunculus as an incorporeal
spirit seeking a body and the necessity of describing the contents of
the flask. Strictly speaking, this *Männlein* can have no *Gestalt*, but
he has to have one if he is to be seen by Wagner.

The alchemists persistently tried to produce a living human being
by chemical and mechanical processes. Wagner's experiment has
been very much like that of Paracelsus (*De generationibus rerum
naturalium*) according to whom male sperm cells, if made to putrefy
for forty days in a sealed flask, will develop into something like a
human being alive in the bottle, but quite transparent, without a
body. This "something" is then to be treated daily with the life
element of human blood and kept at body temperature for forty
weeks, whereupon it will have developed into a replica of a human
child, only much smaller. This can then be reared to maturity like
any other infant. Wagner's Homunculus is preternaturally mature:
he speaks the day he is "born."

6879 **Väterchen** 'daddy.' Homunculus salutes Wagner as his 'parent.'
The emotional tone of the diminutive *Väterchen* is uncertain: some
take it as an affectionate greeting, others as a precocious imperti-
nence tinged with condescension.

6883 Probably a reflection of the thought of Goethe's Maxims from his
posthumous papers: *Über Natur und Wissenschaft.* "Die Natur füllt
mit ihrer grenzenlosen Produktivität alle Räume . . . Alles, was
entsteht, sucht sich Raum und will Dauer; deswegen verdrängt es
ein anderes vom Platz und verkürzt seine Dauer."

6885 Homunculus recognizes Mephistopheles as a near relative. Mephistopheles returns the compliment. Goethe explained this to Eckermann (December 16, 1829): ". . . for such spirits as Homunculus,
which have not yet been obscured and limited by becoming completely human, were counted as demons, and for this reason there is a
sort of relationship between them." Two things characterize
Homunculus: first, his imperative drive to activity (6888), and second, his quest for a "material" form.

6886 **Im rechten Augenblick** Without the help of Mephistopheles, Wagner's experiment would have failed as it often had before (6829). Mephistopheles needs the help of Homunculus in the furtherance of his efforts to revive Faust. Homunculus, to this extent a creature of Mephistopheles, recognizes his indebtedness.

6888 **dieweil** 'inasmuch as,' an older usage equivalent to *weil.* Similar to English: 'As long as I'm here . . .'

6892 **alt und jung** 'Everyone,' hence a singular verb, *bestürmt.*

6894–6896 Wagner is bedeviled by the problem of the dualism of body and soul. How can body and soul be so firmly united as to appear to be inseparable and yet manage to make each other so much trouble? — Goethe never accepted this dualism.

6899 **hierüber** The reference is either to the conflict between body and soul, which perplexes Wagner (6894–6896), or to the conflict between man and woman, which Mephistopheles suggests is a preferable object of concern. The answer to either or to both questions raised is in the nature of affinity and repulsion as these qualities are manifest in "love."

6903 **Bedeutend!** 'remarkable!' Homunculus, the incorporeal spirit, is able to see at once the content of Faust's mind, a dream of Leda and the Swan; and this appears to him to be an important clue to Faust's problem. — Jupiter in the form of a swan wooed and loved Leda, a descendant of Endymion. Offspring of this union were a son, Pollux, and a daughter, Helen of Troy. Leda's children by Tyndareus were Castor and Clytemnestra.

6907 Endymion, the ancestor of Leda, was the father of Aetolus, founder of one of the great families of the older Heroes. There is, according to the usual legend, no god in the ancestry of Leda, though apparently some stories regard Endymion as the son of Zeus.

6924 **jung geworden** = *geboren.* The allusion is to the fact that the ancients had no devils in their mythology, only gods who behaved very much like men, exerting both good and evil influence on human destiny. The myth of the Devil, as we know it, is essentially medieval. — **Nebelalter** The Middle Ages, when the Church of Rome and the feudal system clashed in Germany, and the affairs of state were chaotically confused; when human conduct was dominated by terrors and authoritarian despotism which precluded the spirit of enjoyment of earth's beauty and free inquiry into nature's mysteries.

6927 **Düstern** The northern, medieval, 'romantic' world is contrasted with the southern, ancient, 'classic' world in the terms 'obscure: clear.' — This line breaks the rime pattern, since it stands alone, having no line joined to it by rime. The poet is usually charged with an inadvertence here, and some critics have volunteered to supply the "missing" line.

6929 **schnörkelhaftest** An absolute superlative, and a Latinism, meaning 'extremely ornate.' The uninflected form is a rarity, though not without precedent in archaic German.

6930 **dieser** The sleeping or unconscious Faust.

6937–6938 Homunculus seeks for each his proper milieu. For the warrior the proper element is battle; for the maiden it is the dance. So for Faust the proper element is the Classical Walpurgis Night. Since Walpurgis Night is a gathering of northern, 'romantic' demons, a 'classical' Walpurgis Night is a contradiction in terms, but this is Goethe's name for an analogous convention of the ghosts of classic antiquity.

6942–6943 Elliptical, "telegraphic style": 'This is the best thing which could possibly happen. It will bring him to his proper environment.'

6946–6947 Just as Mephistopheles has no understanding of or patience with the classical, so Homunculus has no understanding of or patience with the romantic.

6949 antikische 'antique.' In the double meaning of 'interested in the ancient world' and 'aged.'

6950–6951 Nordwestlich 'In the northwest,' primarily Germany and England, where the romantic spirit and the Gothic style prevail, compared with *südöstlich* 'to the southeast,' primarily Sparta and Arcadia, where the classic spirit and the Greek style will be found.

6952 Peneios The Greek form of the name Peneus, a river in Thessaly, which flows from the slopes of Mt. Pindus through the valley of Tempe, between Mt. Olympus and Mt. Ossa, into the Aegean Sea on the northeast coast of Greece.

6955 Pharsalus The Latin form of the name of the Greek city Pharsalos, which, according to Goethe's sources, had two sections: Old Pharsalos and New Pharsalos. The city is on the river Apidanos in Thessaly and is particularly remembered for the great battle fought on the nearby fields between Caesar and Pompey, August 9, 48 B.C. At this point, Homunculus sounds a little like a tourist guide.

6957 Caesar, Pompey, and Crassus were all tyrants, perpetuating themselves in public office by force and fraud. Pompey became a dictator in 52 B.C. after the death of Crassus. Shortly after this he collided in civil war with his erstwhile co-tyrant, Caesar. The decisive battle between the two was fought in 48 B.C. on the Pharsalian fields. Pompey was defeated and soon afterwards murdered, when he tried to land in Egypt.

6961 Asmodeus A demon of strife and destruction; see note to line 5378. He is here credited with inspiring the tyrants of the world to anger and mutual destruction. From time immemorial, slaves have revolted against tyrants and fought for the rights of liberty; yet, looked at closely, neither party is really free.

6970–6971 Confronted with the problem of reviving Faust's interest in life, and thus his capacity for being caught by the Devil, Mephistopheles realizes the futility of a lot of hocus-pocus, such as he produced during the *Walpurgisnacht* on the Brocken. He knows that nothing but Helen of Troy can satisfy Faust; and he — being a northern, romantic, and medieval creature, and having no powers over the spirits of the ancient world — is embarrassed by this new demand of Faust's striving spirit. Hence he belittles the Greeks.

6977 Witches of Thessaly, very powerful in sorcery, entice men into their power and transform them into dumb beasts. Apuleius calls them *lamiae* and we shall meet them later as *Lamien* (**7235, 7692–7800**). The implication of their great sexual attraction is clear.

6989–6994 Homunculus advises Wagner to search through his old manuscripts, and then to collect the elements which will produce a living organism, and to put these together with care. It is not so difficult to learn what these elements are as how they go together. Perfection for the product, however, is not to be had from the manuscripts, but requires search by Homunculus. He has to find *das Tüpfchen*, the last item required to perfect the construction.

7003–7004 These lines emphasize the fact that Homunculus is a creature of Mephistopheles; but, as Eckermann said to Goethe (December 16, 1829), they have deeper implications also. To this Goethe replied: "Ich dächte, man hätte eine Weile daran zu zehren. Ein Vater, der sechs Söhne hat, ist verloren, er mag sich stellen wie er will. Auch Könige und Minister, die viele Personen zu großen Stellen gebracht haben, mögen aus ihrer Erfahrung sich etwas dabei denken können." No creative act is without its effect upon the person responsible for it. Very often such a creator becomes dependent upon his creatures, whether these are his own flesh and blood or whether they are political or administrative subordinates.

KLASSISCHE WALPURGISNACHT

The function of the Classical Walpurgis Night in the dramatic economy of the play is threefold: the restoration of Faust to active life by the implementation of his quest for Helena, the furnishing of an outward form to Mephistopheles, in which he may with propriety appear on the classic scene in Greece, and the final disposal of Homunculus, who has served his dramatic purpose when he deposits the two northerners on the fields of Pharsalus, where they enter the world of classic mythology.

It must be observed, however, that there is a difference between the dramatic purpose of Homunculus and his poetic raison d'être. Goethe did not have to invent Homunculus in order to get Faust to Greece. He invented Homunculus in order to give poetic expression to an idea. Concerning the nature of this idea, "higher criticism" of FAUST has entertained a number of different notions. A simple interpretation is that Homunculus represents the idea that both body and spirit are essential to human life, and that the "Tüpfchen auf das *i*" which makes the union of body and spirit perfect is Love. Another interpretation sees in Homunculus the symbolization of the poet's idea of the origin of life on earth. Homunculus is said to begin life as an animalcule (class: *Infusoria*). He is then said to be related to Helena as one end of the history of evolution is related to the other, for in Helena this higher criticism sees the ultimate product of nature's self-perfection: the beautiful human being, *der schöne Mensch*. What this beautiful human being symbolizes is still another problem for the critics. — Quite apart from any simple symbolism, the presence of Homunculus in addition to Faust and Mephistopheles makes possible a significant enrichment of the points of view from which the reader contemplates the Classical Walpurgis Night. Beside the unfolding of potentialities of personality in Faust and the compulsive self-degradation of Mephistopheles' form and motives, the reader can share with Homunculus the maturing of curiosity to clarity, and an irrevocable decision.

The fiction upon which the Classical Walpurgis Night rests is this: each year on the eve of the anniversary of the great battle of Pharsalus (August 9, 48 B.C.) the ghosts of the participants return to the scene of their great adventure. In this battle Caesar defeated Pompeius Magnus and thereby laid the foundation of a unified Roman Empire which was to dominate most of the then known world. However, this second act of FAUST is not concerned with these characters from ancient history; neither Caesar, nor Pompey, nor any of their armies appears here. Goethe used this fiction only to provide the ghostly milieu in which he presents a great variety of figures from ancient mythological lore, together with the spirits of two Greek philosophers, whose debate concerning the aquatic or the volcanic origin of the earth's crust provides a variation of one significant theme of this act: the origin, evolution, and maintenance of organic life in the physical universe.

The events of this act take place in Thessaly, a region noted in ancient lore for the magic practices of witches and spirits. The scene of action shifts several times up and down the course of the river Peneios. The upper regions are rocky and barren; the lower reaches of the river valley are rather fertile than lush. Goethe did not go to the trouble of adjusting his conceptions of these regions to the facts of geography.

37. PHARSALISCHE FELDER

This preliminary scene introduces the three travelers — Homunculus, Mephistopheles, and Faust — to the terrain where each is to prosecute his own search alone.

SD 7005 **Erichtho** A Thessalian enchantress and prophetess. At the request of Pompey's son, she summoned up the shade of a soldier to foretell the outcome of the impending battle (Lucan, PHARSALIA 6, 413 ff.). According to Ovid and Lucan, she was an extremely hideous and repulsive creature.

7005 **dieser Nacht** The anniversary of the night before the great battle between Caesar and Pompey, August 9, 48 B.C. Erichtho calls this a *Schauderfest*, 'a weird festival' because it commemorates the never-ceasing conflict of tyrants and the resulting destruction of liberty and glorification of violence.

The following lines are in the metrical pattern most often found in the dialogue of classic Greek drama, the so-called iambic trimeter. This is a six-beat iambic line which Goethe uses here and elsewhere because of its associations with antiquity. The Greek verse was subdivided into three dipodies (units of two beats each). In general, the German trimeter shows no such dipodies, but is simply a six-beat iambic line which differs from the Alexandrine principally in the location of the caesura. In the trimeter, the caesura is either after the fifth (as in 7007) or after the seventh syllable (as in 7010), whereas in the Alexandrine the caesura is regularly after the sixth syllable (as in 10 849 ff.). For further analysis of this meter see Volume I, Introduction, p. 140.

Goethe's criticism of the trimeter (to Eckermann, October 21, 1823) as the verse of tragedy deserves to be quoted: "Der sechsfüßige Iambus wäre freilich am würdigsten, allein er ist für uns Deutsche zu lang; wir sind wegen der mangelnden Beiwörter gewöhnlich schon mit fünf Füßen fertig." Hence it is not surprising that the poet here soon turns to other verse forms in this part of FAUST. Indeed, the Classical Walpurgis Night is replete with examples of Goethe's great skill in the use of metrical forms.

7006 tret' . . . einher 'come,' with the added notion of dignified and stately bearing.

7007 The allusion is to Ovid's HEROIDES (15, 139) and Lucan's PHARSALIA (4, 507), where Erichtho is described as 'fury-like' and 'repulsive.'

7010 The tents of the two armies appear to fill the fields (see 7033). — Something like 70,000 men fought in the battle of Pharsalus. According to the fiction of this scene, their shades appear on this field every year on the night of the eighth to the ninth of August.

7014 The violent usurper of power is acceptable to no one. There may be an allusion here to Caius Julius Caesar, who, on March 15, 44 B.C., was murdered by a group of republican aristocrats. Goethe said of this: "Wie wenig selbst die besseren (Römer) begriffen, was Regieren heißt, sieht man an der abgeschmacktesten Tat, die jemals begangen worden, — an der Ermordung Cäsars."

7018–7020 The civil war between Pompey and Caesar was a fight between a dictator and a general who was being deprived of his powers by this dictator. The senate and the aristocracy supported Pompey, Caesar was supported by the advocates of democratic rule. Upon his return to Rome after defeating Pompey at Pharsalus (48 B.C.), Caesar was made dictator for one year, but subsequent events prolonged his dictatorship until his assassination in 44 B.C. Not much liberty was destroyed by these wars, for not much liberty existed before they began.

7022 Magnus Pompey. Lucan reports that here, on the eve of his last great battle, Pompey dreamed of his youthful triumphs in Rome.

7023 Zünglein The pointer of a balance, which moves back and forth past the point of equilibrium. Great issues are thought of as being decided by weighing the two causes in a balance.

7031–7033   The moon is a gibbous moon, as was the moon at the beginning of the Walpurgis Night of Part I (lines 3851–3853). As it rises, the illusion of the tents upon the fields disappears and the color of the fires changes from red to blue. Blue light is associated in popular lore with the presence of ghosts. Erichtho, a ghost surrounded by ghosts, sees the fires turn blue upon the approach of Faust, the living man. — According to Goethe's FARBENLEHRE, a fire appears red against a dark background, but blue against a bright background.

7034   Meteor   Homunculus, luminous in his bottle. The 'corporeal ball' is Mephistopheles and Faust, wrapped in the magic cloak (6983–6986).

7036   Erichtho does not wish to increase her evil repute among men. Yet if she met any living beings she would involuntarily do them harm. Therefore she decides, after due consideration, to avoid such a meeting.

7040   Schwebe   The subject *ich* is omitted, as frequently happens in this part of the poem.

7041   Flamm' = *Flammen*.   This is usually printed *Flamm-*, implying a compound such as *Flammengrauen* or *Flammgrauen*. We translate the line: 'over the flames and the terrifying horrors.'

7044   das alte Fenster   The window of his own abode at home. Mephistopheles says he sees quite hideous ghosts, just as he would at home, if he looked out into the wild goings-on of the North. Supernatural beings — gods, angels, devils — are thought of as having a house and looking out of its windows at the events on earth.

7048   eine Lange   Erichtho, who is leaving the scene before the visitors arrive.

7051   sah   The subject is *sie, die Lange*.

7056   Faust revives immediately when he touches the soil of Greece. He inquires at once where Helena is.

7057   Supply '*ist es*' from the '*s*' of line 7056.

7062   an meinem Teil   An unusual use of this phrase, which normally means *meinerseits, was mich betrifft* 'for my part,' but which here seems to mean 'on my behalf, in my own interests.' — Mephistopheles is asserting an independent interest in this journey, which is explained by lines 6979–6983.

SD 7069   Ab   This stage direction is not in the manuscripts. It is probably best to assume that Goethe intended both Homunculus and Mephistopheles to leave — probably in different directions — at this point, since Faust is at once described as "*allein.*" Yet Mephistopheles may merely have retired to the depths of the scene without completely leaving the stage. At line 7080 Mephistopheles comes forward *umherspürend*, and at line 7181 Faust comes back *herantretend*. The latter has been searching through the area (*durchforsch' ich ernst*, 7079), while the former has been roaming (*durchschweife*, 7080). — The uncertainty occasioned by the inadequate stage directions here and at 7495 has led some editors to insert a new scene heading "*Am obern Peneios*" after Faust leaves the stage at 7079.

7070   The verse form here is a five-beat iambic line, with masculine or feminine cadence. Its scheme may be marked: x⌣/x⌣/x⌣/x⌣/x⌣ : x. Lines 7070–7075 have masculine cadence, lines 7076–7079 have feminine cadence. See Volume I, Introduction, pp. 139–140.

7071   Helena was not born in Thessaly, but, at any rate, Thessaly is in Greece.

7072   **Welle**   The river Peneios.

7077   **Antäus**   The giant whom Hercules slew. He was the son of Poseidon and Gaea (Neptune and Mother Earth). Antaeus was a wrestler, whose strength was invincible so long as he remained in contact with his mother, Earth. Hercules finally had to lift him off his feet and strangle him in mid-air.

7078   **find' ich** = *indem ich finde.* 'Since I find here the strangest things, I will investigate . . .'

7081   **entfremdet**   Mephistopheles feels that he is in a land quite foreign to his nature and experience. — The following lines are a satire directed against prudishness in the display of art. The Devil is of the same mind as the museum trustees of Goethe's day, who used anything from a fig leaf to tin coats to conceal the nakedness of which Mephistopheles complains. Mephistopheles can use the lewd and the lascivious in his business, but the nudity of these ancient figures is frank and devoid of prurience.

7083   **Sphinxe . . . Greife**   Fabulous animal monsters. The Sphinx of Thebes, whom these creatures appear to resemble, had the upper body of a woman and the lower body of a lion. She proposed a riddle to the Thebans and killed all who could not guess it. When Oedipus solved her riddle, the Sphinx killed herself. — Griffons, also, were composite monsters: part eagle, part lion, part wolf. Their special function was the guarding of treasures.

7087   **das Antike**   The antique, classic style.

7094–7098   The griffons take the position of those etymologists who believed in the onomatopoetic theory of the origin of words, according to which each word originally imitated by its sounds the sounds made by the thing which it designated. Mephistopheles explodes the theory in line 7099. Of course, the words of line 7096 are derivatives, each with a long history behind it. Their present forms do not reveal their primary meanings, to say nothing of their origins. None of them has anything to do with the noun *Greif.*

7097   'Having by their etymologies the same feeling-tone.'

7103   **Greifenden**   By another bad etymology, the griffons associate their own name with the verb *greifen.*

SD 7104   Ancient sources (Herodotus and Pliny) mention gigantic ants, like marmots or foxes in size, which bring forth from the earth particles of gold which they collect and store in caverns. The griffons were the traditional guardians of such treasure.

7106   The Arimasps were a race of one-eyed monsters, who lived in northern Scythia and carried on a feud with the griffons, from whom they stole (or attempted to steal) the treasures which the griffons guarded. This time, according to the report of the ants, the Arimasps have been successful.

306

7109 The Arimasps confront the griffons and the ants boldly, since this is a night of truce, when no warfare is allowed; and by the time the truce is ended, they expect to have squandered the stolen treasure.

7114–7115 The Sphinx is explaining to Mephistopheles how it is that he thinks he understands these spirits so completely. Mephistopheles himself is furnishing the material to give substance to their spirit-sounds.

7116 **bis** 'Until such time as we know you better, we should like to know your name, at least.'

7118 The British have been the world's most avid sight-seers, and other Europeans have on occasion sneered at their devotion to this form of amusement.

7122 **Bühnenspiel** The reference is perhaps to Ben Jonson's play, THE DEVIL IS AN ASS, where Vice calls itself *Vetus Iniquitas,* or 'Old Iniquity.' It should be said, however, that in none of the old English morality plays is the Devil identified with this figure of vice. The two figures frequently appear in the same play but they have distinct identities.

7127 **beschnittner Mond** The waning moon. Mephistopheles looks up, observes the shooting stars and the waning moon, neither of which phenomena interests him at all.

7129 **Löwenfelle** See note to line 7083.

7130 Mephistopheles would be wasting his time if he concerned himself with the business of guessing what the stars might be saying, when he had such an expert author of riddles at hand (see note to line 7083). He much prefers the riddles she will propose.

7131 A charade is a syllable riddle: a riddle in which the word is to be guessed from clues, written or acted out, for each of its syllables and then for the whole word. An interesting collection of modern charades was published in 1929 by Dean L. B. R. Briggs, with the title: THE SPHINX GARRULOUS. This specimen was printed on the jacket of that book:

> To smell my first is thought delicious;
> to smell my second is thought suspicious;
> reft of his home and place to swim in,
> my whole enfolds luxurious women.

(The answer is: "muskrat.") — Mephistopheles himself proposed a simple riddle, not a charade, at 4743–4750.

7132 The Devil is an enigmatic creature, "ein Teil von jener Kraft, die stets das Böse will und stets das Gute schafft" (1335–1336).

7134–7137 The answer to this riddle is: "the spirit of evil." (Compare lines 338–343 and 1338–1384.)

7135–7136 *Dem frommen Mann ein Plastron, dem bösen Mann ein Kumpan.*

7138 **Den** Mephistopheles.

7140 The griffons have been annoyed by the presence of the intruder Mephistopheles and have snarled at him. His own claws, he says, are as dangerous as those of the griffons.

7144 With *tust* supply *du,* as the subject.

SD 7152   By their sweet singing the sirens lured seafarers to their death. They are represented as part woman, part bird of prey. They balance themselves in the branches of the poplar trees which stand on the banks of the river. — **präludieren** may refer either to preliminary vocal exercises or to preliminary tootlings on flutes, before their song begins. The inference that the sirens have flutes rests on SD 8034 and is not a necessary one, since *flötend* can describe vocal warblings as well as instrumental notes.

7153   We have printed here an emendation of the usual text (*Des Pappelstromes*). This is Goethe's own manuscript change (H. C41) to *der Stromespappeln* 'the poplars of the river.'

7155   The Sphinx warns Mephistopheles that the very best of heroes have been conquered by these sirens. The best stories, however, are those which tell how great men escaped the lures of these singers. Ulysses, for example, at the prompting of Circe, stopped the ears of his crew with wax so that they could not hear the sirens, and then had himself bound firmly to the mast of his vessel, lest he cast himself into the sea when the sirens sang. Indeed, when his ship passed near these sweet singers, Ulysses was so ravished by the song that he struggled and begged to be released, but his crew bound him the tighter and thus all escaped the enchantresses.

7156   The sirens sing to the newcomer, Mephistopheles, hoping to entice him away from the Sphinx, whom they describe as an ugly supernatural being.

7166–7171   The sirens appear to propose a truce between themselves and the Sphinxes in order properly to entertain their 'welcome guest.'

7174–7177   The reference is probably to ornate, coloratura singing and the romantic or baroque ornamentation of the melodic line.

7182   Faust finds satisfaction in the grand and vigorous forms he sees even in these hideous ancient creatures.

7184   **Blick** = *Anblick*, 'spectacle.'

7185   Oedipus solved the riddle of the Sphinx of Thebes, who thereupon cast herself down from her rocky perch and was killed; see note to line 7083.

7186   Ulysses had himself bound to the mast of his ship, yet struggled to free himself; see note to line 7155.

7187–7188   Ants were the traditional collectors and griffons the traditional defenders of treasure; see note to SD 7104.

7191   Faust's intensity of purpose in his quest for Helena makes him tolerant of repulsive ugliness such as he once shunned and cursed (*Hexenküche*, 2337–2340, 2387).

7197   **reichen . . . hinauf** 'We don't come down that far in time, since Hercules killed the very last of our race long before her (Helena's) days.' This feature appears to have been invented by Goethe. Hercules slew many kinds of terrible creatures, but we know no ancient account of his having killed a sphinx.

7198   **letztesten** A double superlative, since *letzte* is superlative like English 'last'; hence 'the very last ones.'

7199   Chiron, a centaur, instructed by Apollo and Diana in hunting, medicine, music, and the art of prophecy. The centaurs had the body of a horse, with a human head and upper torso, where the horse's head should be. Chiron was the tutor of the youthful Achilles, and a contemporary of Helen of Troy. Goethe once referred to him as an "Urhofmeister," a 'tutor par excellence.'

7201 **wenn er dir steht** 'if he stops and answers you.'

7202 **'s = es** To persuade Chiron to pause. 'You should not fail to achieve this.' Or, perhaps, 'You shouldn't miss (a visit with us).'

7203–7208 The sirens are lying. Ulysses never stopped to visit with them and they have no information about Helena to confide.

7210 Extreme ellipsis for *Statt daß du dich binden ließest, wie sich Ulyß (mit hänfnen Banden) binden ließ.*

7219 **Alcides** Another name for Hercules, one of whose "Labors" was the destruction of the monstrous birds of the valley of Stymphalus. These creatures had iron beaks and talons; they killed and devoured many of the inhabitants of the land.

7224 **Stammverwandte** These creatures of ancient mythologic lore were all composites of two or more kinds of animals. The stymphalids, even with vultures' beaks and goose feet, hardly qualify as sufficiently grotesque composites, since both vultures and geese are birds.

7225 The predominance of sibilants in this line is a playful suggestion of the hissing hydra heads.

7227 The Lernaean Hydra was a water serpent which ravaged the country of Argos. It had nine heads, the middle one being immortal. Hercules knocked off the heads with his club, but in the place of each one thus disposed of two new heads appeared. Finally, he burned away all the heads but the middle one, which he buried under a rock.

7235 **Lamien** The Lamiae were ghosts with an appetite for human flesh and blood. To satisfy this taste they assumed various shapes in order to entice their victims into their embrace. — **lustfeine Dirnen** = *feine Lustdirnen* with *fein* in the sense of *raffiniert*, 'very crafty, accomplished prostitutes.'

7237 **Satyrvolk** See note to line 5829.

7238 **Bocksfuß** This is the trope pars pro toto for Satyr. Mephistopheles has no *Bocksfuß*, but his *Pferdefuß* is an acceptable substitute. The Sphinx means to say: 'Why don't you try?'

7242 **in tausend Jahre** 'for thousands of years.'

7243–7244 'If you pay close attention to our situation you will see that we define the months and the years.' In ancient times the summer solstice occurred when the sun was between Leo and Virgo, the fifth and the sixth signs (constellations) of the zodiac. The Sphinx of Gizeh, near Cairo, is said to have been built with careful reference to astronomical calculations. Our Sphinxes are from Egypt, and have the upper body of a woman (virgo) and the lower body of a lion (leo); see note to 7083.

7246 **zu der Völker Hochgericht** is parallel to *vor den Pyramiden*. It may be translated: 'Watching the high doom of nations.' The Sphinxes look on impassively as the decrees of the gods are carried out. They see the floods of the Nile, war and peace, without showing any emotion.

38. [AM UNTERN PENEIOS]

The stage direction of the chief manuscript at this place does not indicate a change of scene. It simply gives the persons *Peneus und Nymphen*. The scene heading "Am untern Peneios" was introduced by Erich Schmidt and most editors retain it.

In the course of this scene Faust is transported by Chiron to the lower reaches of the river, in the Vale of Tempe, north of Mt. Ossa and near the northwestern bay of the Aegean Sea. The river itself is a speaking person in this scene; indeed, it speaks first.

SD 7249 **Gewässern** River gods, allegorical figures, like Peneios himself, and representing presumably the tributaries of Peneios. The song of the Nymphs (7263–7270) reminds one of Goethe's ballads, *Der Fischer* (1778?) and *Erlkönig* (1782).

7253 Peneios has been awakened from his sleep; he invokes his reeds and the leafy branches nearby to lull him to sleep again, so that he may return to his dreams that have been interrupted. What has aroused him is an earth tremor (*Zittern*), a forerunner of an earthquake, and the atmospheric disturbance that accompanies the tremor (*Wittern*).

7271–7276 Faust observes to himself that he is no longer dreaming. He sees now with waking eyes the scene of which he had dreamed, while lying on the couch of his study (6903–6920).

7273 **mein Auge schickt** A curiously recondite, but correct way of saying 'my eye sees'! The image is on the retina, and the perception of space relationships between the eye and the object seen is a part of the interpretation of the sensory stimulation of the retina.

7294 Queen of the nymphs is Leda (see note to line 6903), mother of Helen of Troy. The event described is the same as that seen by Faust in his dream (6903–6920).

7301 This is Jupiter in the form of a swan.

7305 **Welle . . . wellend** 'Himself a wave tossing upon waves.'

7311 Their proper office was to attend their queen at all times lest any act of indecorum or indiscretion occur.

7316 The horse's hoofs belong to the centaur Chiron; see note to line 7199.

7317–7318 The meaning of these lines is not clear. One guess is that the nymphs know that these horse's hoofs belong to Chiron and expect to be disturbed by him. They wish they knew who had so promptly brought him news of this special night of their revelry. Another interpretation takes *dieser Nacht* as an adverbial genitive of time and *zugebracht* as the equivalent of *zubringt:* 'Would that I knew who on this night is swiftly bringing news (to us)!'

7322 The Sphinxes have told Faust (7199 and 7212) that Chiron could help him find Helena. The problem is to find Chiron, and to persuade him to pause in his restless galloping about through the night. Now it seems that a friendly fate is bringing Faust his chance to do just this.

7329   Philyra, according to Goethe's source, was the mother of Chiron.
       His father was Saturn.   For most of this lore Goethe consulted
       Hederich, GRÜNDLICHES MYTHOLOGISCHES LEXIKON.

7333   The problem of staging the ensuing ride of Faust on Chiron's back
       is a difficult one.   Goethe gave no indication of a change of scene,
       but it is clear that between 7333 and 7469 they have crossed the
       river from the pool of Leda and the Swan to the temple of the sleep-
       ing Manto, before which the two emerge from the river to interview
       the prophetess.

7337   **Pädagog**   Chiron was the teacher of Hercules, Aesculapius, Jason,
       and Achilles, as well as of many other Grecian princes in their boy-
       hood.   He was noted for his wide range of information in matters
       of science and history.

7338–7340   'This heroic people, the Argonauts, and all the other figures
       who built the world of mythology, which poets later took as their
       own.' — The Argonauts were a group of fifty heroes organized and
       led by Jason in his quest of the Golden Fleece.   Castor, Pollux, Or-
       pheus, Hercules, Theseus, and Nestor were prominent among these
       bold youngsters.

7342   Pallas-Athena (Minerva) and Telemachus, son of Ulysses, went to
       the isle of Calypso, to try to free Ulysses from the wiles of this
       enchantress.   The goddess assumed for this journey the shape of
       Mentor, son of Anchialos.   Mentor was the teacher to whom Ulysses
       had entrusted the education of Telemachus, when he had set out for
       the war before the walls of Troy.   The expedition reached the isle of
       Calypso, but there young Telemachus was also caught in the alluring
       wiles of this charmer.   Finally, when no other means of escape is
       discoverable, Pallas-Mentor and Telemachus leap from a cliff into
       the sea and swim to a nearby boat in which they manage to get away.
       They are foiled, however, in their attempt to rescue Ulysses, and the
       instructions of Pallas-Mentor were of no avail.

7343   **sie**   The young people, whom one has tried to direct and educate,
       behave all too often as though they had had no teacher.

7345   Chiron had been instructed by Apollo in the art of healing.   He was
       in turn the teacher of Aesculapius, son of Apollo and the Thessalian
       princess Coronis.   Aesculapius became the most renowned physician
       of antiquity.

7369   **Dioskuren**   Castor and Pollux, half-brothers, sons of Leda.   Castor
       was the son of Tyndareus, King of Sparta; Pollux was the son of
       Jupiter, and a full brother of Helen of Troy.

7372   **Boreaden**   Zetes and Calais, sons of Boreas (the North Wind) and
       the nymph Orithyia.   They were winged warriors who proved par-
       ticularly effective in the fight of the Argonauts against the Harpies.

7374   **Jason**   Son of Aeson, of whose throne he was unjustly deprived.
       He was incited by the usurper of this throne to set out in quest of
       the Golden Fleece, it being supposed that he would perish in this
       expedition.   He organized the Argonauts and set out, to return
       finally with his mission accomplished. — **Frauen angenehm**   Per-
       haps an allusion to Jason's adventures with Medea and Creüsa.

7375   **Orpheus**   The sweet singer, son of Apollo and the muse Calliope.
       His crucial contribution to the success of the Argonautic expedition

was his outsinging the sirens, so that the ship was brought safely
past their shores.

7377 **Lynkeus** The lynx-eyed pilot of the ship Argos, who could see
through earth, sea, and sky. Goethe uses this name for the Tower
Watchman of Act III (9218 ff.) and again in Act V (11 143 ff.).

7381 Hercules, son of Jupiter and Alcmene, and the greatest of the older
heroes. When Juno drove him to insanity, he slew his own children.
To expiate this bloodshed he was made subject to the will of his
cousin Eurystheus, who imposed upon him a series of desperate
undertakings, the Labors of Hercules. Chiron thinks of Hercules
as the perfect man.

7383 **Phöbus** Apollo, God of the sun.

7384 **Ares** Mars, God of war. — **Hermes** Mercury, Herald of Jupiter.

7389 **Bruder** Eurystheus was a cousin, not a brother, of Hercules.

7390 **den . . . Fraun** The plural is puzzling, since the servitude alluded
to is usually thought to be the three years Hercules spent as the
slave of Queen Omphale.

7391 **Gäa** Mother Earth.

7392 **Hebe** Daughter of Juno and wife of the immortal Hercules, after
the mortal part of him had been consumed in his funeral pyre and the
immortal element raised to Heaven by Jupiter.

7394 **sie** Sculptors who try to create images of Hercules. Neither poets
nor sculptors can do justice to this subject.

7396 **so herrlich** No artist has ever depicted Hercules so splendidly as
you (Chiron) have just done.

7403–7404 **Die Schöne** = *die Schönheit.* Beauty is its own excuse for
being: that is, beauty is highly delightful (*selig*) to itself, since
beauty presupposes the free satisfaction of the requirements of its
subject — *Freiheit in der Erscheinung* (Schiller). Grace, on the
other hand — *Schönheit in der Bewegung,* as Schiller defined it —
has an irresistible charm which attracts all sensitive observers and
leads beyond mere contemplation to active devotion. "Beauty" and
"Grace" were frequently discussed by Goethe and Schiller, as their
letters show. — Chiron has no patience with mere beauty, as he has
no patience with quiet contemplation in any form (7332, 7479–7480).

7406 This story of Helena's ride on Chiron's back is an invention by
Goethe.

7411 **verlier' ich mich** 'I am beside myself.'

7414 **gewähren** is appropriate rather to the request of 7411 than to the
question of 7413. The sentence is a condensed reply to Faust's
request and question. A full form would be: *Die Bitte läßt sich
leicht gewähren, und die Frage läßt sich leicht beantworten.* Chiron's narration will answer Faust's question.

7415–7420 **Dioskuren** Castor and Pollux (see note to line 7369), who
rescued their sister Helena from Theseus. Theseus had carried
Helena off to Attica and held her captive in the castle of Aphidnus
(see lines 8848–8852). She was a mere child (see note to line 6530)
when this abduction occurred. The story of the pursuit (7417–7424)
is Goethe's invention.

7417 **diese** Theseus and his band.

7420 **Eleusis** Site of the mysteries of Ceres. Next to Athens it was the most important town of Attica, on the shore of the bay of Eleusis, opposite and north of the island of Salamis.

7426 Philologists, who concern themselves with the literature and the language of a people, or an age, have taught Faust something they have inferred from the poets: namely, that Helena was but ten years old at this time. Chiron, who knows the agelessness of mythological ladies, finds fault with the attempt to say at all how old Helena was on this or any other occasion. The philologists by so doing have brought ridiculous anomalies into their interpretations, such as the notion that a fifty-year-old Theseus should abduct a ten-year-old child — or was she only seven years old, as some mythologists had suggested? All of this, says Chiron, is nonsense, but it is to be expected, if one pedantically tries to reduce mythological narratives to logical chronology. Pierre Bayle (1647–1706) calculated (on the assumption that all of the legends about Helen of Troy were true) that she must have been at least sixty, and probably even more than a hundred years old at the time she was abducted by Paris.

7435 According to Hederich (see Volume I, p. 325), Helena, after her death, was said to have married Achilles, who had long since been slain by Paris at Troy, but who was dwelling posthumously on the island of Leuce. For Leuce Goethe substituted Pherae, which he seems to have thought to be an island or a castle (*auf*), but which was a town in Thessaly, near the home of Achilles. One of the gateways to Hades was believed to be near Pherae. — The son of the union of Helena and Achilles was called Euphorion.

7437 **gegen das Geschick** Fate had prevented the marriage of Achilles and Helena in their lifetime. Achilles, along with numerous other illustrious heroes, had been a suitor of Helena before her marriage to Menelaus. — The simplest way to deal with the construction of this line is to supply the subject *er* = Achilles, and the auxiliary *hat*. Hence: *Errungen hat er Liebe . . .*

7438 **sehnsüchtigster Gewalt** Appears to mean *durch die Gewalt der allergrößten Sehnsucht*. The phrase is then an adverbial genitive construction, conveying the source or means by which the action is to take place, but it is also explanatory of the expectation in *sollt'* and hence is set off from the verb by commas.

7442 **heut** Faust saw the phantom of Helena at the Emperor's court (6479–6563). He is unaware of the passage of time since the explosion (6563), but believes it to have been but a brief sleep from which he has just awakened (7056). There is no evidence in the text to show that he is not right in this belief.

7447 **verrückt** Chiron, from the standpoint of a mythological figure, regards Faust's ambition as nonsense. His desire to call to life this ancient heroic queen appears to Chiron impossible of fulfillment, unreasonable, and hence requiring correction (7458, 7487).

7451 Aesculapius, son of Apollo, pupil of Chiron, and the world's most famous physician. That Manto, otherwise known (Hederich) as a Greek soothsayer, was a daughter of Aesculapius is an invention of Goethe. Here (7453–7454), as at lines 7351–7352, Goethe casts rather bitter aspersions upon the practitioners of medicine in his own time. Compare also lines 1050–1055, 2011–2036.

7455 Sibyllengilde Soothsayers. The great Sibyl of Cumae, who prophesied encouragingly to Aeneas (AENEID 6, 95), has given her name to the whole class of prophetesses.

7459–7460 mein Sinn ist mächtig 'my senses rule me,' 'I am *compos mentis*, not out of my senses.' Faust regards any attempt to annul his striving — now directed toward the winning of Helena — as base. If he were to submit to the proposed "cure," he would be like other men and no longer Faust.

7461 Quelle Manto is referred to as a source of healing.

7465–7468 trotzten 'met in battle,' 'bade each other defiance.' The allusion is to the battle of Pydna (168 B.C.) between Perseus, King of Macedonia, and the Romans under Aemilius Paulus, in the latter years of the ascendency of the Roman Republic and before the decay of republicanism set in. The defeat at Pydna marks the overthrow of the Greek world by the growing Roman state. The Greek, Chiron, mourns the fall of the Greek king and deplores the triumph of the Romans, who (to him) represent the common man, the *Bürger.* — Actually, Pydna is some thirty miles north of the mouth of the river Peneios, and also north of Mt. Olympus.

7467 das größte Reich . . . verliert The Kingdom of Macedonia, which under Alexander the Great (366–323 B.C.) extended as far as India and the Egyptian desert. It came to an end at Pydna (168 B.C.) and was dissolved into four independent republics under the protection of Rome. — Line 7467 is not syntactically connected with anything in this sentence.

7470 The temple of Apollo, presided over by Manto. Though we have no stage direction to that effect, we must assume the temple to be visible at line 7470 on the high shore, and then that the action is within the temple at line 7471.

7477 The implication is that his coming is as certain as the existence of Manto's temple.

7482 verrufene Chiron, the rational, sensible tutor of great heroes, is repelled by this irrational hocus-pocus of the Walpurgisnacht.

7487 'He is worthy more than others of healing by the arts of Aesculapius.'

7488 Manto recognizes Faust's desire to be impossible of fulfillment, but she is pleased by it and promises him (7489) pleasures from it. In "Kunst und Altertum" Goethe once said: "In der Idee leben heißt das Unmögliche behandeln, als wenn es möglich wäre."

7490 Persephone, or Proserpine, was the daughter of Ceres and Jupiter. She became Queen of Hades, and wife of Pluto. She has the dual role of goddess of spring and goddess of death. — Goethe once wrote a monodrama "Proserpina," which he then used as the main part of the fourth act of his play, TRIUMPH DER EMPFINDSAMKEIT (1777). The figure interested him and he once contemplated writing a scene for FAUST in which Manto should plead Faust's cause before the throne of the Queen of Hades.

7491 The living could communicate with the ghosts of Hades only through certain oracles of the dead, located in cavernous holes or great

chasms, dangerous marshes, and the like. Here Proserpine herself
is alleged to be hidden in a cave at the foot of Mt. Olympus for the
purpose of such interviews. These places came to be regarded as
entrances to the nether world.

7493   Orpheus, the most famous of sweet singers, son of Apollo and the
muse Calliope, lost his bride Eurydice by snakebite. He descended
with his lyre to the throne of Pluto and Proserpine and by his song
moved them to restore Eurydice to him. They agreed to permit
her to return to life on condition that he should not look at her until
they should have reached the upper air. When they were almost
free, the condition was violated: Orpheus looked upon her and she
had to return to Hades. — Manto takes credit here for arranging
Orpheus' admittance to the lower regions.

39. AM OBERN PENEIOS

Faust and Chiron have arrived at the temple of Manto, which is
near the mouth of the river. The sirens who now speak, however, are
still where we left them on the Pharsalian fields. The problem of
stage management for the scene between Faust and Chiron was not
solved by Goethe in the manuscript directions he gave. In one of
the manuscripts of Scene 39, however, Goethe wrote in his own hand:
"(wie zuvor)" where we have printed it, after the name of the
speaker, *Sirenen*. Other editors have attached these two words to the
scene heading, and read: *Am obern Peneios wie zuvor;* they then
insert a scene heading before line 7080.

7498   **dem Volk** It is not at all clear for whose benefit these sirens are
singing — presumably, however, for any non-sirens present. This
might comprise the sphinxes, griffons, ants, pygmies, dactyls, and
cranes who next appear, but particularly the sphinxes (see 7161–
7171), or it may refer to Seismos and his party of Vulcanists.

7500   **Führen** The past subjunctive of *fahren*, 'if we should go.' —
mit hellem Heere Analogous to *zu hellen Haufen* (10 737) 'with
a goodly, numerous group.'

7501   The river Peneios flows into a bay of the Aegean Sea on the northeast coast of Greece near the Macedonian border.

7509   **Gäste** It is not clear to whom this is addressed. Possibly these
guests are the theater audience, who are thus invited to go with the
sirens to a gay party in the sea.

7510   'The merry festival in the sea.'

7511   **blinkend** Belongs logically with *Zitterwellen*, and is thus a part of
the adverbial clause after *wo*. Hence there is no comma before *wo*, as
the rules might seem to require. This is a stylistic trick, found in
Latin and Greek authors, called prolepsis, or more generally, hyper-
baton.

7513   Where the moon's light is reflected from the sea's surface.

SD **7519** Seismos is the personification of the earthquake and appears here as a primeval giant pushing his way up from the interior of the earth to its surface.

7530 As Seismos pushes his way upward, a large mound rises on the earth's surface. The Sphinxes call this mound a 'dome.'

7533 Seismos is here credited with raising the island of Delos (one of the smaller Cyclades) from the Aegean Sea. Usually this island is said to have been a floating, unstable island until Jupiter anchored it to the bottom of the sea in order that Latona might there give birth to their twin children, Diana and Apollo.

7538 Atlas stood in the far west, bearing upon his shoulders the vault of heaven. He was the son of one of the Titans, condemned to this chore when the Titans were defeated by their ancient enemies, the Gods, under Jupiter.

7542–7547 The violent upheaval of the valley floor is witnessed and described by the Sphinxes They see the initial breaking through of the surface (7539–7543), and the terrific and untiring exertion of Seismos, as he lifts a great mass of rock (7546) on his shoulders (7538) until he himself has emerged head, shoulders, and chest from the earth (7547). The Sphinxes, having taken their positions ages ago, are certain that this new disturbance will not proceed so far as to affect them. — **trägt** A subject may be inferred from the context. Seismos is meant.

7559 Seismos, in company with Titans, and probably himself to be considered one, was disporting himself in the presence of the first ancestors. — According to Hesiod's Theogony, Chaos preceded all else in the universe. Gaea, or Mother Earth, came into being next after Chaos. From Chaos emerged Erebus, the mysterious darkness that is under the earth, and Night, which dwells in the regions of the sunset. Erebus and Night were wedded and from them sprang Light and Day. Gaea, or Mother Earth, was wedded ultimately to Uranus, the personification of Heaven, and from this union sprang (1) the Titans, (2) the hundred-handed monsters, and (3) the Cyclopes. Ultimately two of the Titans, Cronus and his sister-wife Rhea, produced the gods, who thereupon engaged in warfare with the majority of the Titans, whom they overcame and sent to Tartarus as captives. Hence *die höchsten Ahnen* would appear to be Chaos, Erebus and Night, Mother Earth and Uranus, of whom two are here named: Chaos and Night.

7561 Pelion and Ossa are mountains in northeastern Greece not far from Mt. Olympus. The Titans, or the Giants, are said to have tried to scale the heights of Heaven by piling Ossa on Olympus and then Pelion on Ossa. Goethe seems to have invented the ball game of 7561, as well as the piling of Pelion and Ossa on Mt. Parnassus, which is geographically remote from the rest of the places in this scene.

7564 Parnassus is a mountain in Phocis, in north central Greece, on the slopes of which, at Delphi, the famous oracle of Apollo held forth. Apollo was, among other things, the patron of music and poetry. The muses, nine in number, were daughters of Jupiter and Mnemosyne (Memory); they presided over song and assisted the memory.

— **Doppelmütze** Mount Parnassus has two summits, Tithorea and Lycorea.

7566 **hält** 'detains.'

7569 **Sessel** Jupiter's throne was on Mount Olympus.

7573 **Bewohner** All forms of plant and animal life (see 7578).

7575 **Emporgebürgte** A neologism by Goethe, meaning *"burgartig emporgebaute"* 'raised up like a lofty castle.' The Sphinxes are observing the last stages of the creation of a mountain. Rocks are still being added to the pile.

7580 **ein Sphinx** Masculine, although these figures are consistently treated as females (7195). This usage was current German practice in Goethe's time and probably stems from the French *le sphinx*. Present-day German usage distinguishes between *die Sphinx*, whom Oedipus outwitted, and *der Sphinx*, one of the Egyptian figures such as the Sphinx of Gizeh.

7585 **Imsen** See note to SD 7104. The griffons see new treasures of gold in the newly made mountain and dispatch the ants to gather it in.

7586 **ihn** = *den Schatz* The ants are exhorted by their chorus to bring the treasure to the surface as quickly as it has been lifted from the interior of the earth by Seismos, to whom they refer as a plurality of giants.

7602 **Herein** The busy ants are returning with their loads of gold.

SD 7606 **Pygmäen** The pygmies of Greek legend (Iliad 3, 6) lived on the shores of the river Oceanus and fought an annual war with the cranes, when these great birds returned from their southern migration. Goethe has given the pygmies the attributes of the dwarfs of Germanic lore.

7607 These mountains are sudden creations and just as suddenly, out of nowhere, these mountain-dwelling dwarfs have come.

SD 7622 **Daktyle** The dactyls were, according to Greek legend, a race of metalworkers, who lived on Mt. Ida. Goethe makes them into very tiny creatures, analogous to the *Däumlinge*, or thumb-long dwarfs of northern German lore. The word *Daktyl* is from the Greek word meaning 'finger.'

7625 The subject of *finden* is to be supplied from *die Kleinsten* (7624) who are the dactyls. — *die Kleinen* (7623) are the pygmies. — Anaxagoras is reported to have said: "Nor is there a least of what is small, but there is always a smaller; for it cannot be that what is should cease to be by being cut. But there is also always something greater than what is great, and it is equal to the small in number, and, compared with itself, each thing is both great and small." It is known that Goethe (ca. 1813) was interested in Leibnitz' monadology and in the controversy as to the claims of Leibnitz and Newton to the prior discovery of the differential calculus.

7629 Optative: 'Let agility make up for the lack of strength.'

7635 **rührig im Schwalle** = *im rührigen Schwalle*, 'in busy throng.'

7642 **heimliche Flammen** Covered flames inside the earth-covered pile of wood, which is not consumed but burnt to charcoal for the smelters.

SD 7644 This is the generalissimo of the pygmies, whose army is to be prepared for war with the cranes. They attack the herons in order to provide ornaments, heron feathers (aigrettes), for their helmets.

7653 **mit Helm und Schmuck** = *mit geschmücktem Helm.*

7654–7659 The ants and dactyls are held in serfdom by the pygmies. They agree to be docile till the proper moment for revolt appears.

SD 7660 Ibycus was a Greek poet, who, as the story goes, was attacked and murdered at Corinth. As he died, he called upon a passing flight of cranes to avenge his death. These cranes did indeed participate in the detection of the criminals, since one of the murderers later in the amphitheater at Corinth was heard to exclaim as he saw cranes flying overhead: "Behold, the cranes of Ibycus!" The pair was thereupon arrested and confessed to the crime. (See Schiller's ballad, *Die Kraniche des Ibykus.*)

7660–7667 The cranes witness the pygmies' attack on the herons.

7666 **mißgestaltete Begierde** = *begierige Mißgestaltete* 'greedy monsters,' 'a monstrous incarnation of greed.'

7669 In some of the pictorial representations of pygmies, on vases and walls, they are shown with bowed legs and big bellies.

7671 Cranes in their migratory flight form a wedge-shaped close-knit group similar to that of ducks or wild geese. Here (SD 7675) they set out in all directions to assemble their forces. They begin their attack on the pygmies at line 7884.

7680–7682 The allusions are to *Ilsenstein* (3968), *Heinrichshöhe*, the *Schnarcher* (3880), and *Elend* (SD 3835), all place names in the neighborhood of the Brocken in the Harz Mountains.

7683 The mountains and rocks of the Brocken are established; no convulsions attendant upon the making of new mountains shake the earth there. To be sure, this new one is hardly high enough to be called a mountain (7688), but still it and its origin constitute a spooky experience (7691, *Abenteuer*).

7693 **Chor** Of the Lamiae; see note to 7235.

7704 The allusion is to Mephistopheles' *Pferdefuß.*

7710–7711 **Mannsen, Hansen** Contemptuous names for stupid males, with whom Mephistopheles in his disgust identifies himself. Men have been made fools of by women from Adam on down: it is their lot.

7714 **das Volk** Women in general, and these Lamiae in particular. Mephistopheles knows that feminine beauty is often illusory.

SD 7732 **Empuse** The spirit Empusa is supposed to have two feet, one of which is of iron, or, according to some versions, is an ass's foot (7737). The creature is capable of changing herself into all sorts of shapes (7745), such as that of a plant (like Alraune), a cow, a snake, a fly, a beautiful woman. Here she associates herself with the Lamiae (7733). — Empusa is a fitting Mephistophelian counterpart to Proteus; see Note to line 8152 and Volume I, p. 95.

7732 eine solche The antecedent is the neuter *Frauenzimmer* (7730) and the feminine form *eine* is due to the meaning of the antecedent rather than to its grammatical form (gender). This is called *Fügung nach dem Sinn* 'agreement according to sense.'

7742 The book which tells the story of diabolical creatures on this earth is an old book with many pages.

7747 The ass's head on Empusa seems to be Goethe's invention.

7751 Mephistopheles is loath to class himself as an *Eselskopf*, even though he may be 'cousin' to Empusa and the Lamiae.

7756 Mühmchen The Lamiae.

7759 Metamorphosen See lines 7716–7717.

7763 Geleier Lines 7756–7759. The taunt (7764) drives Mephistopheles to take direct action (7766). He proceeds to lay hands on one after another of the Lamiae.

7774 Lacerta is a genus of small lizards, with which Goethe compared the lithe little streetwalkers of Venice (in his *Venetian Epigrams*). Here he is thinking of real lizards, into one of which the little Lamia has changed. — **Lazerte** for *eine Lazerte*.

7777 "Thyrsus" is the Greek-Latin word for the staff entwined with ivy and surmounted by a pine cone, which the Maenads waved in the air as they attended Bacchus (Dionysus) at the Bacchanalian feasts.

7783 Orientals are here alleged to favor women of embonpoint to the extent of paying high prices for them.

7788–7789 These lines are elliptical: 'Fly (or hover) around his head in irregular, awe-inspiring circles, on silent wings, like bats!'

7795 These Lamiae have just performed a masquerade. Every masquerade is a play, confusing the senses with a mixture of reality and unreality.

7802 Graus Either 'a thing arousing terror' or 'a wild confusion of rocks,' probably the latter in this passage.

7807–7808 Mephistopheles, who is certainly no novice at hocus-pocus, is astonished that in a single night these antique sorcerers could raise up such a mountain as this one. Now that he is laboriously trying to cross it, he seems to have more respect for it than at 7688.

SD 7811 Oreas, a mountain nymph who speaks from the natural rocks nearby, to say that her mountain is an original, not a Johnny-come-lately, like this recent upheaval.

7813 Verehre Either imperative, or indicative with the subject *ich* to be supplied. Probably best taken as imperative; see 7821.

7814 The Pindus range of moderately high mountains lies on the curving western border of Thessaly in northwestern Greece.

7816 Pompejus Gnaeus Pompeius Magnus, the triumvir and foe of Caesar at Pharsalus; see note to 7018–7020.

7817–7818 This mountain is mere hocus-pocus, and like all work of spirits, will disappear with the coming of day.

7846 neue New 'ghosts,' hypothetical entities, with which philosophers are said to operate.

7847 Mephistopheles says in effect, "progress toward understanding comes from trial and error." God said (317) "Error accompanies striving to progress." Mephistopheles' doctrine could be reconciled with Darwinian theories of selection and survival, and in any event does not seem to be a typical Mephistophelian, ironical remark. Indeed, it suggests the motto Goethe gave the first part of his autobiography: 'The man who has not been flayed, has not been educated.'

SD 7851 Anaxagoras (ca. 500–430 B.C.), friend of Pericles and teacher of Euripides, was the first philosopher to propose the idea of the supersensible. His incorporeal "mind," however, was not integrated into his theories of the cosmos, although he did regard this mind as the initial force which first imparted to matter a circular motion, separating air (the source of water, earth, stone, and whatever is cold, dark, and dense) from the "ether" (the source of whatever is warm, light, and rare). This "ether" must not be confused with ethyl oxide.

Thales (ca. 620–546 B.C.), the first philosopher of Greece, said by Herodotus to be of Phoenician descent, contemporary of Croesus and Solon, and one of the Seven Wise Men. According to Aristotle, Thales taught that water is the source of all things.

Goethe makes the spirits of these two ancient men antagonists in an argument in which he satirized the contemporary debate between Vulcanists (or Plutonists), who believed that the earth got its form from sudden and violent fiery upheavals, and the Neptunists, who believed that the earth emerged from the water by slow, non-violent processes. This conflict of opinion, in the light of our present knowledge of geology, now seems quite incomprehensible, but it was an animated quarrel in Goethe's day.

In these two characters Goethe personifies two basic forms of human behavior. Anaxagoras appears as a fanatic, an activist, and a revolutionary, impatient and intolerant in his argument, violent as the fiery upheavals he represents. Thales, on the other hand, is a patient, tolerant observer, moderate, experienced, a realist to whom the existence of things is of greater importance than theories about their origin. He represents slow consistent evolution. Anaxagoras can be taken in by the hocus-pocus of the demoniac spirits of the night: Thales is not deluded thereby. Hence Homunculus attaches himself to Thales rather than to Anaxagoras, who gives him bad advice (7880).

7852 **weiteres** Anything more than the sight of this mountain which has just been pushed up by Seismos.

7853–7854 Perhaps Thales is replying, in metaphors, to the accusation of obstinacy just made by Anaxagoras. Perhaps what he says is a continuation of what he may be assumed to have been maintaining so stubbornly as to provoke the accusation. In any event, the statement of line 7854 is, on its face, not true, and Goethe's intention is therefore obscure.

7855 'As a result of the action of fiery vapor this mountain was created and now exists.'

7859–7864 This sharpens the principal issue between the two schools of thought: the belief of the Vulcanists in cataclysmic, sudden changes as the creative force in nature, and the belief by the Neptunists in slow processes extending over great periods of time, without violence at any point.

7864 **im Großen** 'on a mighty scale.'

7865 **war's!** = *war es Gewalt!*

7866 **äolischer** The allusion is to Aeolus, king of the winds. He dwelt on the island of Aeolia with his six sons and six daughters. Here he lived a life of riotous carousal. He kept the winds penned up in a cavern and from time to time released them, sometimes on orders from his superiors, sometimes at his own pleasure. *Äolisch* means then 'like the pent-up winds of Aeolus,' and *äolische Dünste* amounts to 'vapors entrapped underground.'

7869 Thales' point is that this mountain is an isolated event, not part of a process on which one could build a theory of the cosmos.

7873 **Myrmidonen** A collective name for the pygmies, ants, dactyls, and other tiny living creatures (see note to SD 7622). The word occurs in ancient sources as the name of a tribe of southern Thessaly under the command of Achilles in the siege of Troy, but the name was wrongly associated with the Greek word 'myrmex,' which means 'ant,' and Goethe uses it in that meaning.

7875 **Däumerlinge** Now usually *Däumlinge;* see note to SD 7622.

SD 7877 In some of the stage directions, the use of a definite article with *Homunculus* makes that word seem to be a common rather than a proper noun. Forms with the article appear in SD 7877, SD 8238, SD 8245. Forms without the article, where *Homunculus* appears to be a proper noun, occur in 7828, SD 8082, SD 8231, 8469.

7880 Anaxagoras, speaking about these 'active little things,' turns to Homunculus and with a bit of whimsical humor proposes to make him king of these myrmidons. But Homunculus isn't sure that would be a good thing; and Thales advises against it, for general reasons (7882–7883), and also on practical grounds, since things are going badly for the pygmies (7884–7899).

7884 The cranes have assembled their forces (see 7670–7675), and are descending upon the pygmies to avenge the wanton slaughter of the herons. The herons are frequently confused with the cranes, though the two species are zoologically distinct. Neither the heron nor the crane has talons or claws such as those of the birds of prey.

7897 **Reiherstrahl** Occurs only in this line. *Strahl* might be expected to mean 'arrow' and some commentators take this to mean 'arrow winged with heron feathers.' However, the clear purpose of the pygmies in their assault on the herons was (7652–7653) to obtain heron feathers with which to adorn their helmets. Therefore, the word is probably best taken to mean the "bush" of heron feathers on each pygmy's helmet, perhaps only a single feather on each helmet.

7900 Anaxagoras approved the action of the subterranean spirits, because by creating this mountain they gave evidence to support his cosmological contentions in his debate with Thales.

7905 According to Goethe's source (Hederich), Hecate was the name given the moon in Hades, Diana was its name on earth, and Luna its name in Heaven. Indeed, the moon is said to have three forms (7903). Horace (CARMINA III, 22, 3–4) refers to Diana as the three-named and three-formed goddess. Diana and Hecate were more or less confused by ancient writers, since they had many attributes in common.

7908 Anaxagoras appeals to the powers above, specifically to the moon, to provide darkness to protect his people, the pygmies and their allies. He wants an eclipse of the moon and he wants it to occur without magic. This is a reference to the report that Anaxagoras sought to explain eclipses as due to natural causes rather than as "acts of God."

7914 Coincident with his prayer to the goddess a meteor falls from heaven. Anaxagoras takes this meteor to be the throne of the moon-goddess, and sees in its approach the confirmation of the report that Thessalian witches have by incantation conjured the moon down from the sky.

7924 **Schild** = *Runde* (7918) The blazing disc of the falling meteor, which Anaxagoras believes to be the throne of Luna.

7928 Supply here *werfe ich mich* from SD 7929. Anaxagoras prostrates himself before the throne of Luna, which he believes to be coming down from the sky.

7939 **der Fels** The meteor which hit the top of the mountain has changed the shape of the summit and crushed the pygmies and the cranes (7941).

7946 Thales, who hasn't experienced at all (7932–7935) the same things Anaxagoras and Homunculus report, is unimpressed. It's all imagination, anyway, to him, this Vulcanism.

7947 **Brut** The pygmies.

7954–7955 In the odor of resin there is some suggestion of pitch, and this, next to the hell-smell of sulphur, appeals to the devil of fire and brimstone. — The manuscript here reads: "Zunächst der Schwefel . . ." which is an unfinished sentence, the full meaning of which cannot be inferred from the context. Hence we have followed other editors in emending the text by setting *dem* for *der*.

SD 7959 **Dryas** A tree spirit, or dryad, associated with the oak tree. She suggests that tourists should not always make invidious comparisons of what they see with what they have at home. She is a spirit of the same type as *Oreas* (SD 7811).

7959 **sei** Concessive: 'you may be clever enough in your own way at home,' or imperative: 'in your own land be clever and environment-integrated (*einheimisch*).'

7967 **Phorkyaden** Also called "Graeae." Three daughters of Phorcys and Ceto, gray-haired and ancient witches with one eye and one tooth among them, which they used in turn. They were sisters of the gorgons, the sirens, and the six-headed monster, Scylla.

7972 **Alraune** See note to line 4979. Here Mephistopheles refers to the hideous human form assumed by the mandrake. The *Alraune* was probably the ugliest creature in Mephistopheles' demonology.

7973   The hideousness of the Graeae is compared with the hideousness of sin, specifically the deadly sins, presumably: pride, covetousness, lust, wrath, gluttony, envy, and sloth.

SD 7982   **Phorkyade**   The manuscript has an abbreviated form of this name which has been variously interpreted as Phorkyas, Phorkyade, or Phorkyaden. It cannot be determined with certainty whether Goethe intended these lines to be spoken by one of the Graeae, as at line 8018, or whether two of them were to speak. The names of these three monsters are said to be Pephredo, Enyo, and Chresis (or Deino). They kept their one eye, when not in use, in a special little box; and any one of them could affix it to her head, if she wished to bother to see what was going on.

7984   Mephistopheles is engaged in flattery. One need not believe anything he says.

7989   Ops is the Roman goddess of sowing and harvest and the wife of Saturn. Rhea was one of the Titans, wife of Cronus and mother of Vesta, Ceres, Juno, Pluto, Neptune, and Jupiter. Sometimes these two goddesses were identified with one another in the confusion of later, imperfect traditions.

7990–7991   Faust called Mephistopheles the son of Chaos (1384), as well as a son of Hell (1397). Neither designation has to be considered as evidence of Mephistopheles' genealogy. At 8027 Mephistopheles calls himself the son of Chaos and he is presumably lying — at least, the Graeae are skeptical about it, when they say that they themselves are beyond doubt the daughters of Chaos. Here (7990) Goethe appears to regard the Graeae as sisters of Chaos and of the Fates. According to Hesiod, the Fates are daughters of the night.

7991   Mephistopheles says he saw the Fates recently, he isn't sure just when. He is himself timeless, as are the Graeae. The remark need not be taken to refer to the figures of the masque in Act I (5305–5344), but it is sometimes so understood.

7996   **sagt!**   Imperative, addressed to the Graeae.

7999   More flattery. Mephistopheles pronounces the Phorkyads more worthy of the sculptor's art than the three highest goddesses of antiquity: Juno, sister and wife of Jupiter, Minerva (Pallas-Athena), the virgin goddess who sprang from the brain of Jupiter, fully armed for war, and Venus, goddess of love and beauty. Beneath this flattering remark one may suspect an allusion to Lessing's remarks on the repulsive in art (LAOKOON xxv).

8006–8007   These lines are usually understood to refer to the great activity of sculptors (and painters) in Berlin in 1830, when these lines were written. Many marble or bronze statues of military heroes were being erected in the parks and on the streets of Berlin at that time.

8015   **mythologisch**   After the fashion of mythology (which combines Ops and Rhea, for example), Mephistopheles, who is looking for a 'shape' in which he may properly appear in Sparta, proposes that one of the Graeae lend him hers for a short time. In the meanwhile the three sisters could get along with two 'shapes.'

8022–8025   Mephistopheles looks like a one-eyed, one-toothed daughter of Phorcys if he closes one of his own eyes and appears always in profile. with just one of his two canine teeth (tusks) showing.

8029 **Hermaphroditen** 'hermaphrodite.' A condition normal for the earthworm; but, for a human being, abnormal and usually accompanied by impotence and sterility.

8030 **Drei** 'trio.' When the numeral is used as a noun to denote a group of three, rather than three individuals, it is singular and usually neuter, as here.

8031 The Phorkyads, since Mephistopheles has become one of them, have their own eye and the one eye of Mephistopheles, as indicated in lines 8022–8023. Hence they have two eyes, and, in the same way, two teeth.

40. FELSBUCHTEN DES ÄGÄISCHEN MEERS

In place of the hideous Phorkyads, the grotesque battling between cranes and pygmies, and the disgusting Lamiae, we have here the glory of beauty, personified in Galatea. The demons of Fire are replaced now by the spirits of Water. The moon is arrested in its course at the zenith, thus symbolizing the halting of time, timelessness, as the proper condition for the ensuing festival in which the origin of life is to be celebrated and Homunculus is to find his way out of his bottle.

The keynote of the entire scene is the reconciliation of opposites: destructive and preserving deities (sirens and Cabiri) are joined in the same enterprise; worshippers of the sun (Telchines) are invited into the service of the moon; a goddess of beauty (Galatea) is hailed as the embodiment of human grace and divine immortality. In the medium of timelessness, this concluding scene of the Classical Walpurgis Night symbolizes the creative process of art, the synthesis of the elements of nature with the spirit through Love.

8035 **dich** The moon, Luna; see note to line 7914.

8038–8039 This is equivalent to "*auf der Zitterwogen mildeblitzendes Glanzgewimmel.*" 'Look down calmly from the arch of your night upon the gently sparkling tumult of brilliance of the lightly rippling waves.'

SD 8044 The Nereids are daughters of Nereus (the Old Man of the Sea) and the nymph Doris. The Tritons appear to be later multiplications of Triton, son of Neptune and Amphitrite. They are represented here as sea beasts. Hederich says they had the torso of a man, yet with sea celery for hair and scales instead of skin. Their lower bodies were those of dolphins plus feet like those of a horse.

8046 **Volk** The object of the imperative *ruft*.

8047 The storm may be thought of as the result of the atmospheric commotion caused by the earthquake (SD 7502) and the upheaval of Seismos.

8054 **eure** The sirens'; they are the spirits of this bay.

8057 **Dämonen** 'Spirits.' The word is used here with pleasant rather than with unpleasant connotations.

8063 **mehr als Fische** The sirens demand that the Nereids and Tritons show themselves to be more than mere unmotivated fishes. They agree to do so, and announce that they have planned to contribute importantly to the festivities.

8071 Samothrace is a small island in the northeastern reaches of the Aegean Sea. Its shores are rocky and steep, and it lacks a good harbor.

8074 **Kabiren** Oriental deities, whose cult was centered in Samothrace. Not much is known about them, but they have been much discussed. According to various authorities there were two, three, four, seven, or eight Cabiri. In Goethe's time there was a very considerable and windy debate about them, which led the poet here to satirize the theories of some of the disputants, notably those of Creuzer, the antiquary, and of Schelling, the philosopher.

8081 These sirens, like all spirit phenomena, must disappear with the coming of the dawn.

8082 **Nereus** Son of Pontus (the deep sea) and Mother Earth. Nereus is usually portrayed as the benevolent and wise Old Man of the Sea, noted for his ability to foretell the future and for his devotion to fair play and truth. Here Thales calls him peevish and hard to please.

8089 **dafür** = *davor.*

8093 **Glas und Flamme** For Homunculus equivalent to "flesh and blood," his life.

8096–8097 Reminiscent of Faust at the outset of the play; see lines 410–517.

8107 **harten** 'stubborn,' unmoved by the advice.

8108 **So oft auch . . . sich gescholten** 'However often (the deed) has proved to be its own grim accuser . . .' That is, whenever the event has proved the idea of the deed to have been wrong and deserving of censure.

8109 **Volk** = *Menschenvolk.*

8110 **Paris** See note to line 6184.

8111 **fremdes Weib** 'the wife of another,' or 'a woman from a foreign land.'

8113 Nereus foretold the fall of Troy.

8116 **festgebannt** This event has been fixed forever in the rhythms of the poets, particularly in the ILIAD of Homer and in Vergil's AENEID.

8121 The eagles of the Pindus Mountains (see note to line 7814) are depicted as scavengers on the battlefields before Troy, something like two hundred and fifty miles away. Hence some commentators understand these 'eagles' to be the Greek warriors, who finally won the victory at Troy.

8122–8123 Ulysses, after the fall of Troy, was led by the gods on very adventurous wanderings in his attempt to return home. — Circe dwelt on the isle of Aeaea. She was a powerful sorceress, who could turn men into lions, tigers, swine, or other beasts. She used her ability as a sweet singer to entice her victims into her power. She trapped part of Ulysses' party, but he, by bold attack, then forced her to release them. According to the legend, it was Mercury, not

Nereus, who warned Ulysses of the dangers of Circe's charms. —
The Cyclopes dwelt on an island off the east coast of lower Italy.
They were of gigantic size and had but one eye each. One Cyclops
trapped Ulysses and his men in a cave, but the hero finally escaped
by a ruse, though not without the loss of a number of his ship's company.

8124 Ulysses' 'hesitation' appears to be his seven-year dalliance with
Calypso, on whose island he was cast up from a raft (*vielgeschaukelt*,
8126), after the loss of his whole crew due to their irresponsible vio-
lation of his command not to touch the cattle of the Sun.

8127 **gastlich Ufer** The land of the Phaeacians, who received Ulysses
hospitably and finally arranged his return to his home. Notably
Nausicaä, the daughter of the king, received him well.

8137 **Doriden** Another name for the Nereids (see note to SD 8044),
since their mother was the nymph Doris, daughter of Oceanus. —
Later on (8383–8385) the daughters of Nereus and Doris are divided
into two groups: the Nereids and the Dorids; see note to lines
8379–8390.

8138 **Olymp** The home of the gods. — **euer Boden** The Earth, the
home of men.

8144 **Muschelwagen** A seagoing chariot made of a large mussel shell,
usually associated with Galatea, the fairest of the daughters of
Nereus and Doris. Goethe makes Galatea the successor of the Cyp-
rian Venus, who is here said to have turned away from her relatives
of the sea. — This is a reflex of a twofold myth of the origin of Venus.
According to the younger tradition (Hesiod), Venus-Aphrodite was
born of the foam of the sea. She was carried in the sea by the west
wind and surf to the island of Cyprus, where she ruled by the power
of grace and beauty.

8146 **Kypris** Venus.

8147 **Paphos** A city on the island of Cyprus, the principal scene of the
cult of Venus.

8149 **Wagenthron** The *Muschelwagen* of line 8144.

8152 Proteus was an attendant of Neptune and, according to some sources,
a son of Neptune. Like Nereus, he was an old man of the sea, but
his special gift was that of changing his shape at will.

8156 **steht er euch** 'if he stops and answers you.'

8160 **von weiten** = *von weitem* An archaic phrase form; see note to
line 532.

8162–8163 **Als wie** = *wie wenn* 'as if.' — **anzögen** = *herangezogen kämen*
'came sailing up.'

8170 Chelone was the name of a nymph whom Hermes (Mercury) transformed into a tortoise, the Greek word for which is *chelônê*. This in
German is *Schildkröte*, from which Goethe formed *Riesenschilde*. —
The Nereids and Tritons are carrying the Cabiri from Samothrace
(8064–8077) in or on a giant tortoise shell, identical with or similar
to that of Chelone.

8171 **ein streng Gebilde** = *die (drei) Kabiren*. The collective *Gebilde*
(like *Gebirge*) makes a unit of the mythological construction Cabiri,
'an austere group.'

8172   **Götter**   Cabiri;   see   note   to   line   8074. — Schelling   (ÜBER   DIE
       GOTTHEITEN VON SAMOTHRACE, 1815) had argued that the four
       Cabiri were not equals, but constituted an ascending series, with
       Kadmilos the most powerful. Subsequently the Cabiri are increased
       in Schelling's treatise to seven, and finally to eight "personalities."
       Indeed, Kadmilos is said by some to be the fusion of an original
       trinity of Cabiri. Creuzer operated with seven, and then with eight
       Cabiri. Goethe is making sport of his contemporaries Creuzer and
       Schelling for this kind of mythological argument (8194–8205). —
       Pronoun subjects must be supplied: (*es*) *sind* (8172); (*ihr*) *müßt*
       (8173).

8174–8177   The Cabiri were said by Herodotus (III, 37) to have been very
       small in size, like pygmies, and Greek writers usually refer to them
       as "mighty gods." They rescue the shipwrecked — thus often
       robbing the sirens of their victims. The sirens concede the greater
       power of the peace-loving Cabiri (8182–8185).

8182   **euch**   The Cabiri.

8190–8193   The Nereids and Tritons have reported a disagreement
       among the Cabiri (8186–8189). The sirens advise against taking
       sides; they pray to all gods (8206–8209). They advise respect for
       propitious gods and fear of harmful ones. — **Ehrt . . . fürchtet**
       Either imperatives or indicatives: either 'honor all mercy, fear all
       harm' or 'if you honor all mercy, (you must) fear all harm' (since
       by expressing gratitude to one god you may provoke another to a
       hostile act against you).

8198   **west**   An unusual third person singular present indicative of *wesen;*
       here 'lives and has his being,' or simply 'is.' — **der achte** This was
       Schelling's theoretical 'overlord' over the other seven.

8202–8205   In his interpretation of the Cabiri, Schelling operated exten-
       sively with the term "potential existence," that is, an existence not
       yet real. Each of his seven Cabiri represented a different stage of
       development toward the perfect being, and each reflected the stage
       before it and anticipated the stage which followed, thus forming a
       progressive series. The final stage of perfection is possible but as
       yet unachieved. None has finished the course of development —
       each yearns and hungers for the perfection unattainable for him.

8215   The Golden Fleece of the ram sent by Mercury for the escape of the
       children of Nephele. The girl, Helle, and the boy, Phryxus, were
       put on the ram, which then set out to the east through the air. The
       girl fell off into a body of water which has since been known as the
       Hellespont. The boy arrived safely in Colchis, on the east shores of
       the Black Sea at the foot of the Caucasus mountains. Here the
       ram was sacrificed to Jupiter and its fleece placed in a consecrated
       grove guarded by an ever-wakeful dragon. Jason was sent after
       this fleece by his uncle, Pelios, who hoped thereby to dispose of
       his nephew, the rightful heir to the throne of Aeson. The winning
       of the Golden Fleece by Jason became the greatest glory of the long
       adventurous journey of the Argonauts.

8215–8216   **sie**   The Argonauts. They brought back the Golden Fleece;
       but that, say the sirens, is nothing compared with the achievement
       of the Nereids and Tritons, who have brought back the Cabiri.

SD 8217 A baroque, operatic repetition in the form of a chorus of all voices.

8220 The allusion is to the pictorial representations of the Cabiri as clay jugs or pots with human heads. Homunculus sees only the clay jugs.

8221 **die Weisen** Alludes to people like Creuzer and Schelling, who had debated these problems in print.

8224 The intrinsic value of the things these people seek is entirely subordinate in their minds to the antiquity of these things. An old, rusty iron coin is more highly valued than a modern silver one.

SD 8227 **bauchrednerisch** In ancient times ventriloquism was sometimes used as a form of divination.

8233 **gestaltet** 'having taken on a form.' Proteus could assume any form he wished. This time he is a tortoise (SD 8237). — **stockt** 'is concealed for the moment.'

8240 **auf menschlich beiden Füßen** 'on your two feet in human form.' Proteus was a lesser Greek god, and most of the Greek divinities were anthropomorphous.

8242 **wer** 'if anyone.'

8250 **greiflich Tüchtighaften** Goethe coined a number of words in *-haft* (*regelhaft* 9022, *doppelhaft* 8872, *zweighaft* 9541, *wogenhaft* 10 046), in which *-haft* means essentially 'having.' This one is less readily susceptible of such analysis, but what seems to be intended is: 'having the suitability (*Tüchtigkeit*),' that is, 'being suitable' to be grasped or touched (*greiflich*). In the context, however, *greiflich Tüchtighaften* may be taken together to mean simply 'substantiality.'

8258 **so wie er anlangt** Homunculus seeks a place where he may acquire physical form. Proteus is to direct him there. Hence *anlangt* probably refers to this place: 'in whichever form (or as soon as) he arrives at his destination.' Others take *anlangt* to mean 'achieves existence.' The bisexual quality of Homunculus (8256) will facilitate matters, since he can assume either male or female form as circumstances may require.

8260–8264 The allusion is to the evolution of all forms of life from the minute organisms of the primordial seas. The fact that Proteus prescribes this course need not be taken to be related to the debate between Anaxagoras and Thales, although the suggested procedure is in line with Thales' doctrine and is applauded by him (8321–8326).

8268 **behäglicher** Comparative, now usually *behaglicher*. Goethe uses the positive degree *behaglich* six times in FAUST, but at 10 157 he wrote *behäglich*. Some editors change that form to *behaglich*.

8271 **Zug** See SD 8275.

8274 **Geisterschritt** The 'walking' of Proteus, Homunculus, and Thales to a point of vantage from which they can view the procession of Telchines. Homunculus is made to see this action from the point of view of a spectator and to find it remarkable on three counts: that Proteus, a god, Thales, a man, and Homunculus, a spirit, should be walking together as a trinity — god, man, spirit — to find a physical form for the spirit.

SD 8275   The Telchines were the original inhabitants of the island of
            Rhodes in the southeastern part of the Aegean Sea, northeast of
            Crete. They were reputed to be sons of the sea, and particularly
            distinguished as workers in bronze and iron. They are credited with
            the construction of the Colossus of Rhodes, a bronze statue of great
            size representing Helios, the Sun god, who is therefore thought to
            have been their national deity. They are also sometimes said to be
            the forgers of Neptune's trident, a three-pronged spear, with which
            this god of the sea could shatter rocks, summon or subdue storms,
            and rock the shores of earth. — **Hippokampen**   Mythological sea
            horses with horses' hoofs on their forelegs and a fish's tail for the
            back half of their bodies.

8277   **der Donnrer**   Jupiter, whose thunderbolts subdued his opponents
            and kept his enemies at a distance.

8281   **was**   Generalizing pronoun, 'whoever and whatever.' The auxiliary
            hat is to be supplied with *gerungen*.

8283   **weshalb**   Because it possesses power to incite and to calm the
            stormy seas, Neptune has given his trident to the Telchines to
            insure calm weather for this night's festival.

8285   Helios, god of the sun, is said to be the national deity of the Telchines,
            whom the sirens hail.

8287–8288   The hour is 'astir' with homage to the moon. The sirens wel-
            come the Telchines, who are worshippers of the sun, and invite them
            to join this celebration, dedicated to the moon.

8289   **Bogen**   The vault of the sky, referred to as an arc.

8290   Luna, or Diana, was the sister of Apollo, god of the sun.

8291   Rhodes, the island, for the people of the island, by synecdoche.

8293   From the beginning to the end of his journey through the sky, the
            sun sends his radiance down upon this favored island.

8297–8298   Rhodes is noted for a delightful climate with cloudless skies.
            Any cloud which formed, the Telchines say, was quickly dissipated
            by a ray from the sun and a little breeze.

8299   The reference is to the many statues of Helios, large and small,
            which the Telchines made. They boast of their priority in this field
            of art. The most famous product of their skill was said to have been
            the Colossus of Rhodes.

8302   The Greeks were the first people in the Western World to represent
            their gods in human, rather than in monstrous form. To be sure,
            their statues were several times life-size, but they adhered to the
            form of the human body.

8303   **du**   Homunculus.

8306   **Das**   'Those people,' the Telchines.

8311   **sie**   The bronze statues of gods made by the Telchines of Rhodes.
            The Colossus is said to have been destroyed by an earthquake and
            subsequently broken up and sold for old metal. At any rate it has
            never been found.

SD 8317   **verwandelt sich**   Proteus changes himself into a dolphin.

8319–8320   The situation parallels, externally at least, that of Faust and
            Chiron (7333–7470).

8321–8326 Thales speaks to Homunculus, advising him to permit himself to pass through all of the evolutionary stages in the development of man, that is, to repeat in his ontogeny the phylogeny of humankind.

8327 **geistig** 'as a spirit.'

8330 **Orden** The reference is to the progression in the orders of biological forms from unicellular protoplasms to the end-form in man. Proteus warns Homunculus that his strivings for a higher order of life will lead him into troubles and that once he has become a human being his doom is sealed. Proteus thinks that man's estate is hopeless, perhaps because it is not possible for a human to proceed beyond it, although enlightened human beings are aware of the imperfections of this estate and inclined to strive for the unattainable perfection they conceive.

8333–8338 **Nachdem** = *Je nachdem*. — Thales has the practical answer to the problem of human life and the solution to which Faust will eventually come. Proteus concedes that in the case of a man like Thales, who amounts to something in his own day, the answer may be valid.

8341 **Tauben** Doves were symbols of chaste love. They were sacred to Venus (Aphrodite).

8343 **Paphos** See note to line 8147. The doves of Venus are here represented as the escort of Galatea, daughter of Nereus (see note to line 8144).

8347 **Nennte** = *es würde* (or *könnte*) *nennen* Conditional, or potential.

8353 **Wunderflugs** Qualifies *begleiten* and refers to the behavior of the doves.

8356–8358 **dem wackern Mann** Either the *nächtiger Wandrer* of line 8347, or any upright man. — **Neste** A metaphor for heart. — **ein Heiliges** A god, or a myth about one. — Thales says that he approves what is pleasant to good men, the earnest belief in something sacred, as opposed to the rationalistic explanation of everything as a mere physical phenomenon (8347–8348).

SD 8359 Goethe's conception of these creatures seems to rest on Pliny (NATURAL HISTORY 28, 3, 30): "The Psylli and Marsi, and they who on the island of Cyprus are called Ophiogenes." Ophiogenes is taken to mean 'snake-born.' Vergil (AENEID 7, 750–755) credits Umbro, the priest of the Marsi, with the ability to heal snakebite by wand and holy words. The Marsi lived in Italy. Lucan (PHARSALIA, 9) says that the Psylli were magic healers and snake charmers who lived in Libya. Goethe makes these two groups members of the retinue of Galatea, probably because he thought they came from Cyprus. Specifically (8365), he makes them the custodians of Venus' chariot, here used by Galatea. Hence they appear as sea spirits, mounted on sea beasts.

8365 **Cypriens** 'Of Venus.'

8368 **Geschlechte** The race of men who have taken over these regions when the gods and the giants withdrew.

8369 **Tochter** Galatea, daughter of Nereus.

8371–8372 **Adler** Stands for the Romans, *Leuen* for the Venetians, *Kreuz* for the Christians, and *Mond* for the Mohammedans, principally the

Turks. Each of these peoples, at one time or another, controlled the
island of Cyprus. The sea spirits pay no attention to these political
changes, but keep their ancient ways in the caves of the island, underground.

8379–8390 The dance of the daughters of Nereus is described by the
sirens. The daughters who take after their father in vigor and size
are here called Nereids; those who are more delicate, like their
mother Doris, are called Dorids. Galatea is the one most like her
mother and here the one celebrated by all the others.

8388 **würdiger Unsterblichkeit** Like *lockender Anmutigkeit* (8390), a
predicate genitive indicating a quality belonging to the subject.
Galatea is 'of worthy immortality,' that is, she is immortal as is her
due, and she is 'of attractive grace.'

8392 The 'flowery garland of youth' are the young men whom the Dorids
have rescued from the sea, their prospective husbands.

8406 The Dorids would like to have and to hold forever the youths whom
they have rescued from the sea. Nereus cannot grant eternal life,
or permanent youth, to these human beings. However, he does
permit the Dorids to keep their 'catch,' and advises each to fashion
her youthful partner into a mature man and husband. There can
be no permanence to their relationship and their love will wear
itself out in time. — According to another view, *bildet euch* (8409) is
to be taken as equivalent to *bildet euch ein* 'imagine.'

8411 **was** Only Zeus can grant immortality.

8425 Galatea is borne rapidly past the spot where her father, Nereus,
together with Proteus, Thales, and Homunculus, is watching her
approach. She calls upon her steeds to halt, but they bear her
swiftly onward. The climax of this Water Festival is the passing of
beauty and perfection in the person of Galatea. But it is for a moment only and cannot be made to endure.

8426 **sie** The daughters of Nereus, Galatea's retinue.

8431 The separation for the whole year, until the next Classical Walpurgis
Night.

8435 We return now to the Neptunist.

8445 Nereus is still watching Galatea and his other daughters as they
return to their sacred city, Paphos.

8463 See SD 7068. The glass in which Homunculus is enclosed gives off
both light and sound. Proteus finds the sound here in the sea much
more impressive than in the air.

8465 **offengebaren** A bold neologism for *offenbaren*.

8469 Homunculus is moved (*verführt*) by Proteus' promise (8461–8463)
and by Galatea's perfection and beauty to throw himself at the foot
of her throne in the hope that there he may begin life with her in the
sea. His glass breaks and his light suffuses the waters round about.
Thales foresees trouble for Homunculus.

8474 **feuriges Wunder** The luminous Homunculus, whose refulgence
may find a quasi-rationalization in the phenomenon of phosphorescence due to the animalculae in sea water. The possible causes of
this phenomenon were much discussed in 1830 while Goethe was
working on this scene.

8479 **Eros** Love, who, according to the poet Hesiod, started life on earth by creating creatures male and female out of matter and then bringing them together with natural affinities.

8482 The conclusion of this vast flight of poetic fancy is the reconciliation and joint praise of the two traditional opposites, Water and Fire.

SD 8484 **All-Alle** All together, the whole ensemble, in a grand finale.

8486 In the celebration of all four of the constituent elements of the world there is the hint of a synthesis of all in the creation of the cosmos.

Act III

In 1827, four years or more before Goethe completed the second part of FAUST, as we know it, he published this third act in the fourth volume of the Cotta edition of his collected works, known from its title page as the *Vollständige Ausgabe letzter Hand*. He called it there: HELENA, KLASSISCH-ROMANTISCHE PHANTASMAGORIE. ZWISCHENSPIEL ZU FAUST. A year later (1828) in the twelfth volume of this *Ausgabe letzter Hand* Goethe printed what is now essentially Act I of the second part (lines 4613–6036) under the title: FAUST. ZWEYTER THEIL. To this text was appended the note (*Ist fortzusetzen*). At this time Goethe did not give his readers a clear indication of the relation of this first act of FAUST II to the previously published HELENA. As it stands now, Act III, the Helena episode, is in what should be the center of dramatic interest. It represents essentially the repetition in a quite different sphere of the experience of Faust in his love for Gretchen. Through this experience with Helena, Faust's spirit is to be made "gereinigt und frisch, nach dem Höchsten strebend," as Goethe put it in the sketch he once intended to include in the eighteenth book of DICHTUNG UND WAHRHEIT.

Dramatically, the Helena episode is difficult, because it lacks a basis of reality. Faust, in so far as he is important, is a human being. Helena is a phantom, the shade of a famous character in the great legend of ancient Greece. Her very existence in our play is fragile and illusive. Since she can hardly be said to "be," she is almost of necessity taken to "stand for something." Two possibilities of interpretation then arise: either Faust, the man, experiences something symbolized by Helena, the beautiful woman *par excellence;* or Faust is taken as "standing for something," which is brought into marital union with that "something" for which Helena stands. On these points one encounters very different and very strong opinions among commentators and critics. In such cases the beginning of wisdom is the admonition: "Read the text!"

41. Vor dem Palaste des Menelas zu Sparta

SD 8488   Sparta, the principal city of Laconica, the most southern of the
ancient Greek kingdoms, was the capital city of King Menelaus,
Helena's husband. Goethe uses Menelas, the French (and Doric)
form of the name Menelaus, probably because it was more manage-
able in his verse.

The assumption here is that Helena is just returning from Troy,
where she had been "liberated" after many years of fighting between
the Greeks (who sought to restore her to her husband, Menelaus)
and the Trojans (who sought to preserve her for her lover, Paris).
She brings back a retinue of Trojan women as her attendants.
These women are now prisoners of the Greeks. Their leader is
Panthalis. The name Panthalis is mentioned in ancient sources as
belonging to a female companion of Helena.

8488   The metrical form of the non-lyric portions of this scene is Goethe's
version of the classic trimeter. (See Volume I, Introduction, p. 140,
and the note to line 7005.)   Goethe also often uses extra syllables in
the unstressed portions of the metrical unit, in order to avoid mo-
notony. The lines here are not rimed.   One peculiarity which needs
special notice is that the last beat of the line often falls on a syllable
which we should regard as unstressed, but which could have second-
ary emphasis in Goethe's diction. Thus the last syllable of *Helena*,
regsamem, *Menelas*, *schwesterlich*, *entgegenleuchtete*, *verhängnisvoll*,
phrygische carries the beat of the last measure and must be read with
somewhat greater stress than the syllable next preceding it.

8491   **phrygischen Blachgefild**   The plains of Troy (Ilium) in Phrygia.

8493   **Euros**   The east wind. Troy lies northeast of Sparta across the
Aegean Sea.

8494   **Dort unten**   At the seacoast. Sparta lay on the river Eurotas some
twenty miles upstream from its mouth, where the returning Greeks
came ashore from their ships.

8497   Tyndareus was the mortal husband of Leda, who bore him a son,
Castor, and a daughter, Clytemnestra. Leda also bore to Jupiter
(see note to line 6903) a son, Pollux, and a daughter, Helena.

8498   **Pallas' Hügel**   A hill sacred to Minerva (Pallas-Athena). This
goddess presided over the useful and ornamental arts. Her chosen
seat was Athens. Tyndareus built his palace near the slope of a
hill. It is probable that this was *Pallas' Hügel* — that is, a local
hill dedicated to Minerva, and having upon its summit a temple
sacred to her. The return of Tyndareus, referred to by *wiederkehrend*, was his return from Aetolia, presumably when he married
Leda and brought her to his home in Sparta. Some commentators
understand *von Pallas' Hügel* to restrict *wiederkehrend* and take
this to mean that Tyndareus had been in Athens and returned
thence to Sparta.

8504   **erwählt**   Helena had been sought by many princely suitors, all of
whom, at the suggestion of Ulysses, had taken an oath to sustain
the choice and defend it if necessary. Tyndareus selected Menelaus.
When she fled with Paris to Troy and thus precipitated the Trojan

War, it was chiefly her former suitors who carried out the great military expedition of the Greeks.

8508   Helena prays that all of her immediate past — her life at Troy with Paris and the tremendous conflict of the Trojan War, which brought death to so many great heroes and destruction to so much splendor — might be shut out of her life from this point forward. She wishes to put these dire doings wholly behind her and begin life anew.

8511   The temple of Venus was on the large island of Cythera, south of the Laconican Gulf and about 100 miles from Sparta. One version of the story of Helena and Paris says that the son of Priam first landed on the island of Cythera and that Helena went there out of curiosity to see this famous protégé of Venus. Paris then proceeded to carry her off to his Trojan home in Phrygia. — **heiliger Pflicht gemäß** 'to worship as was my duty.'

8518–8523   This is the strophe of a tripartite choral ode; the antistrophe is sung at lines 8560–8567 and the epode at lines 8591–8603. — The structure of the ancient (Pindaric) ode comprises (1) the strophe, or 'turn,' a set of verses sung or said by one part of the chorus, (2) the antistrophe, or 'counter-turn,' a set of verses in the same form as the strophe, sung or said by the other part of the chorus, and (3) the epode, or 'after-song,' a set of verses to be sung or said by the whole chorus. The epode is not identical in form with the strophes, but is usually longer than either and shorter than both together.

8523   **Schöne** = *Schönheit.*

8533   **Begleiter** In apposition to *Ruf und Schicksal* and an object of *bestimmen* (8531).

8535   **im hohlen Schiffe** Below, in the body of the ship, where the cabin was located.

8537   **gegen mir** = *mir gegenüber.*

8538   The river Eurotas empties into the bay of Laconica about twenty miles south of Sparta (see note to line 8494).

8539   **hinangefahren** An absolute participle, after the manner of Latin or Greek absolute constructions: 'But now, when, having sailed up the deep roadstead along the shore of the bay of the Eurotas, the prow of the leading vessel had scarcely touched the shore, he said . . .'

8549   **Betrete** An imperative by analogy to the weak verbs, instead of the normal *betritt.*

8564   **fordre sie auf** The jewels are personified and challenged to compete with Helena for the crown of greatest beauty.

8570   The instruments for a sacrificial offering: tripods for the burning of incense, vessels for the washing of the priest's hands, or perhaps for the catching of the blood of the victim. Other dishes contain wine, barley meal, and the like, to be put on portions of the animal which are to be burned on the altar. — **das flache Rund** (8573) The *patera*, the plate or libation saucer, in which blood of the victim was carried around among the celebrants. — As Goethe tells the story, Helena was abducted from the isle of Cythera when about to perform a similar act of sacrifice.

8578 **geb' ich heim** = *geb' ich anheim* 'I entrust.' The manuscripts are not satisfactory at this point and some editors print *hin*, instead of *heim*.

8580 **zeichnet** = *bezeichnet*, with a shift to the present tense for greater intensity of feeling. — **der Ordnende** Menelaus, Helena's meticulously orderly husband; recall *nach der Ordnung* in lines 8541, 8555, 8569.

8583 **heimgestellt** = *anheimgestellt* 'Placed in the hands of (the Gods).'

8596 **auch verkündet** 'Even when it is prophesied for us.'

8601–8603 With *schauen* supply *wir nicht* (from line 8599): 'Do we not look upon the dazzling sun of the heaven and upon the most beautiful thing on earth, you, gracious toward us fortunate ones?'

8604–8606 **geziemt** It is her duty to enter the palace which once more stands before her eyes, incredibly, after she has long been absent from it, has often longed for it, and frivolously almost lost it forever by going off with Paris. This palace had been her childhood home.

8621 **Götter** Presumably Zeus (Jupiter, Helena's father), Poseidon (Neptune), and Tyche (Fortuna).

8647 Zeus (Jupiter) was indeed Helena's father, and Homer usually refers to Helena in this way.

8653 **die Stygischen** Those powers who dwell beyond the river Styx, in the lower world; hence, the powers of Hades.

8656 **(gern) . . . scheiden mag** 'Am moved to leave.' — This line is an Alexandrine.

8657–8658 **sollt ihr** = *ihr sollt*.

8676 **welch** = *irgend welches* 'Some.'

8687 **das Wunder** 'The strange, monstrous woman' (*Weib* 8676).

8697 The chorus speaks in the first person singular, as though it were an individual. — This choral song is usually considered to consist of two strophes (or a double strophe), 8697–8701, 8702–8706; two antistrophes (or a double antistrophe), 8707–8712, 8713–8718, an epode, 8719–8727, and then two new strophes, 8728–8735, 8736–8743, followed by two antistrophes, 8744–8748, 8749–8753.

8711 **Sturmes Wehen** The violent air currents produced by the fire serve to spread the conflagration.

8735 **Graien** See note to line 7967.

8741 **er** Phoebus, the sun.

8746 **Augenschmerz** The sensation of pain in the eye, which is aroused in lovers of beauty by that which is reprehensible and 'everlasting-wretched.'

8747 **das Ewig-Unselige** Should mean 'that which is eternal and wretched,' just as *das Ewig-Weibliche* (12 110) means 'the eternal-feminine.'

8754 **Alt ist das Wort** 'Old' from our point of view. For example, in Juvenal (about 65 A.D.–128 A.D.): "Rare indeed is the friendly union of beauty of form and chaste modesty." (10th Satire, line 297.)

8772 The Maenads were female attendants of Bacchus. In the Bacchanalian revels they danced and sang, waving aloft the Thyrsus, a staff entwined with ivy and having a pine cone on top. See note to line 7777.

8779 **Zuhauf euch sehend** 'As I see you in a crowd . . .' — *sehend* qualifies *mir*.

8792 **der Nächste** In Leviticus 19.18 (cited in Luke 10.27) the Hebrew Law required: "Du sollst deinen Nächsten lieben wie dich selbst." A German proverb has it that: "Jeder ist sich selbst der Nächste." 'Everyone looks out for his own interests first.'

8808–8809 As the beauty of a swan is to the dubious beauty of geese, so is Helena's beauty when compared with that of her retinue. Helena is later referred to as *die Schwanerzeugte* (line 9108); see note to line 6903.

SD 8812 The chorus consists of the leader and twelve '*Choretiden.*' It is divided into two halves which stand on opposite sides of the stage, one headed by the chorus leader, the other standing behind Helena. Phorkyas is between the two groups. Here members of the half chorus led by the *Chorführerin* step forward singly and speak. The dialogue takes the form of the alternate exchange of single lines (stichomythy), which is characteristic of lively dialogue in the classic Greek drama.

8812 **Erebus** The mysterious darkness that is under the earth, which, when wedded to Night, became the father of Light and Day. The girl implies that Phorkyas is the offspring of darkness and night.

8813 **Scylla** Daughter of Phorcys and Ceto, and hence sister of the Graeae. She was transformed by Circe into a six-headed monster hideously compounded of serpents and barking dogs. 'Cousins of Scylla' thus is an opprobrious name given this chorus by Phorkyas.

8814 This may be a reference to oriental heraldry, in which monsters are frequently shown leaping or climbing upon trees.

8815 **Orkus** Helena and her retinue (the chorus) have indeed just come from Hades.

8817 **Tiresias** Aged blind soothsayer of ancient Thebes.

8818 **Orion** Son of Neptune. He was killed by Diana, and then transformed into a constellation and set in the sky. The point is that Phorkyas must be very old if her great-great-grandchild was the nurse of Orion, whose death was prehistoric.

8819 The Harpies were grandchildren of Pontus (the sea) and Gaea (the earth). They were foul creatures with the heads of fair maidens, but with the bodies, wings, and claws of birds. Their faces were pale from hunger. They befouled whatever they touched.

8820 **was** Used in place of the missing dative form of the interrogative pronoun.

8821 Phorkyas chides the chorus with being vampires. In Slavic folklore, vampires are corpses which rise during the night from their graves to suck the blood of sleepers. The vampire is thus nourished and kept alive, while its victims pine away and die.

8825 The riddle has two components. (1) How can these chorus members appear here? They are, as Phorkyas knows, phantoms from the underworld. (2) What is Phorkyas doing here? She (or he) is also

far from her proper place. — **hebt sich auf** = **läßt sich aufheben**
'Can be canceled out,' in the mathematical sense that one factor is
equal to another opposed to it in the equation. Both parties are
demonic spirits.

8829 **unterschworner** Inwardly poisoned and yet glossed over with the
outward appearance of healthiness, 'festering beneath the surface.'
This line refers to the evils of dissension among (or between groups
of) subordinates, each one of whom is loyal to the master, but whose
mutual and reciprocal hostilities are as pernicious as though dis-
loyalty were at work.

8833 **den Selbstverirrten** The master's order should be followed by
swift obedience, as automatically as an echo follows his words. But
when the master's orders are willfully unheeded, he finds himself
engulfed in the noisy confusion of his own and other peoples' wills.
He becomes unsure of himself (*an sich selbst irre*), and his reproaches
are in vain.

8835 The horrors mentioned by Phorkyas and the members of the chorus
bring to Helena's mind the terrifying figures she herself has seen,
and remind her that she has come from Orcus and perhaps belongs
there rather than on earth.

8838 Helena is confused. She has indeed just emerged from Hades and
found herself on the scene of her youthful adventures, the memories
of which flood her mind. She isn't sure the whole thing isn't a
delusion; perhaps even her life was a dream.

8840 **jener Städteverwüstenden** Genitive plural. Helena was at once
the dream and the terror of the Greek heroes who destroyed Troy.
The line is cast in the style of Homer.

8848 **Theseus** See note to line 6530. Theseus is sometimes called a second Hercules. He was one of five mortals to go down to Hades to
the throne of Pluto and return to live on earth. Indeed, he owed his
safe return from the realm of the dead to Hercules, who released
him from an enchanted rock where Pluto had put him.

8851 **Aphidnus' Burg** A fortified town in Attica, where, according to
Hederich, Aphidnus, a good friend of Theseus, was to care for the
young Helena. Castor and Pollux soon liberated their sister (see
notes to lines 7369 and 7415).

8853 **Heldenschar** Construed with *umworben*, is probably in the genitive,
instead of the usual expression of agency by *von* plus the dative.
However, one cannot prove that this form is not dative, rather than
genitive, because the locution is exceptional and has no known parallel. If construed as a dative, it may be explained as an imitation of
the Greek or Latin dative of the agent: 'wooed by an elite band of
heroes.' — Another possibility is to construe *Heldenschar* with
standst du rather than with *umworben*. In that event the form has
to be taken as a dative in the unusual sense of 'presented to, before.'

8855 **Patroklus** Bosom friend of Achilles, here called his 'image.' Achilles
was the son of Peleus, and hence was called *Pelides*, or *der Pelide*.

8858 Tyndareus, foster father of Helena, was king of the city-state
Lacedaemon, or Sparta, as it is more often called. He gave his
daughter Helena and his royal power to Menelaus.

8860 **Kretas Erbe** Menelaus is said by Hederich to have gone to Crete in order to see to it that he got his share of the estate of his maternal grandfather, Creteus, who had died there. He became involved in a long struggle for his rights and hence was away from home for a long time. During his absence, Paris is said (8861) to have come to Sparta.

8864–8865 This fiction of Mephistopheles-Phorkyas — that Menelaus had brought her back from Crete a captive slave and installed her as stewardess when he found his home deserted by his wife — is intended as part of the progressive shift by which the world's most beautiful woman comes ultimately to put her trust in the world's most hideous creature.

8868 **Die** Plural, 'those things' referred to in line 8867.

8872 According to a later version of the Helena story, on which Euripides based his play, Mercury carried off the real Helena to Egypt, while Paris, with the aid of Venus, managed to abduct and carry off to Troy only the phantom of Helena.

8876 Another late legend tells that the King of Hades restored Helena and Achilles to earth as phantoms, putting them on the island of Leuce in the Black Sea. There a child, Euphorion, was born to their ghostly union (see note to line 7435). Achilles is said to have been one of the early suitors of Helena, before her marriage to Menelaus.

8880 **die Worte** = *Idol . . . Idol.*

8882 The chorus speaks to Phorkyas in an ode, the structure of which here is: the pro-ode (8882–8886), strophe (8887–8894), antistrophe (8895–8902), and epode (8903–8908).

8889–8890 The three-headed dog is Cerberus, who lies at the gate of Hades. He welcomes those spirits who seek to enter, but is hostile to any who attempt to depart from Pluto's realm.

8898 **denn** 'than.' Archaic usage, where *als* is now usual.

8900 **mit** 'along with, together with.'

8907 **Gestalt aller Gestalten** This use of the genitive is analogous to that of the phrase *Lied der Lieder*, 'Song of Songs'; 'the best of all . . .'

8909 The verse form here is the trochaic tetrameter, another of the Greek forms found in the dialogue of ancient tragedy. It is used without rime. The tetrameter is, in theory, an eight-beat line comprising four dipodies of two beats each, the last measure being catalectic (having no unstressed syllable). A dipody is a unit of two measures or feet. It is often impossible to identify these dipodies in German tetrameters. The caesura should appear after the eighth syllable. We find here the same irregularity as to the number of unstressed syllables in the arsis that we met in the case of iambic trimeter (see note to line 8488 and Volume I, Introduction, p. 141). — Phorkyas addresses Helena metaphorically as the sun. The clouds are the clouds of Helena's fainting spell, from which she has just recovered.

8913–8914 Helena, at the command of Menelaus, has come up from the seacoast to make arrangements for her husband's sacrifice to the gods. She has met with unexpected nervous strain in her encounter with Phorkyas, has fainted (SD 8881), and now feels weak and exhausted. At the challenge of Phorkyas (8909) Helena steps forward, saying: 'Although I come forth with faltering step from the solitary desolation which enveloped me in my fainting spell, I should like to rest again . . .' *Tret' ich* . . . and *pflegt' ich* . . . may be taken respectively as the subordinate and the principal verbs of the sentence, the first clause of which is rather "concessive" than "conditional." According to another view *Tret' ich* . . . and *pflegt' ich* . . . are correlative, with poetic inversion, and mean: 'With faltering step I come forth . . .; I should be glad to rest again . . .'

8917–8918 **Stehst du nun** 'Now you stand' The inversion is poetic and does not mean 'if': *da* need not be translated.

8924 Phorkyas foretells the death of Helena as a sacrificial victim on the altar of the house. Her attendants, however, who must die with their mistress, will be unceremoniously hanged from the rafters, like thrushes caught in a bird-catcher's net. The idea stems from the ODYSSEY, 22, 462–467. They will not be given the 'pure death of the sword' but will be strangled like the perverse servants in Ulysses' household.

8930 Phorkyas calls the members of the chorus 'ghosts,' which indeed they are. They are here in daylight by virtue of the special dispensation of Persephone, who has permitted this reappearance of Helena and her union with Faust. Faust's mission to Persephone (7490–7494) has been successful.

8932 All human beings are said to be 'ghosts,' even as these women of the chorus are ghosts. Sophocles makes Ulysses say: 'For now I feel all we who live are but an empty show and idle pageant of a shadowy dream.' (AJAX, 125–126.)

8934 **bittet oder rettet** 'Will save by prayers of intercession or by direct help' from the inevitable end (*Schluß* = death).

8936 **ans Werk!** Phorkyas turns to the business of preparing for the sacrifice of Helena and the coincident death of the members of the chorus.

SD 8937 In spite of Mephistopheles' alleged lack of power in the realm of classic antiquity, he (as Phorkyas) appears now to be operating as usual with various useful spirits under his command. — This portion of the act has many of the features of a ballet.

8937 **Ungetüm** One rotund dwarf is thus addressed for all. These are hostile and destructive creatures (*schaden* 8938).

8939 **goldgehörnten** 'with horns of gold,' like the one described in Exodus (30.1–3).

8940 **Silberrand** The silver binding around the edge of the top of the portable altar.

8945 **eingewickelt** Burials in ancient Greece were commonly made without coffins, the body being wrapped in a cloth or rug, as here indicated, and laid in a cave or under a pile of rocks.

8949 **Mir deucht** = *Mir deucht es gut* 'it seems advisable to me.'

8951 Faced with the prospect of death, the leader of the chorus, speaking for her girls, appeals for help to the same Phorkyas whom they but lately reviled as hideous. Indeed, the chorus, 8957–8961 and throughout this act, is quite avidly concerned with its self-preservation. The members of the chorus are spirits who have been given a renewed existence on earth as phantoms, and they are now greatly afraid of having to go back to dull, monotonous Hades.

8955 **Zugaben** 'Appendages.' A *Zugabe* is something or someone 'thrown in' to complete a deal, a sort of bonus or extra, that goes along with a bargain 'to boot.' There is considerable contempt for the Chorus in Phorkyas' remark.

8957 **Parzen** The Fates. The allusion here is probably to Atropos, although Klotho had the shears during the masque of Act I. See note to SD 5305. — **Sibylle** A general name for a divinely inspired prophetess. See note to line 2577.

8958 **Tag** Life.

8962 **diese** The members of the chorus, Trojan slaves. Helena feels no fear, only pain and sorrow, because of her husband's alleged intention to kill her (see lines 9052–9053).

8969 **Rhea** See note to line 7989.

8978 **Richte** 'Line.' Apparently a unique use of this word, meaning either the structure of his doorway and the place where it is (D. Sanders), or the line or limit of his threshold (M. Heyne, in Grimm's DEUTSCHES WÖRTERBUCH). — **heilig** Because the house inside the threshold was protected by Zeus.

8982 **wohlbekannte** What Phorkyas has just said amounts to the proverbial: "Bleibe im Lande und nähre dich redlich!" Psalm 37.3.

8983 **Verdrießliches** Vexatious thoughts of her failure to remain at home and attend to her husband's house (8978–8979).

8985–8989 This is the account of Phorkyas, the pretended Cretan stewardess left in charge of the house by Menelaus. According to the usual interpretation, the siege of Troy lasted for ten years at the beginning of the twelfth century B.C. After the fall of Troy Menelaus and his wife Helena set out for home in a ship. They were buffeted about the Mediterranean for a long time, landing in Cyprus, Phoenicia, and Egypt, before they finally arrived in Sparta. We do not know just how many years this journey required. Phorkyas puts it at nearly ten years (line 9004).

8994 **Talgebirg** Beyond Sparta to the north, on the border between Laconica and Arcadia.

8996 **Taygetos** Four syllables, with stress on the second: Ta-y'-ge-tos. This is a range of mountains west of Sparta and running approximately north and south, making part of the boundary between Laconica and Messenia.

9000 **aus kimmerischer Nacht** The Cimmerians were a mythical people, described by Homer as living in a land of mist and darkness. Goethe fuses legendary events of the twelfth century B.C. with historical events of the thirteenth century A.D., when Franconian knights on the fourth crusade set up a kingdom in the Peloponnesus, which endured for a century and a half, until 1346. These are the peoples called barbarians by the Greeks in line 9013.

9007–9009 The lord of this castle has raided the royal palace of Menelaus at Sparta while the king was away fighting before the walls of Troy. —**konnt' er** = *hätte er können.*

9015 **menschenfresserisch** Particularly the conduct of Achilles toward Hector (ILIAD 22, 346–347):

> Daß doch Zorn und Wut mich erbitterte, roh zu verschlingen
> dein zerschnittenes Fleisch, für das Unheil, das du mir brachtest!

9016 **acht' . . . vertraut'** Ambiguous forms: either indicatives: 'I respect his greatness, and have entrusted myself to him,' or conditional subjunctives: (*achtete . . . vertraute*): 'I should count on his loftiness of mind and trust my fate to him,' or indicative and subjunctive: 'I respect his magnanimity, and (if I were in your predicament) I should entrust my fate to him.'

9018–9021 The allusion is to the rude masonry of the earliest inhabitants of Greece, in which huge stones were piled up (*aufgewälzt*) without the use of mortar, to form rude walls for buildings. The Cyclopes had gigantic strength and were therefore thought to have piled up these incredible structures, which are found especially in the cities of Tiryns and Mycenae, the home of Menelaus.

9026–9030 A description of a medieval castle such as the Franconian crusaders would construct; see 6929.

9030 **Wappen** Heraldry, with its coats of arms, is a medieval invention, unknown to the ancient Greeks but resembling in a way the devices which they caused to be wrought upon their shields. — **Ajax** A Greek hero before the walls of Troy, second only to Achilles in warlike strength. He was supposed not to be very intelligent, however.

9032 The Seven against Thebes were the younger heroes Polynices, Adrastus, Tydeus, Parthenopaeus, Capaneus, Hippomedon, and Amphiaraus. Their exploits were celebrated by Aeschylus.

9038 **seinen** When Goethe changed line 9037 from its older form: *Und solch Gebild führt hier ein jeder Heldensohn* to its present reading, he failed to change *seinen* in 9038 to *ihren*, as is required by the new antecedent *Heldenschar.*

9045 Blond northern boys should attract these Trojan damsels, who were, it is to be supposed, Mediterranean types.

9047–9048 Helena is annoyed on two counts. She dislikes reference to Paris, and she dislikes this straying from the purpose of the tale to excite the desires of her servants. She wants to know what Phorkyas has to propose.

9049 **sagst** = *wenn du sagst.*

9054 Deiphobus, the bravest brother of Hector, and brother also of Paris. According to later legends, Deiphobus is said to have taken Helena as his wife after Paris died. During the sack of Troy, Menelaus overcame Deiphobus and dismembered him by degrees (AENEID VI, 494–497).

9060 **jenes willen** 'On his account.' Reference is to Deiphobus.

9061 **der** 'He who.'

9062 **lieber** 'Rather' (than share possession of it).

SD 9063 Since Menelaus participates in this action only in the mind of Helena and of her retinue, and since there is no question of his having been released from Hades to wander about here in Sparta once more, these trumpets can only be understood to be part of Mephistopheles-Phorkyas' magic, designed to persuade Helena to go to Faust's castle.

9068 **Herr und König** Menelaus, who, according to Phorkyas' story, has appointed her stewardess here.

9069 **ihren Tod** Helena's death.

9075 **Das andre** Antithetical to *das Nächste*, which is Helena's decision to go to the castle of the strange lord and again forsake her home and husband, Menelaus. Just what is meant by *Das andre* is not clear: perhaps the consequences of her act. What comes next, at any rate, and what Helena may well have had in mind, is her union with this "foreigner" in the stone castle.

9078 Again a choral ode, with pro-ode, strophe, antistrophe, and epode, ending at line 9121. See note to line 8882.

9081 **abermals** The first time was behind the protecting walls of "the topless towers of Ilium."

9084 **Schütze sie** 'May it (the wall) protect . . .'

9087 **List** A reference to the Trojan horse and the attendant trickery.

SD 9088 **nach Belieben** 'At the pleasure (of the stage manager).' — Lines 9088–9121 accompany the change in scene and describe it as it is accomplished behind a veil of mist, which "arises from the river Eurotas." Lines 9113–9121 allude directly to the shifting scene.

9102 The allusion is to the belief that the swan sings when it is about to die.

9108 The allusion is to Helena, daughter of Leda and Jupiter, who appeared in this love affair as a swan.

9117 Hermes-Mercury was assigned the task of conducting souls of the dead to the realm of darkness. For this office, Hermes had a golden wand twined with snakes and surmounted by wings. The chorus knows this figure, because he had led their souls to Hades once before (9118).

9122–9123 At this point the mists vanish and the new scene is revealed. It is a remarkable mist, in that its dispelling is not accompanied by sunlight, as is usually the case. The chorus and Helena now find themselves surrounded by unfamiliar walls.

42. Innerer Burghof

Helena and her retinue have been persuaded to follow (9074) Mephistopheles-Phorkyas to the castle of Faust, which is to be thought of as one of those Franconian structures which the participants in the fourth crusade erected in the Peloponnesus and which are still discernible as ruins there. The transition from the world of antiquity to the world of Faust has been accomplished, but this is still a world of fantastic structures, not altogether real. Indeed, the transition from one world to the other has been managed so as to preserve the illusion of complete unity of place. Our dramatic characters have been indeed surrounded (9123) by Faust's castle, without really leaving the soil of Sparta.

It is probable that what Goethe called the second part of the HELENA begins with this scene, rather than with scene 43, *Arkadien*, though this is not certain. Definite stage directions calling for musical accompaniment cover only lines 9679–9938. Goethe intended this second portion of the HELENA to be treated as an opera. He called it "die opernartige romantische Hälfte," and said about its casting (to Eckermann, January 29, 1827): "Der erste Teil erfordert die ersten Künstler der Tragödie, sowie nachher im Teile der Oper die Rollen mit den ersten Sängern und Sängerinnen besetzt werden müssen. Die Rolle der Helena kann nicht von einer, sondern sie muß von zwei großen Künstlerinnen gespielt werden; denn es ist ein seltner Fall, daß eine Sängerin zugleich als tragische Künstlerin von hinlänglicher Bedeutung ist." The author's further remarks about his intentions here deserve to be quoted: "Es steckt ein ganzes Altertum darin," sagte ich [Eckermann]. "Ja," sagte Goethe, "die Philologen werden daran zu tun finden . . . Aber doch ist alles sinnlich und wird, auf dem Theater gedacht, jedem gut in die Augen fallen. Und mehr habe ich nicht gewollt. Wenn es nur so ist, daß die Menge der Zuschauer Freude an der Erscheinung hat, dem Eingeweihten wird zugleich der höhere Sinn nicht entgehen, wie es ja auch bei der 'Zauberflöte' und anderen Dingen der Fall ist."

This "higher meaning" is clearly enough embodied in the union of the romantic with the classic, both in the persons of Faust and Helena and in the forms of their utterances, which commingle classic with romantic verse patterns and other stylistic devices. Faust, the romantic, northern man, achieves his highest spiritual perfection when he achieves union with the beauty of classical antiquity. At the end of this experience, his life is no longer a frenetic quest for something mystically outside and beyond himself, which he requires for his self-realization, but this striving has become a purposeful, active drive toward a practical goal.

9135 Helena, who does not know the name of this mysterious person who has guided her thus far, addresses Phorkyas with the generic name *Pythonissa*, which means 'Prophetess, wonder-worker.' The word *Pythonissa* is used by Praetorius, by Paracelsus, and in the Latin literature of witchcraft which Goethe had read extensively. The form is medieval Latin.

9136 **der düstern Burg** Genitive, separated from the noun it modifies (*Gewölben*) by the imperative *tritt hervor*.

9142 **Bild** Pythonissa = Phorkyas.

9146 The allusion is to the striking contrast between the architectural unity of ancient Grecian palaces and the agglomeration of parts in the medieval castle, which is a unit only because it is surrounded by a wall.

9155 Pages, marching in formation, had never previously been seen by this chorus. The pages are blond, fair-skinned, rosy-cheeked Teutonic boys.

9156 **erscheinen** A plural verb because of the plurality of persons involved in '*Volk*.' This lack of grammatical agreement is usual only when the verb precedes its subject.

9163 Thus Satan (Milton, PARADISE LOST X, 564–567) and his brood were deceived by the fair fruit of the tree beside the lake of Sodom.

> . . . They, fondly thinking to allay
> their appetite with gust, instead of fruit
> chewed bitter ashes, which the offended taste
> with spattering noise rejected . . .

It is not clear what previous experience of the chorus is here alluded to, but it is evident that they suspect that these attractive boys may be mere phantoms — like themselves.

9176 **eingeladen** Invited by someone not named, but perhaps to be thought of as a herald or master of ceremonies who is directing the arrangements. The chorus itself is next invited to take places in orderly ranks on the steps leading to the throne. The whole will produce a tableau.

9180 **Würdig** A predicate adjective: 'let it gratefully be pronounced worthy.'

SD 9182 The essential features of the court dress here ascribed to Faust are the crownlike headdress and the rich, full-length robe, ornamented with broad bands of gold embroidery, set with jewels and perhaps trimmed with fur.

9182–9187 If the qualities apparent in this man are his own and not just a pretense, the passing prank of some god, he is indeed a very distinguished personage.

9192 The chorus leader has spoken in trimeter. Faust speaks in blank verse. A modern is thus opposed to an ancient verse form.

9193 **statt ehrfurchtsvollem Willkomm** In FAUST, *statt* is usually construed with a following genitive, as in line 9192. Other unambiguous datives with *statt* occur at lines 8643 and 9104. There are twelve unambiguous genitives with *statt*, nine of them in Part II.

9194 **solchen** = *diesen*, as in line 8797.

9195 **entwand** *Entwinden* means to 'wrest from,' hence 'violently to deprive.' By failing in his duty, the watchman has deprived Faust of the opportunity to meet the lady at the door, as was his duty and privilege.

SD 9218 **Lynkeus** The name of the hero who served the Argonauts as lookout and watchman (see line 7377 and the note). He was famous for his sharpness of sight. — Goethe uses the name here and in Act V for a watchman, but there is no necessary connection between the Lynceus of Act III and the Lynceus of Act V, and neither need be considered identical with the hero of the Argonauts. The name is almost a stock name for a keen-eyed watchman. It is derived from the same source as 'lynx,' which is a proverbially keen-sighted animal.

9221 **Frauen** Archaic dative singular. — Lynceus is speaking in stanzas with rime, a modern, not a classical verse form.

9222 **des Morgens Wonne** = *die Sonne.*

9225 For the geography, see 8995. Helena approaches Faust's castle from the south.

9231 **auf höchstem Baum** 'In the top of the tree,' like the Latin: summa in arbore.

9234 Lynceus had difficulty in seeing through the clouds of mist in which Mephistopheles-Phorkyas effected the transfer of Helena to Faust's castle, or of Faust's castle to Sparta. He could not even find the battlements or towers of his own master's castle.

9239 **an** An adverbial prefix with *sog: ansaugen* where *einsaugen* would be a more usual verb.

9240–9242 **blendet, blendete** 'As the beauty of Helena now blinds all, so it then blinded me, and I forgot my duty.'

9243 **Horn** Lynceus was bound by his oath of office to blow his horn whenever anyone of importance approached his master's castle.

9250–9252 **Raubend** As in the case of Theseus. — **verführend** As in the case of Paris. — **fechtend** In the Trojan War. — **entrückend** In her tortuous journey home (8989). —Demigods of Helena's past were Theseus and Achilles. Heroes were Menelaus and Paris. Of the gods, the one most concerned with Helena was Hermes-Mercury. The demoniac spirits have not been identified, although usually Phorkyas is named as one of them.

9254–9255 **Einfach** In her simple form, as she was abducted by Theseus and subsequently carried off by Paris. — **doppelt** In a second form (lines 8872–8873), when she was simultaneously in Troy and in Egypt. — **dreifach** In the form in which she has just returned to Sparta, there to cause new turmoil by her flight; and now, fourthly, she brings distress to poor Lynceus.

9257 **Gottbetörten** A god is concealed (or revealed) in beauty, and anyone under the spell of beauty is deluded by a god.

9259–9263 Faust refers to Helena's beauty as to a sure-shooting archer whose arrows (the darts of love) have first wounded Lynceus (*jenen*, 9261) and now wound Faust, and soon will wound all his retainers.

9274 Lynceus refers to himself as *der Reiche.* He accounts for his wealth in lines 9301–9306.

9280 His vision does not penetrate the beauty of this throne with its present occupant, whereas normally he could see through clouds and mountains with no difficulty at all.

9281–9296 The allusion is to the Migration of Peoples (375–568 A.D.), when great hosts of Germanic invaders overran the Roman states of the Western Empire.

9285–9288 There were a hundred men to take the place of anyone slain. Even a thousand killed was a loss no one noticed.

9307–9308 We take *der* of 9306 to be demonstrative = *dieser:* 'this jewel.' As Lynceus picks it up he says it is the most splendid of his loot. 'Now,' says Lynceus, 'only this emerald is worthy to adorn your breast.'

9309 **zwischen Ohr und Mund** The pearl pendant is to hang down from the Queen's diadem, over her cheek.

9310 **Tropfenei** A pearl shaped like a teardrop. — The first strophe of Goethe's "Buch der Parabeln" in the WESTÖSTLICHER DIWAN tells how a raindrop, falling into the sea, was changed into a pearl.

9317–9318 'However many chests I now bring, I still have many more.'

9319 This use of *erlaube* is unusual. One would expect *dulde:* 'Permit me to remain among your entourage.'

9324 **Gestalt** See line 8907. Another reference of this kind occurs in line 9352.

9326 **lose** In antithesis to *fest:* 'Now that I loosen my grasp upon it.'

9329–9332 No possessions are worth anything to Lynceus without the favor of his new queen.

9337–9345 Faust orders the erection and decoration of a resplendent rococo palace with paintings of unheard-of splendor: vaulted ceilings spotted with starlike jewels — paradise-like settings of artificial figures. Before Helena, as she walks, carpet upon carpet is to be unrolled; and on every hand such brilliance as only a God can endure is to meet her eye.

9338 **ungesehnen** 'Never before seen.'

9347 **gespielt** To do this is mere play for Lynceus.

9349 **Übermut** Has no pejorative meaning here, but means 'high spirits,' or 'proud glory.' Similarly in line 9410 *übermütiges* means 'proud, as they have a right to be.'

9359 Prose would be: *Erst laß die treue Widmung, die ich dir knieend bringe, dir gefallen, hohe Frau!* Faust dedicates himself to Helena, as a vassal to a queen.

9363 The realm in which Helena is queen is the realm of beauty. Since beauty conquers all, as has just been demonstrated, this kingdom has no limits.

9367 **die Rede** The words of Lynceus, last at 9346–9355, are rimed verses. These astonish Helena, in whose antique world rime was not used.

9380 Helena has asked (9377) to be taught how to speak in rimes. Faust teaches her by so shaping his sentences that each time the only appropriate completion involves a word which rimes with one he has just spoken. The process is described in the "Buch Suleika" of the WESTÖSTLICHER DIWAN:

> Behramgur, sagt man, hat den Reim erfunden.
> Er sprach entzückt aus reiner Seele Drang;
> Dilaram schnell, die Freundin seiner Stunden,
> erwiderte mit gleichem Wort und Klang.

9390–9392 See note to lines 8985–8989 for the story.

9396–9400 **Hirten ... Faunen** Datives, indicating the persons to whom women like these Trojan captives give themselves with equal alacrity.

9401 **sie** Faust and Helena.

9407 The object of *versagt* is *Offenbarsein* (9410). Their Majesties do not deny themselves proud public display before the eyes of the people.

9411–9412 **fern** and **nah,** like **verlebt** and **neu** (9415), reflect consciousness on the part of Helena that she belongs to two worlds, one remote and past, the other new and immediate. — The playful manipulation of end rimes (lines 9377–9384) is resumed, with the added feature of internal rimes: *fern : gern*. This continues through line 9418.

9416 Helena is not fully able to understand herself or what is happening to her. But her instinct of love moves her to devote herself with complete sincerity to this unknown Faust, as indeed she had given herself with complete sincerity to Menelaus, and again to the once equally unknown Paris.

9419–9434 Phorkyas can only intend by this package of falsehoods to work upon the emotions of Helena and thus to persuade her through fear to yield completely to Faust's love (see note to SD 9063). In this, Phorkyas is as blind to the real nature of Helena as Mephistopheles is blind to the real nature of Faust. Indeed, Phorkyas in her lack of patience with the dalliance of these two sensitive souls is as blind and as brutal as the Mephistopheles of the Gretchen episode. — Phorkyas' use of rime in this tirade is a satire of the riming efforts of Faust and Helena, 9411–9418.

9430 **Deiphobus** See note to line 9054.

9432 **die leichte Ware** The women of the chorus, who are to dangle from the rafters; see lines 8927–8929.

9433 **dieser** Helena.

SD 9441 These explosions come from Faust's army, which is preparing to defend the castle against an imaginary Menelaus. They do so at the behest, presumably, of Mephistopheles-Phorkyas. — Gunpowder was first used in Europe about 1350 A.D., and its use here is a part of the general commingling of medieval and ancient elements in this portion of the FAUST play. — It is impossible to say with certainty whether Faust himself believes in the fiction of Menelaus' threatened approach to his castle, or whether he is a party to the deception of Helena on this score.

9446 **angehaltnem stillen** The two adjectives are not coordinate, or each would have the ending *–em*: 'with a silent fury, which is restrained.'

9448–9451 The commander-in-chief is recognizing his army units as they appear before him. They are "present or accounted for." The North is represented by the Franks (9470), the Saxons (9471), and the Normans (Vikings) (9472). Perhaps the *Germanen* (9466) belong here too. The East is represented by the Goths (9469). — These Germanic tribes all participated in the conflicts of the Migration of Peoples and wrecked many of the older states of Europe, as they fought their way one after another to new homes or to ultimate extinction.

9450 **Strahl** The radiance of their polished armor seems to surround them (*umwittert*) with lightninglike brilliance.

9454 **Pylos** Principal harbor of the western shores of Messenia, once the home of Nestor. In the Trojan War Nestor was the oldest of the Grecian chiefs and looked to by all for advice. — The landing described here is appropriate rather to the fourth crusade (in the years 1202–1204) than to the Migration of Peoples, to which lines 9451–9453 best apply.

9459 **dem Meer** = *an das Meer* or *zu dem Meere*.

9460 See line 8857, where Menelaus is called *der kühne Seedurchstreicher*.

9462–9465 At the request of the Queen of Sparta, the leaders of the army are to become dukes in this land. They are to conquer mountain and valley, give it to their queen, and receive it back from her as her vassals to hold in fee. It is understood that this queen is also the queen of their own king.

9466 **Germane** Seems to be used here as the name of a Germanic tribe coordinate with such names as Goth, Frank, and Saxon. — *Corinth*, like Sparta, was a city-state; it was the principal city of Argolis. *Achaia* was a province west of Corinth, *Elis* a province west and south of Achaia. *Messene* was the province to the south, where they had landed at Pylos. *Argolis* is the province in the northeast of the Peloponnesus, in which Corinth is situated. — This disposition of fiefs and defensive assignments covers all of the Peloponnesus below the gulf of Corinth except Laconica, the province in which Sparta is located, and Arcadia, which is surrounded by the others named.

9472 Normans were Scandinavian vikings.

9477 In 1204 Norman, French, and Venetian knights built a stronghold at Mistra, near Sparta. Faust's castle, as it is here described, is usually associated with this structure at Mistra.

9478 **All-einzeln** may be construed with *sie* (*Sparta* 9476 or *Königin* 9477) 'the single, sole sovereign,' or with *euch* (9478) 'each and every one (of you).'

9493 **sich verband** He, being himself so valiant, judiciously made such alliances that the bravest and the strongest obey him.

9500 **sie** Helena.

9503 **die** Accusative plural, referring to the chorus.

9508 **sie** The leaders of the armies, with their troops.

9510–9513 These troops are to protect the peninsula which is (almost) surrounded by water and which is the last outlier of the Macedonian mountain range (the Pindus Mountains). This region is connected with the mainland only by the narrow isthmus of Corinth. Goethe's word *Nichtinsel* for *Halbinsel* emphasizes the almost completely insular coastline of the Peloponnesus.

9514 **vor aller Länder Sonnen** Means simply *vor allen Ländern*. The land which early looked upon Helena (9517) is Sparta.

9519 Jupiter, in the guise of a swan, visited Leda and begot Helena; so it is here assumed that the child emerged, chicklike, from a shell, in a nest among the whispering reeds of the Eurotas river. — The entire course of this river lies within the province of Laconica.

9520 **Geschwister** Castor and Clytemnestra were half-brother and half-sister of Helena; Pollux was Helena's full brother.

9521 **das Licht der Augen** 'the ability to see.' The infant Helena was such a brilliant phenomenon that the members of her family were dazzled by their first sight of her.

9522–9525 Faust asks Helena to stay in her native land, and begs her to give that country preference before all others of the earth, though these too now belong to her. — Although geographically it is Sparta to which these lines must refer, it is clear that poetically Goethe is beginning here to describe an ideal Arcadia—a mythical land of timeless happiness and perfection, where death is unknown.

9526–9529 Whenever at least a few rays of the sun can fall past the jagged summit of these mountains onto the main ridge, then vegetation will show green and goats will find their portion to eat. — These mountains are never completely barren, as are the mountains of the north.

9534 'Separately, cautiously, with measured step the horned cattle walk.'

9536 **den sämtlichen** 'for them all.'

9538 **Pan** See note to line 5804. Pan was regularly attended by the wood-nymphs who are called Dryads. The Oreads were the nymphs of the mountains and rocky caves. The nymphs are called *Lebensnymphen* here, perhaps because they were thought of as personifications of the forces that give animation to nature.

9552 **unsterblich** 'immortal,' because each perpetuates himself in his offspring, who remain in the ancestral abode.

9556–9557 In Arcadia men by their nature grow to perfection; they do not have to strive to achieve it. In this natural perfection men are indistinguishable from gods.

9558 **zugestaltet** 'made like in form, to dwell with.' — Jupiter punished Apollo for shooting arrows at the Cyclopes by making him live as a mortal for one year. Apollo became a shepherd in Thessaly, serving King Admetus. Upon another occasion, Apollo was made to herd cattle on Mt. Ida for King Laomedon.

9560–9561 The world of men and the world of gods commingle in free nature. Here things are what, by their nature, they should be without impairment (*rein*). — Faust exhorts Helena to forget the past events of her life and to remember her divine origin. The first world is probably to be thought of as that world in which the gods associated intimately with men, before the growing sinfulness and arrogance of men drove the immortals out of man's world. This may quite simply be called the world of nature.

9569 **Arkadien** Arcadia is the central province of the Peloponnesus, north of Laconica and Sparta. It has become the symbol for a place of rustic simplicity and untroubled quiet.

9570–9573 These lines anticipate the shift of scene from Sparta to Arcadia.

43. [ARKADIEN]

The function of this scene is to portray the union of Faust and Helena and its immediate consequences. The place of action is shifted northward from Faust's magic castle to the hills of Arcadia. There is an indeterminate interval of time between the end of the preceding scene and the beginning of this one.

This is the climax of Faust's search for sensuous beauty. This union is also the climax of artistic development, as Goethe wished to portray it.

Faust, the representative of the drive and strength of the northern, romantic spirit, is united with Helena, the representative of the sensuous beauty of classic antiquity. Their child is Euphorion, a genius of the highest aspirations and finest sensitivities, capable of attaining supreme artistic inspirations but not able to restrain himself from attempting the impossible, and thus becoming a victim finally of his own fine qualities.

The scene heading *Arkadien* is not found in the text as printed in Goethe's lifetime, nor is it in the manuscripts. It has been added by various editors, and we have retained it.

9578 **Bärtigen** As frequently happens in Greek comedy, this line is addressed to the audience. The Greek audience was composed wholly of grown men.

9582 These long, eight-beat lines are in the German form of the trochaic tetrameter, with the caesura normally after the eighth syllable. See note to line 8909.

9588 **Frauen** Singular, as also in line 9599.

9592 Phorkyas, behaving as a wise old woman should, gathers herbs, pretending to prepare medicines and ointments, but really just being discreet in her attendance upon the lovers.

9598 **auf einmal** The passage of time in the developments of these events is simply not indicated: it is not important, since Helena, as well as what she represents, is timeless. Her child is godlike, rather than human, a phantom grandchild of Jupiter (Zeus). The birth of Euphorion is a supernatural birth, and the rapidity of his development lies quite outside the natural limits of time. — This birth has been compared to the process of poetic creation, which some critics believe this scene to represent.

9603 **Genius** 'Genius' in this use, is the spirit of virility or masculine energy of an individual man with whom it is born and with whom it dies. The Romans worshipped the genius of the head of the house. By extension, the genius of the family becomes the genius of the town (*genius loci*). Sometimes ancient art depicted a genius as a near-human creature with wings.

9608 The impulse to attempt free flight symbolizes the impulse to transcend the limitations placed upon the human spirit by the finite, material existence which conditions the human being. Euphorion has no wings (9603), although he is the representative of the highest spiritual capacities of man. In his impulse to fly, Euphorion is a true son of Faust (see lines 1074, 1090 ff., 1116 ff.). In so far as Euphorion is thought of here as the spirit of poetry, the restrictions placed upon his free flight may be taken to reflect the aesthetic con-

viction that poetry may not with impunity depart from the firm
foundation of reality.

9611 **Antäus** See note to line 7077.

9613 The metrical pattern of this line crosses the usual intonational and
syntactic pattern of this kind of sentence. Metrically, there should
be no stress on *so* and there should be a pause after it (caesura);
syntactically, *so* should be separately stressed, not linked with *wie*.
In the *Ausgabe letzter Hand* (1828) this line is printed without internal punctuation. Most editors have set a comma after *umher; at
least one has pointed the line to match the metrical pattern: . . .
und umher so, wie ein Ball* . . . It has also been suggested that the
line be pointed: . . . *und umher — so, wie ein Ball* . . . In this conflict
between the metrical and the logical pattern some critics see *Laut-
malerei:* the suggestion of abrupt reboundings by the verse, to match
the leaping of Euphorion.

9620 Apollo (Phoebus) provided music for the daily feasts of the Olym-
pian gods by playing upon his lyre, while the muses sang to his
playing.

9621 **Überhang** 'Overhang.' The edge of a cliff which projects beyond
the vertical wall which supports it.

9623-9624 An aureole, or halo, is seen about the head of the boy.

9625 **Knabe** Nominative. — The boy gives evidence that he will become
in the future the master of all things beautiful. He is the symbol of
poetic art, as Goethe said to Eckermann (December 20, 1829):
"Der Euphorion ist kein menschliches, sondern nur ein allegorisches
Wesen. Es ist in ihm die Poesie personifiziert, die an keine Zeit, an
keinen Ort und an keine Person gebunden ist."

9630 **Kretas Erzeugte** The chorus behaves as if it believes Phorkyas'
story (lines 8864–8865) and her claim that she is a native of Crete.

9633 The Ionia of ancient times was a district on the west coast of Asia
Minor. The home of the Ionians in Greece was especially the provinces of Attica, southern Boeotia and Euboea. The Ionians were the
perfecters of Greek epic poetry, and the Homeric poems are preserved in an Ionian dialect, with some Aeolic forms, chiefly in proper
names. Hence the legends of Ionia here referred to are the stories of
Homer's ILIAD and ODYSSEY. — Hellas was originally the name of a
little town and state in Thessaly, but became the collective name for
all the states of Greece. The legends of Hellas, therefore, would
include all Greek legends, and particularly those not found in Homer.

9644 **sang** The subject is *liebliche Lüge.* — **Sohn der Maja** Hermes
(Mercury), whose birth and supernatural development is compared
with that of Euphorion. Goethe follows Hederich's description of
Mercury's babyhood quite closely.

9645 **zierlich . . . kräftig** As written, these words must be construed as
adverbs, limiting *geborenen;* from the standpoint of meaning, they
should be adjectives, *zierlichen . . . kräftigen,* qualifying *Säugling.*

9650 Their unreasonable expectation was that this infant should remain
even briefly wrapped in swaddling clothes.

9655 **Schale** Like the integument of the chrysalis or pupa, which contains
the insect in its torpid stage of development from larva (caterpillar)

to imago (butterfly). The *Puppenzwang* of 9658 is imposed by this *Schale*.

9663 Mercury was the patron of gamblers and the god of chance, and he was himself at times a trickster and a thief.

9674 An unreal condition, brought up into the present time, as the other verbs here are historical present forms.

9678 **Gürtel** A magic band worn by Venus upon or around her breast. It had the power to create love-longing at the will of its wearer. According to the ILIAD (Book 14, 215), it was embroidered, presumably with magic-working symbols. It was rather a talisman than a girdle, as we understand that word.

9679–9686 Phorkyas sounds like Mephistopheles when she wants to hear nothing of the old Greek gods, and she sounds like Faust when she prescribes the proper conditions of poetic effectiveness. See lines 534–545 and 7175–7177.

9689 **genesen** Saved from death at the hands of Menelaus, as they believe. — The chorus is so carried away by the form of this scene that it too begins to phrase its song in rime.

SD 9695 Euphorion is the offspring of the union of Faust and Helena. The name is that of the child of Achilles and Helena in their union after death on the island of Leuce (see note to line 8876). The name apparently means "the agile one, the light one." The role of Euphorion is an exacting one, since it requires distinction of performance, both as a singer and as a dancer. It is usually taken by a woman, sometimes by two women.

9700 **sie** Redundant repetition of the subject *Liebe*.

9705 **so** Through their love and through their child, Euphorion.

9707 **Wohlgefallen** Reminiscent of Luke 3.22: "Du bist mein lieber Sohn, an dem ich Wohlgefallen habe." (See line 5629.) 'In the gentle radiance of the boy there is concentrated upon this pair the pleasurable satisfaction, the bliss of many years.'

9721–9722 Any disaster to this boy would destroy his parents' happiness. His excessive urge to fly aloft threatens this, and his father pleads for moderation. See also lines 9609–9611.

9731 **kränke** The subjunctive of implied indirect discourse after the imperative *denke!* Euphorion gives his parents pain by insisting that they release him. They ask him to think of their pain and also to think of the fact that he will destroy the trinity they have achieved if he insists upon leaving them.

9742 **Plan** 'Glade.' Euphorion's parents beseech him to adorn the glade in rustic placid quiet. They would like above all else to "freeze" this moment of joy into an everlasting tableau of beauty.

9745 **Leichter** Probably the comparative of *leicht*, 'very lightly.'

9767–9772 Euphorion proposes a new game to the girls. They are to pretend they are does from nearby. The whole party is in the outdoors of a mountain glen. He will be the hunter, they the hunted, and he wants no easy chase.

9774 **behende** The girls ask Euphorion not to hurry too much. They would like to prolong this delightful game.

9800 **In dieser Hülle** 'Within me.' The girl symbolizes Love, which the
spirit of poetry thinks he can snatch by physical force. Love,
however, is not subject to physical constraint.

9804 **im Gedränge** 'in a tight place,' 'cornered.'

SD 9808 Stage managers of Goethe's time, like modern magicians, delighted in play with fire. Here the girl is enveloped in flames.
Much of this fire falls upon the clothing of Euphorion, as the girl
is lifted aloft to dangle above him and to disappear from view.

9821 **muß** The compulsion lies in his own nature, the essential quality
of which is the inability to be satisfied with its achievements. In
this respect Euphorion's spirit is Faustian.

9824 **Insel** It looks like an island, but it is only almost (Latin *paene*) an
island = peninsula (see note to lines 9510–9513). This peninsula is
called the Peloponnesus, a Greek word which does indeed mean the
island of Pelops. — Pelops was the son of King Tantalus and the
father of Atreus. Thus he was the grandfather of Menelaus. —
Arcadia, where this scene is laid, is the central region of the Peloponnesus.

9826 The Peloponnesus is linked to the earth (the continent) by the
isthmus of Corinth, bound to the sea by all the rest of its perimeter.

9830 **Reben in Zeilen** Grapes cultivated in orderly rows in a vineyard,
as distinct from wild grapes which grow on the higher uncultivated
slopes of the hills.

9832 It is probable that Goethe meant *Apfelgold* to indicate 'oranges'
(*pomum aurantium*) rather than 'golden apples.'

9835 At this point the shift in Goethe's conception of Euphorion becomes
evident. After he had planned this scene and written a great deal
of it, the death of Lord Byron (1788–1824) moved him to transform
his Euphorion into a memorial to this young British poet, whose
poetry he so greatly admired. Some measure of his interest may be
seen in the fact that Byron was the subject of thirty-four discussions
in Goethe's conversations with Eckermann, while Shakespeare was
the subject of twenty-eight, Diderot of five, Dante of three, and
Corneille of two. The poetry of Byron's later period particularly
attracted Goethe, and all Europe was impressed by the manner of
his death.

   After leaving England in 1816, Byron lived in Switzerland and in
Italy, where he took an active interest in the revolutionary movement of the Carbonari, then going on in Italy. In 1823 the Greeks
rose in rebellion against their Turkish rulers, and Byron volunteered
to fight in their war. He went from Genoa to Greece in July 1823,
landed on the island of Cephalonia and thence went to the seaport
town of Missolonghi. Here the rebels were encamped in the lowlands north of the Gulf of Patras. In 1824 Byron was appointed
commander of the Greek forces for an expedition against Lepanto,
but he was seized with a fever and died after a brief illness. His
heart is buried in Missolonghi, where a statue marks the spot.

   Euphorion passes with miraculous rapidity through the stages
of infantile delight in vocal expression and muscular movement
(9598–9613), childish pleasure in costumes and toys (9617–9624),
satisfaction in skilled muscular coordination (9625–9628), boyish

gratification in adults' reactions to his charming remarks (9679–9698), teen-age enjoyment of independence in act and motion (9711–9728), adolescent excitement in the first discoveries of sex (9745–9810), youthful *Wanderlust* (9811–9834), the young man's aspiration to achieve fame for himself, through the swift accomplishment of military marvels in the cause of idealism (9835–9876). Later (9897–9902), there is a hint of the final stage of Euphorion's brief symbolic life: the dedication to intellectual and artistic striving which is the lot of the mature man of genius. — Euphorion perishes at the beginning of this phase; the Faust of the opening monologue (354 ff.) was revealed to us in a moment of middle-aged frustration, when he had seemingly exhausted the possibilities of the intellectual approach to achievement. In a sense, Euphorion's career supplies a foreshortened summary of Faust's development before the opening of the play.

Here, at line 9835, Euphorion is at the stage where sex, adventure, idealistic self-sacrifice in war, and poetic endeavor are components of his aspirations. Thus depicted, Euphorion is an irresistible analogy to Lord Byron as Goethe envisaged his young British contemporary.

9843–9850 This passage is difficult, primarily because of line 9847, where the first word has been variously transmitted as *den*, *dem*, and *mit*. It seems probable that Goethe intended the form to be *den*, as we print it, and if so, *den Sinn* is in apposition to *Gewinn* (9850). We have to take *den Kämpfenden* (9849) as antecedent of *welche* (9843). Matters are still further complicated by *alle* (9849) which can only be the invariable, uninflected form of this word, where a dative plural would be the usual form. The subject of the optative *bring'* is *es*, which means the free expenditure of patriotic blood by the Greeks in the revolution against the Turks, but there is no grammatical antecedent for *es* in this context. — Thus the whole speech appears to mean: 'To those whom this land brought forth from one danger into another, — being free, of unlimited courage, and prodigal in the expenditure of their own blood, — may this (their warlike action) bring to (Greeks and) all fighters the profit and advantage of a sacred purpose which cannot be subdued.'

9861 **Amazonen** A race or nation of female warriors, usually said to have lived in Asia Minor. They were enemies of the ancient Greeks.

9866 'Distant and thus (as it continues to rise toward Heaven) more distant still.' The figure of Euphorion moves farther and farther away as the watching chorus sings.

9873 **getan** In the pregnant sense: 'done something important, achieved great things, done great deeds.'

9897 **Flügelpaar** Euphorion imagines himself to have the power to do what he so strongly wills to do. He is deceiving himself when he thinks he has wings, as the following stage direction shows.

9901 **Ikarus** Son of Daedalus, a skillful engineer. Minos of Crete imprisoned them both. Daedalus built two pairs of wings, one for his son and one for himself, to permit them to escape from their prison. However, after they were well on their way, the boy, with an excess of exuberance in his new-found capacity for flight, soared too high;

the heat of the sun melted the wax which held his wings in place, and he fell to his death.

SD 9902   The well-known figure is that of Lord Byron. The aureole is the halo of light (see 9623–9624) which surrounded Euphorion. The aureole was the symbol of great intellectual and spiritual powers.

9907–9938   This choral song is an ode to Lord Byron. Its artistic justification as part of this scene is the spiritual affinity between Lord Byron, as Goethe conceived his character, and Euphorion. Goethe spoke of this to Eckermann (July 5, 1827): " Mich soll nur wundern," sagte Goethe lachend, "was die deutschen Kritiker dazu sagen werden; ob sie werden Freiheit und Kühnheit genug haben, darüber hinweg zu kommen. Den Franzosen wird der Verstand im Wege sein, und sie werden nicht bedenken, daß die Phantasie ihre eigenen Gesetze hat, denen der Verstand nicht beikommen kann und soll. Wenn durch die Phantasie nicht Dinge entständen, die für den Verstand ewig problematisch bleiben, so wäre überhaupt zu der Phantasie nicht viel. Dies ist es, wodurch sich die Poesie von der Prosa unterscheidet . . ." — What this choral ode says is said equally of Lord Byron and of all poets as poets. It is both specific and general in its import.

9924   **ins willenlose Netz**   The allusion is to Byron's collision with the social canons of Britain in his time. This network of social propriety is spoken of as being without will. It did not itself willingly contribute to Byron's trouble; in other words, Byron was at fault. His young manhood was spent in dissipation. His wife, who married him in 1815, left him immediately after the birth of their first and only child, and society drove Byron out of England in 1816.

9927   **das höchste Sinnen**   Byron's resolve to devote himself to the lofty cause of Greek independence.

9932   **der**   The antecedent is *Frage:* 'the question from which.' When confronted with this question, fate hides herself away in a disguise.

9935   **erfrischet** 'renew'   Like *steht* this is imperative, addressed by the chorus to itself and to all the audience as well.

9937   **sie**   Poets like Euphorion-Byron.

9939   Helena reverts to a classic meter, this time iambic trimeter. See note to line 8488 and Volume I, Introduction, p. 140.

9940   This line occasioned Goethe great difficulty. The manuscripts show eleven different versions, the last having been decided upon only minutes before the completed copy was sent to the printer. The basic trouble was that the syntax required a plural verb and the meter required a final stressed syllable. — Incidentally, the word *Schönheit* (spoken by Helena) is the last occurrence of this word in FAUST, if we except the compound *Seelenschönheit* (referring to Gretchen) at 10 064.

9941   'The bond which ties me to life, as well as the bond which links me to your love, is torn asunder' (by the death of Euphorion).

9944   **Persephoneia**   Proserpine, the queen of the nether world.

SD 9945   The content of lines 9945–9953 has seemed to many readers quite incongruous with the character of Phorkyas-Mephistopheles. The lines would come more naturally from the Chorus, and one

10 087 **Zipfel** The idiom: *etwas beim rechten Zipfel fassen* 'to tackle a thing in the right way,' seems to underlie this use of *an einem andern Zipfel haben,* which would thus mean: 'to manage things differently.' The devils who blew up their prison have escaped in this volcanic upheaval.

10 089 **Sie** The Vulcanists or Plutonists, whose doctrines Goethe satirized.

10 092 The devils, among whom Mephistopheles reckons himself, now reign with complete freedom of movement and are no longer confined in the bottomless pit. This is a secret open to all, but not revealed to the peoples of earth until quite late in their history. The reference to Ephesians 6.12 is to the admonition of Paul to his followers in Ephesus: "Put on the whole armor of God, that ye may be able to stand against the wiles of the devil . . . Against principalities, against the powers, against the world rulers of this darkness, against the spiritual hosts of wickedness in the heavenly places," or as Luther put it: "Mit den bösen Geistern unter dem Himmel." In terms of Goethe's days, this may be taken as a satirical reference to Satanic evil in the high places of state and church.

10 095 For Faust, these mountains are the awe-inspiring, mysterious manifestations of nature's creative mastery, which he accepts with reverence, and into the secrets of which he is not disposed to inquire.

10 097 **sich in sich selbst** Out of its own materials, the form arising from the organization of substances present in primeval chaos.

10 098 **rein** Without the intervention of forces not her own.

10 102 **gemildet** = *gemildert* 'made gentle.' By diminishing the elevation gradually, nature has made the hill fuse into the valley. Other forms like *gemildet* are *verlängt* (10 147) and *kraftbegeistet* (10 216).

10 104 **Strudeleien** Those eruptive, uncontrolled forces to which the Plutonists ascribe the form of the earth's surface.

10 106 **der** = *derjenige, der* Mephistopheles now speaks as though he had adopted the views of the Vulcanists of Goethe's time. Faust, in lines 10 122–10 123, speaks as Goethe might speak of these views.

10 109 **Moloch** The name comes from Leviticus 18.21. He was the national god of the Ammonites, the consuming, destroying, and yet purifying fire. Klopstock, in his *Messias,* made Moloch a vassal of Satan, a giant spirit who piled mountain upon mountain to make himself a fortress from which the sounds of thunder come as he labors. Goethe gave him a hammer, like that of Thor. The great erratic blocks of rock are explained as "chips," so to speak, which flew from mountains under Moloch's hammer blows.

10 116–10 121 The common people see in these unusual rock formations the work of supernatural forces; and since these were obviously violent, terrifying forces, people name these rocks "Devil's Rock," "Devil's Bridge" and so on. — Probably the best known of many *Teufelsbrücken* is the one near St. Gotthard's pass, between Göschenen and Andermatt.

10 120   By speaking of the *Wandrer* as *"mein,"* Mephistopheles expresses his approval of these common people, who call rocks by his name.

10 125   Mephistopheles insists upon his own explanation. His honor is at stake, he says, since he was an eyewitness, and the rejection of his testimony would make him out a liar.

10 127   **Zeichen**   The huge erratic blocks of line 10 110.

10 129   **unsrer**   Mephistopheles speaks as though he were the "ruler of this world" (John 12.31).

10 131   The first eleven verses of the fourth chapter of Matthew deal with the temptation of Christ by the Devil, and it is particularly verses 8 and 9 which seem more or less pertinent here. "Again the devil taketh him unto an exceeding high mountain, and showeth him all the kingdoms of the world and the glory of them; and he said unto him: All these things will I give thee, if thou wilt fall down and worship me."

10 135–10 136   Faust asks Mephistopheles to guess what has attracted him; and Mephistopheles, as usual, reasons from his own inclinations. Mephistopheles, if he were to follow his own bent, would hunt up a metropolitan city.

10 137   **Bürger-Nahrungs-Graus**   Has been taken in two ways, because *Graus* can mean either 'a heap of rubble' or 'a horror.' When *Graus* is taken to mean 'a horror,' *Nahrung* then becomes 'nourishment,' and the whole is a synonym for a repulsive public market. Since this is specifically mentioned in 10 139, it seems unlikely that what Mephistopheles calls a *'beschränkten Markt'* could two lines earlier have been called *Bürger-Nahrungs-Graus*. Hence it appears more reasonable to take the compound of 10 137 to mean the complex of buildings at the center of an old city, where men busy themselves at their jobs to earn a living. — The market place is usually at or near the center of this business section. Until the time of Napoleon, German cities were mainly confined within the limits of their medieval walls. Hence most of them have an unusually crowded central district near the market place. This was true, for example, of Frankfurt, Nürnberg, Strassburg, München, Köln, and Heidelberg. In other cities, such as Leipzig, Dresden, and Mannheim, energetic city planning in the later eighteenth century had eliminated these congested areas and replaced them with wide squares and avenues. About 1800 many cities, particularly in western and southwestern Germany, began to expand beyond their old city walls.

10 142   **du**   Mephistopheles is speaking rather of and to himself than to Faust. Or, one may take *findest du = findet man.*

10 148–10 151   Outside the city gates, the gay young bloods disport themselves in light carriages with fast horses and in general there is great activity of merrymakers. Mephistopheles thinks he (and Faust) would enjoy all this. — **Hin- und Widerrutschen**   The rapid movement back and forth of fine carriages, as well as the constant going and coming of pedestrians (*Hin- und Widerlaufen*).

10 159   Faust sounds like a disillusioned benevolent despot, whose subjects, despite all his benign care, would rather not be subjects. The more people learn, the more inclined they are to object to

authority over them. This is a view toward which Goethe, as he grew older, was increasingly inclined.

10 160 A reflection of the extravagances of Louis XIV and his successor, the regent Philip, Duke of Orleans, who set an example of the most shameless fiscal excesses. In Germany, similar arrogant display of princely extravagance is to be seen in Schönbrunn, Sans Souci, Nymphenburg, and many castles and parks with French names, such as Solitude, Favorite, Monrepos.

10 161 **Schloß zur Lust** = *Lustschloß* A country seat designed for royal recreation and amusement.

10 163 **umbestellt** Of such geometrically arranged "French Gardens," the Wilhelmshöhe (near Kassel) was particularly famous in Goethe's time.

10 168 **steigt es** The water of one of the fountains shoots up in the center, while numerous smaller jets play in a circle around it.

10 171 Many European princes of the eighteenth century built "garden houses" and park palaces for their mistresses.

10 173 **geselliger Einsamkeit** 'sociable solitude.' An oxymoron, meaning isolation from all else save the company one desires.

10 176 Sardanapalus is sometimes identified with Ashur-bani-pal, Emperor of Assyria 668–626 B.C. Lord Byron dedicated his tragedy SARDANAPALUS as follows: "To the illustrious Goethe, a stranger presumes to offer the homage of a literary vassal to his liege lord, the first of existing writers, who has created the literature of his own country, and illustrated that of Europe. The unworthy production which the author ventures to inscribe to him is entitled, Sardanapalus." Byron's Sardanapalus is an effeminate voluptuary, but not an ignoble man. — The term 'modern' is used to point the contrast between Mephistopheles' lewdness and the healthy, sensuous delight of antiquity.

10 177 **strebtest** Mephistopheles refers to Faust's flight through the air with which he was unable to keep pace (SD 10 067).

10 179–10 180 There is a play here on the word *mondsüchtig*, 'moonstruck.' *Sucht* is identical with the *Streben* alluded to in line 10 177.

10 188 This is the central thought in Goethe's philosophy. See note to line 9981–9984.

10 189–10 191 If Faust achieves power and possessions, then, says Mephistopheles, there will be poets who, by their portrayal of Faust's successes, will induce others of a later day to emulate Faust in this 'folly.'

10 192 Mephistopheles, "der Geist des Widerspruchs, der stets verneint," cannot view with sympathy or approval the positive, constructive striving of a man like Faust. He regards Faust's desire for great deeds for their own sake as silly (line 10 191). Faust tells him here, as he had told him before (1675–1677), that he, Mephistopheles, has no comprehension of human aspirations.

10 202 Faust feels that the sea, by intruding upon the low-lying shore, has violated the rights of this shore, and he resolves to put a stop to this usurpation. Faust compares his vexation with the distress and anger which assail a free spirit when confronted by an act of haughty presumption (*Übermut*). A free spirit cherishes all rights and hates all violations of rights. These lines reveal a more mature attitude toward the rights of others than the opening monologue of Part I.

10 210 Mephistopheles here proves that, for him, tides are tides and that he does not at all comprehend Faust or understand Faust's motives.

10 212 **Sie** = *die Woge* (10 207).

10 215 **widerlich** Because it is *wüst*.

10 219 This waste of energy is the antithesis of intelligent management, and this is what challenges Faust now.

10 223–10 226 The waters steal around every bit of higher land and pour off through every depression. This suggests to Faust that dike and drain are the instruments with which to achieve this conquest.

10 228 **dir** Faust. — **erlange** Imperative: 'acquire for yourself the precious delight.'

10 239 **Fauste** The Latin form for the vocative case of *Faust* suggests the meaning of the Latin adjective *faustus* 'fortunate, lucky,' as a *double entendre* in Mephistopheles' exhortation.

10 259 **Genießen** Here, as in 10 251, the antithesis of *regieren* or *herrschen*. The idea is that the ruler must be a solitary man, whereas the enjoyment of anything requires the companionship of equals: the two things are antithetical.

10 260 **Er** The Emperor, who need not be further identified. — In Germany, the kind of anarchy here described was most violent in the years 1256–1273.

10 268 **Vor den Toren** Outside the city gates the traveling merchants had no protection except their own arms.

10 280 **wählen** 'choose' (a new emperor).

10 281 **den neuen Kaiser** Object of *laßt*, understood from line 10 280. The two infinitives *beseelen* and *vermählen* depend upon this *laßt:* 'Let the new Emperor give new spirit to the empire.'

10 284 **Fried' und Gerechtigkeit** An allusion to Psalm 85.10: "Righteousness and peace will kiss each other."

10 285 **Pfaffen** The princes of the Church. — The Archbishops of Mainz, of Trier, and of Cologne were among the seven electors to whom the election of the emperor was entrusted by the Golden Bull of 1356. In practice, these elections became struggles of power politics, in which the three clerical electors often held the balance of power. In this instance they have given their support to the counteremperor.

10 294 The idea is that if the Emperor is saved this once, the result will be the same as if he were saved a thousand times: that is, he will be saved permanently.

10 302–10 303 'Make yourself more secure in your grand plans by considering your ultimate purpose.' By keeping his own goal in mind, Faust can now make more certain the achievement of the great things he plans.

10 305 Goethe wrote eleven lines in which the Chancellor pronounced and the Emperor confirmed the bestowal of a fief upon Faust. The lines were not included in the final form of the poem. They are:

DER KANZLER *liest:*

Sodann ist auch vor unserm Thron erschienen
Faustus, mit Recht der Glückliche genannt,
denn ihm gelingt, wozu er sich ermannt,
schon längst bestrebsam, uns zu dienen,
schon längst als klug und tüchtig uns bekannt.

Auch heut am Tage glückt's ihm, hohe Kräfte,
wie sie der Berg verschließt, hervorzurufen,
erleichternd uns die blutigen Geschäfte.
Er trete näher den geweihten Stufen!
Den Ehrenschlag empfang' er!

> *Faust kniet.*

KAISER

Nimm ihn hin!
Duld ihn von keinem andern!

10 314 **Feldmarschall** = *Obergeneral* (10 310) Faust.

10 315–10 316 In the antithesis between *Kriegsunrat* and *Kriegsrat*, the incongruity resides in the two meanings of *-rat* represented. One of these terms is by no means the mere negative of the other, as is the case with *Unsinn : Sinn*. The English antithesis between counsel and council, — war's ill counsel, and council of war, — lacks the sharpness of the German contrast between *Unrat* and *Rat*. — One has to supply *habe ich* with *formiert*.

10 320 **Bergvolk** = *Berggeister* 'trolls.'

10 321–10 322 **Peter Squenz** The German form of Shakespeare's Peter Quince (A MIDSUMMER-NIGHT'S DREAM), the hero of the ABSURDA COMICA ODER HERR PETER SQUENTZ, SCHIMPFF-SPIEL of Andreas Gryphius. Peter Squenz was the manager and director of the play within the play, and indeed the one person without whom it could not have taken place, hence the *Quintessenz* (Latin *quinta essentia*), the 'fifth essence' of the play. — The ancient Greeks recognized four elements (fire, air, water, and earth). The Pythagoreans added a fifth element and called it "ether," the fifth essence. The alchemists sometimes considered alcohol the fifth essence.

SD 10 323 In 2 Samuel 23.8–11 three mighty men of Israel are named and described; they are David's chief reliance in his wars with the Philistines. The names *Raubebald* and *Eilebeute* occur in the German translation of Isaiah 8.1 and 3, where they are prescribed by the Lord as the names which must be given to a son of Isaiah.

10 327 The reference is to the predilection for medieval subjects which began in German literature in 1796 and culminated in the works of Richard Wagner (1813–1883).

10 331-10 344 These allegorical figures represent the evolution of the predator: *Raufebold*, the youth, who fights for the sake of fighting;

Habebald, the mature realist, whose chief motive is acquisitive;
Haltefest, the old man, who tries to keep what he has got hold of.
Their weapons are increasingly numerous and their clothing in-
creasingly scant as their age increases.

45. AUF DEM VORGEBIRG

The dramatic function of this scene is to portray the assistance which
Faust gives to the Emperor in overcoming his foes. This aid, although
unasked and accepted with misgivings because of its evident supernatural features, puts the Emperor under the obligation of gratitude
to Faust.

10 348 **uns glückt die Wahl** The General hopes that 'the choice will
prove favorable for us.'

10 360 **den Phalanx** The battle line of the heavy infantry in contrast to
that of the light infantry or that of the cavalry. — Goethe treats
Phalanx here, as in 10 519, 10 530, 10 646, as a masculine noun,
but at 10 595 as a feminine, which is the Greek gender of the noun
and now the required gender in German.

10 363 **Quadrat** The square formation of the massed infantry. This
one appears to be a solid rather than a hollow square.

10 364 **auf große Tat** Men by the thousands in this square are aglow with
eagerness to achieve a great victory.

10 368 **Doppelzahl** An army thus disposed can deal with an enemy twice
its size.

10 375 These false kin are the Emperor's vassals, who in the florid chancellery style of those days would address him in their letters as
brother, uncle, cousin, and the like, regardless of whether or not
they were in fact blood relatives of the ruler.

10 380 This revolt is described in lines 10 277–10 290.

10 383 The information sought by this "spy" was not information about
the activities of the enemy, but rather whether or not certain
vassals would remain loyal.

10 391–10 392 Elliptical. These vassal princes have done nothing on
behalf of the Emperor. Their excuse is that they have been having
troubles suppressing rebellions in their own domains.

10 395–10 396 The Emperor speaks to these absent subjects, who have
failed to come to his aid, and reminds them that if they close out
their accounts with him (*voll* = *geschlossen*), the destruction of
their neighbor's house will surely bring destruction to their own. —
Hausbrand An allusion to the lines of Horace (EPISTULAE, I,
10, 84–85) "For it is your business when your neighbor's wall
is aflame; and flames neglected usually gain strength." — **soll**
Connotes the constraint of the force of circumstances: 'must in
the nature of the case.'

10 399 He was pleased because he thought he was going to be able to
report the great confusion of the enemy. Then the new leader
appeared,

10 407–10 410 The Emperor has set out on this campaign as a soldier to put down an uprising in his empire. Now his very right to the name of Emperor is challenged, and his campaign has acquired a larger purpose. He has a personal adversary in the person of the Pretender.

10 412 Speaking of past festivities at his court, the Emperor says that he himself had been the only one to feel any lack of anything; he had found no opportunity to expose himself to danger. Instead of the dangerous tournaments his fathers fought, his knights insisted upon his playing the harmless and quite safe game of tilting at the ring.

10 417 besiegelt 'Stamped with the seal of independence.'

10 418 dort At the masque; see lines 5934–5969.

10 422 versäumt 'Has been neglected.'

SD 10 422 Here the stage business requires some additional dialogue or pantomime to make clear the intent of the poet to an audience which has no text of the play before it.

10 423 ungescholten 'Without reproach.' The predicate of an incompletely expressed clause after *hoffen*, perhaps *ungescholten zu sein*.

10 424 Vorsicht = *Voraussicht* 'ability to foresee.' This refers to the 'vision' of the Necromancer of Norcia (10 450–10 452).

10 425 Bergvolk 'Mountain dwellers,' 'trolls,' skilled in geognosy. They have withdrawn from the flat country to avoid the advance of city culture and have learned to discern mineral deposits in the mountains from outward signs in the rocks. — **simuliert** Taken by Goethe from popular speech in the sense of 'rack their brains, ponder,' instead of the now current sense 'pretend, feign.'

10 426 studiert 'well versed in.'

10 430 An allusion to the belief that all minerals in the earth's crust originally occurred in gaseous form before becoming solids.

10 432–10 436 These mountain people are said to create crystals and engage in crystal gazing. — The passage suggests the extensive fairy-tale literature produced in Goethe's time by Novalis, E. T. A. Hoffmann, and Henrik Steffens. This kind of tale was prompted by the activities and early fame of the Mining Institute at Freiberg (Saxony). Goethe was closely associated with A. G. Werner, director of that Institute.

10 439 The Necromancer of Norcia is an invention of Goethe. — There was an Italian necromancer, by the name of Cecco, who was burned at the stake in Florence in 1327. Norcia is the name of a town in the Sabine hills of the Apennines. This region in the Middle Ages had the same kind of reputation as did Thessaly in antiquity; it was regarded as the home of black magic. The fiction here is that this particular necromancer had been condemned by the church to die by burning at the stake, and was to have been executed on the day on which our Emperor was crowned in Rome. The newly crowned Emperor pardoned the necromancer and since that day the latter has been devoted to the Emperor's cause.

Furthermore, this necromancer is a fiction of Faust, who intends thereby to disarm the Emperor's natural reluctance to accept help from supernatural sources other than God. The Emperor can believe that the Necromancer wishes to repay an old debt and does not have to regard this promised magic as the wiles of the Devil.

10 461 **zur Morgenstunde** Help which comes on the morning of a day of decisive action is help in time to be useful. — **bedenklich** 'critically,' 'precariously,' because the issue is still in doubt, or because the hour is 'ruled over' by an unfavorable planet, perhaps Mars.

10 463 **lenket** The Emperor asks Faust to defer the drawing of his sword until the issue between himself and the Pretender to his crown can be settled in single combat.

10 467 **Selbst ist der Mann!** A soldier's remark. Help is welcome, but a man who would be Emperor must be able to stand on his own feet and rely upon himself. The line suggests, and may have been intended to suggest, Schiller's *Reiterlied:*

> Im Felde, da ist der Mann noch was wert,
> da wird das Herz noch gewogen,
> da tritt kein anderer für ihn ein,
> auf sich selber steht er da ganz allein.

10 469 **Sei das Gespenst** Optative: 'Let that ghost be . . . thrust.' The ghost is the *Gegenkaiser*, the rival Emperor.

10 472 **eigner** The Emperor's own (hand).

10 475 The purpose of the special adornments on the Emperor's helmet is to permit his followers to identify him and to rally round to defend him when he is in danger.

10 476–10 477 **Haupt** Used here in two senses: first, physically, the Emperor's head, and then, metaphorically, the head of the nation. — **die Glieder** The vassals of the Emperor.

10 484 The sword first parries the stroke of the opponent and then gives back stroke for stroke.

10 488 The allusion is biblical, Psalm 110.1, where God, speaking to David, said: "Setze dich zu meiner Rechten, bis ich deine Feinde zum Schemel deiner Füße lege."

10 491 **Meldung** The Emperor's challenge to his opponent to fight out the issue in single combat.

10 497 What has happened — the rejection of the Emperor's challenge — has happened as his most loyal supporters would have wished. In this way the Emperor will not be subjected to personal danger.

10 499 **brünstig** 'Burning with ardor' (for the battle).

10 507 Faust assigns *Raufebold*, the young warrior, to the right wing for the attack with other young soldiers.

10 523 Faust sends *Habebald*, the mature, well-armed warrior, to join the deliberately slow advance of the center of the battle line. He is accompanied by a female camp follower, *Eilebeute*, whose name seems to come from Luther's version of Isaiah 8.1 and 3.

10 541 To the left flank, which has to hold its ground, Faust sends *Haltefest*, whose age and heavy weapons lend themselves to this task.

10 546 **Strahlblitz** Either 'lightning flash' or 'flashing arrow.'

SD 10 554   To the knowing ones among the audience, those who recognize his hocus-pocus, Mephistopheles gives an explanation of what they seem to see. Just why Mephistopheles takes no cognizance of the Emperor or his party and they take none of him is not made clear, nor is it clear, in view of SD 10 344, why he enters here 'from above.'

10 556   **Waffensäle**   The aristocracy of the late eighteenth and early nineteenth centuries pursued the collection of medieval armor as a fad. These suits of armor were set up around the walls of great halls in their castles. Mephistopheles has now looted these halls to provide the outward shapes of his ghostly army.

10 561   **darein geputzt**   Many a ghost has decorated himself by getting into one of these suits of armor, and by so doing has renovated the Middle Ages, as a tailor renovates a coat.

10 568   **frischer Lüftchen**   Genitive plural, object of *harrten.*

SD 10 570   **merkliche Schwankung**   Another stage direction which implies a further development of the dialogue not explicitly indicated by the poet. Goethe may have intended to insert here a few lines of *Teichoskopie* (description or report by an observer on the wall), a device often used in the classic drama, by means of which this notable wavering in the enemy's line should be reported.

10 582   *Raufebold*, a supernatural being, fights with as many arms as he needs, here a dozen.

10 584–10 592   Faust explains what the Emperor saw by suggesting that it was a kind of mirage, the "fata morgana," which is seen especially in the Strait of Messina.

10 592   **bricht**   'Breaks through' and thus becomes visible.

10 596   The flames are St. Elmo's fire, an electrical discharge often seen around the tips of ships' masts. These flames were regarded in ancient superstition as the spirits of Castor and Pollux (10 600), who were the special protectors of sailors at sea.

10 600   **Dioskuren**   Here the reference is to the twin stars of the constellation Gemini. According to one legend, Jupiter rewarded the brotherly fidelity of Castor and Pollux by placing them among the stars as the Gemini, the Twins. See notes to lines 7369 and 7415.

10 606   The *Meister* is the Necromancer of Norcia. His was the white beard (10 615) which escaped the flames by the order of the new Emperor (see note to line 10 439). Mephistopheles arrived on the scene 'from above' at line 10 546 and was not present when Faust told the Emperor (10 439) that the Necromancer of Norcia had sent him and his three mighty men to aid the Emperor. Goethe does not indicate how Mephistopheles knows — as he clearly does know — the purport of those lines spoken by Faust to the Emperor.

10 617   **ihre**   A plural reference to the clergymen included by the collective noun *Klerus* (10 616).

10 624–10 625   This fight between the griffon and the eagle symbolizes the attack of the rival Emperor upon the real Emperor. Indeed, the eagle and the griffon may be the heraldic emblems in the coats of arms of the Emperor and his rival, respectively. — **im Himmel-**

hohen An unusual noun, *das Himmelhohe,* from the adjective *himmelhoch:* 'in the very high air.'

10 636 **Löwenschweif** The griffon is usually depicted in heraldry with the head and wings of an eagle and the body (and tail) of a lion.

10 652 *Nichts Herrlicheres ist (je) ersonnen (worden).*

10 656–10 658 The defenders of the higher positions on this pass should have been throwing rocks down on the attackers who advance from lower positions on the hillsides.

10 664 Mephistopheles has two ravens which are his most trusted messengers. The ravens are usually associated with Wotan (Odin). The witch in the *Hexenküche* (2491) inquired about these ravens. *Rabenbotschaft, Rabenpost* (10 678) often connote 'bad news' and there may be a double meaning intended here.

10 677–10 678 Another effort by Faust to explain this hocus-pocus by analogy to natural and known phenomena. He is concerned lest the Emperor discern the satanic nature of this assistance and reject it. Perhaps there is also a suggestion of the 'dove of peace' in this contrast.

10 680 The Emperor had already pointed to weakness in the defense of the pass (10 654–10 661).

10 689 'Have patience and keep your cunning for the ultimate, final crisis.'

10 701 **Kunden** The reference is to Mephistopheles.

10 705 This action of the Emperor is something less than honorable. He is unwilling to accept responsibility for Mephistopheles' magic by giving him the recognized symbol of authority. Nevertheless he tells him to go ahead and do what he can.

10 708 **Uns andern** 'To us who are of a different sort.' Mephistopheles could not use a marshal's baton surmounted by a cross, since, as the Devil of the Christian religion, he is the antithetical enemy of the cross of Christ. See Volume I, p. 147, 4: Land Strase.

10 712 **die Undinen** The ravens are to ask the water spirits, who dwell in the great mountain lake, to send an illusion of a flood of water to confuse the Emperor's enemies.

10 714–10 715 Another jibe at deceitful feminine wiles, as at 7715. These water nymphs can produce the appearance of a thing without producing its essence.

10 717 **Den Wasserfräulein** Dative plural, object of *geschmeichelt haben.*

10 722 **jener** Genitive plural, refers to the enemy.

10 742 **Meister** Presumably the Necromancer of Norcia. — Some take this to refer to Satan and hold that Mephistopheles at this point is pretending not to be Satan.

10 745 **Gezwergvolk** The dwarfs are traditionally masters of mining and metallurgy.

10 749 **im hohen Sinne** What this means hinges upon the interpretation of *man* here and in 10 755. Mephistopheles clearly is thinking of the effect of his hocus-pocus on people, not on goblins nor yet on himself. We take *man* therefore to mean 'they' and to refer to the Emperor and his party who are to be impressed by these fire-

works. Whether this 'they' may include the enemy is not clear
and not important. Hence *im hohen Sinne* probably refers first of
all to the Emperor 'in his . . . exalted mind.' If the whole imperial group is included, then 'in their . . . exalted minds';
and the command is to the ravens: 'Go get some fire such as these
people imagine fire to be.'

10 769 The ghost-filled suits of armor engage in the combat.

10 772 **als** In their roles of Guelf or Ghibelline (see note to line 4841).

10 774 **wöhnlich** The only use of this word in FAUST, probably best
taken to mean 'persistent,' but thought by some to mean 'at
home.' Others take it to mean 'as usual,' since it was substituted
in the manuscript for *gewöhnlich*.

10 779 **den allerletzten Graus** 'The final, horrible outcome.'

SD 10 782 The shift in the music indicates the end of combat and the
celebration of victory.

46. DES GEGENKAISERS ZELT

The victory has been won. Now we see first minor looters and then
the Emperor and his retinue, who receive their rewards for loyalty.
— The main dramatic reason for this scene is to disclose that the Emperor bestows upon Faust the title to the strip of seacoast, where
Faust wishes to undertake his great reclamation project.

10 784 **Rabe** Normally the first scavenger to reach the battlefield is the
raven, who feeds upon the flesh of the fallen warriors.

10 796 **ihn** The opponent, whoever it may be.

10 800 **nehm** A weak imperative form instead of *nimm*.

SD 10 817 **unsres Kaisers** The poet identifies his audience and himself
with the Emperor's party.

10 817 **heiligen** The place is sacred because it contains the throne and
presumably the trappings of the Emperor, which his rival had
wrongfully appropriated.

10 827 *Habebald* accuses the bodyguards of the Emperor of being just
as much robbers as he. The difference is only that the guards call
their plundering the collection of a war levy from the conquered
people.

10 846 **summt's . . . saust's . . . zischt'** Past tense forms: *summte es,
sauste es, zischte*. Presumably the *'s* which belongs with *zischt'*
was omitted because of the accumulation of sibilants it would
entail. But see note to lines 6095–6096.

SD 10 849 The subject, *Kaiser mit vier Fürsten*, would regularly require a singular verb: *tritt auf*. The plural verb results from
"agreement according to sense" (*Fügung nach dem Sinn*).

10 849 The Emperor, like the bodyguards, has been discussing the mysterious doings of the day's battle. — From this line onward to the
end of the act (11 042) Goethe uses rimed Alexandrines, iambic
verses of six beats each with the caesura after the sixth syllable;

this monotonous and somewhat wooden form well suits the pompous and unenlightened action of the Emperor. Now that the victory has been won, he sets about to restore and even aggravate the very conditions which had made the conflict inevitable.

10 850   **im flachen Feld** The battle began in the mountains, but the enemy has been so completely overcome that his troops are dispersed on the open fields of the lowlands.

10 851   **verräterischer Schatz** = *der Schatz des Verräters.*

10 854   These embassies of the nations do not arrive on the stage, but it is to be supposed that they bring felicitations and renewed pledges of loyalty to the Emperor after his victory. — **Abgesandten** The weak form instead of *Abgesandte* because of the rime with *Trabanten.*

10 858   **uns** Best taken as a dative, representing the party in whose interest and to whose advantage the fighting was done. That is: 'When all is said and done, we alone did the fighting for our side.' — The Emperor is trying to interpret the supernatural events of the day in terms of more or less credible natural events. He is also, rather without warrant, taking credit for deeds of valor he has not done.

10 866   Luther's version of *Te deum laudamus,* a hymn ascribed to St. Ambrose.

10 867–10 868   In his desire to praise God, the Emperor thinks he needs to look into his own heart and follow its dictates of gratitude. As a young prince, he had not often done so. Years have taught him to use such an opportunity as he now has. — **das** = *was.*

10 876   **Erzmarschall** In bestowing these offices, the Emperor is following closely the stipulations of the Golden Bull of Charles IV, 1356. By this decree, the Elector of Saxony was made *Erzmarschall,* the Margrave of Brandenburg became *Erzkämmerer,* the Count of the Palatinate became *Erztruchseß,* and the King of Bohemia became *Erzschenk.* — The Marshal was originally overseer of the Emperor's stables and armory. The Chamberlain was palace inspector and director of personnel. The Steward had charge of the kitchen and of the serving of meals. The Cupbearer was responsible for the supply of wines and beer.

10 881   The Lord High Marshal thinks of his ceremonial duties. When, after a victorious war, the Emperor celebrates the victory at a banquet, the Marshal will bear this sword (10 876) in the ceremonies as prescribed by court etiquette.

10 893–10 894   The same celebration of victory that finds the Marshal, sword in hand, escorting the Emperor will find the Lord High Chamberlain also serving the Emperor. He will supervise the holding of the golden basin over which the Emperor washes his hands in water which a page pours from a pitcher. During these ablutions, the Chamberlain will also hold for the Emperor the Imperial rings, which are worn at such high functions (10 895).

10 901   As officer in charge of the kitchen, the Steward (or "dapifer," as a *Truchseß* is sometimes called) is to prepare the choicest of viands according to season.

10 906–10 907   There seems to be an illogical step here in the Lord High Steward's flattery. He knows his duty is to provide the royal table with every exotic viand and each before its common season, although the Emperor has just expressed his preference for domestic foods in their proper season.

10 921   A Venetian glass goblet was supposed to have magic power to reveal the presence of any poison which might be in the wine and to draw out of the wine its power to intoxicate the drinker.

10 922   One may understand *der Wein* as the subject of *berauschet*, by abstraction from *des Weins Geschmack*.

10 928   **Schrift**   Decrees by the Emperor had to be put into formal documents (*Urkunden*); this was done in the Imperial Chancellery. Such documents were 'signed' in the twelfth and thirteenth centuries by intricate monograms prepared by the Chancellery and made valid by a pen-stroke (*Zug*, 10 966) drawn by the Emperor in some characteristic way. See note to lines 6081–6082.

SD 10 931   The Archbishop of Mainz was made Arch-Chancellor by the Golden Bull. His two ecclesiastical colleagues, the Archbishop of Cologne and the Archbishop of Trier, do not appear in this scene. (See notes to 10 285 and 10 876.)

10 936   **Fünfzahl**   All five of these imperial officers, exclusive of the Emperor. They are referred to as *sie* in 10 937.

10 955–10 956   When he thinks of his long line of exalted ancestors, he is reminded that he too lives under the constant threat of death, due to his mortal nature.

10 957   **seinerzeit**   'When it is time for it.'

10 960   **was**   The choice of an Emperor is meant.

10 979   The Archbishop in his capacity as a cleric speaks to the Emperor as a father might speak to a son. In his capacity as Chancellor his attitude has been different.

10 986   **Strahl**   The *Bannstrahl* of excommunication.

10 987   **zur höchsten Zeit**   'At the great festival.'

10 988   **Zauberer**   The Necromancer of Norcia, whose liberation was the first act of the then newly crowned Emperor (see lines 10 439 and 10 615).

10 991   'Be penitent and give.'

10 996   **zu heiligem Bemühn**   For the erection of a cathedral, to further the holy endeavors of the church.

11 004   **Grenze**   The boundary of the lands to be ceded to the church in expiation of his sin.

11 007   The bishop sees, in his mind's eye, the rapid construction of a cathedral. First the choir, with the altar, is built; then the cross-shape of the church becomes clear as the transept is added, and finally the nave is built.

11 020   **Schluß und Formalität**   Hendiadys for 'the formal conclusion' or 'the final formality' of the transaction.

11 024   **Zinsen**   'rents' payable either in money or in kind.

11 035   This is the sole reference to the bestowal of land upon Faust, which was, after all, the basic purpose of this act (see note to line 10 305).

11 036   **diesen** The seashore, not Faust. This threat of a papal ban upon the land which it is Faust's ambition to wrest from the sea is a threat to the success of the undertaking, when he comes to colonize the new area.

Act V

47. Offene Gegend

The scene is in the country near the sea, with only a few trees near a little house with a small garden, where shrubs and flowers grow under cultivation. There are sand dunes along the old shoreline; from one of these there is an unobstructed view toward the sea. — The function of this scene is primarily to create a mood. This mood contrasts sharply with that of the following scene. The contrast in mood is reflected in the metrical form. We find *abab* quatrains throughout this scene and into Scene 48, where the contrast is found in the couplets and short, choppy lines of Mephistopheles and the three ruffians. Faust himself speaks now in *abab* quatrains and now in couplets, reflecting his changing moods. The cadences of the quatrains are alternately feminine (*a*) and masculine (*b*) whereas in the couplets the cadences are predominantly masculine.

11 045   **ich soll** 'it is my good fortune to.'

11 050   The rime *barg : warf* is impure, and is an example of assonance.

11 051   The traveler has found the linden trees and the cottage which marked the scene of his rescue. He would like to thank once more the people who took care of him, but they were so old at that time that he scarcely believes they can have lived to greet him now.

SD 11 059   **Baucis** The wife of Philemon, the peasant. — The names and much of the milieu and character of this pair correspond to the Philemon and Baucis of ancient Greek mythology. This ancient Greek pair took into their humble cottage in Phrygia two unknown travelers and sheltered them. The gods rewarded the hospitable old people by granting them a twofold wish: that they be priests of the temple of Jupiter, and that one and the same hour might take them both from this life.

11 069   **Philemon** The stress is on the second syllable of this name.

11 070   **Schatz** Presumably the property of this stranger, which Philemon salvaged from the wreckage of his ship.

11 071–11 072   The beacon fire and the bell of the little church served to warn seafarers of the nearness of the shore. — These two lines are 'absolutes'; that is, nothing in them is grammatically associated with anything else in the utterance. One must suppose some connection such as: "I still remember the flames of your quickly built

fire, and the silver tone of your little bell. (They were) the solution, entrusted to you, of the horrible adventure I underwent."

11 075 **hervor** Out into the open, where the lindens do not obstruct his view.

11 083 **Das** Includes the meaning of the relative pronoun: *das, was Euch mißgehandelt hat, seht Ihr als Garten behandelt.* — The separable form *mißgehandelt* is unusual and probably to be charged to the demands of the rhythm here.

11 087 **Älter** 'rather old,' standing for a fuller explanation such as: *Da ich schon älter war,* or *Älter, wie ich es schon war.*

11 089–11 090 The failing of Philemon's strength occurs at the same time as the disappearance of the waters of the sea.

11 096 **Wald** The presence of a forest here may indicate the passing of many years since the beginning of this reclamation project. Gardens, meadows, villages can be established quickly; a forest requires time, unless it is a supernatural forest fabricated by Mephistopheles (see line 11 114).

11 103–11 104 **in der Weite erst** 'Only in the far distance' (can you see).

11 116 **ihm** Faust, to whom the Emperor had conveyed this portion of the seacoast.

11 127 **Menschenopfer** Baucis asserts that human victims were sacrificed in order to further this project. She is thinking probably of sacrifices to appease evil spirits, of the walling up of a living man in the masonry of a building, or the use of human blood in the mixing of mortar. How far her testimony is to be credited in assessing Faust's acts is another matter. She is, after all, an old woman who likes to talk (11 110).

11 131 **Gottlos** Because he would destroy their chapel as well as their home.

11 134 **soll man** 'We are expected to.' It appears from the domineering manner of their new neighbor, Faust, that he expects the old couple to submit to his demands.

48. Palast

The scene now shifts to the great palace of Faust, built on land reclaimed from the sea. A large ship canal leads from this castle down to the sea. According to Goethe's remark to Eckermann (June 6, 1831), Faust is exactly one hundred years old. Another lynx-eyed watchman, also called Lynceus, appears here (see note to line 9218). The two watchmen are different persons, both named Lynceus.

11 148 **bereit** Since this ship is sailing (11 163), its masts are presumably carrying sail and hence *bereit*, in the sense that they are in a condition to serve the purpose for which they exist. If the ship were not under sail, but being towed up the canal, then the masts, having been cleared of sail, might be ready to receive lines of signal flags and bunting, which would be hoisted when the ship is dressed for its arrival in port. Goethe's intent here is not wholly clear.

11 150 **zur höchsten Zeit** 'at the great festival.' — **Glück** Some see
in this a play on the Latin meaning of the name *Faustus* 'the
fortunate one.' See note to 10 239.

11 156 **rein** 'free from blemish.'

11 160 Faust is completely unable to tolerate anyone's authority but
his own. He could not rest in the shade of the old linden trees of
Philemon and Baucis, because their shade would not belong solely
to himself. — **fremdem** Some editions follow a manuscript which
reads *fremden.*

11 162 Faust behaves like a petulant, impatient old man, who, upon
being crossed by a comparatively insignificant hindrance to his
plans, wishes he could run away from everything.

11 165 **sein behender Lauf** Metonymy for *das Schiff in seinem behenden
Lauf.* 'How the ship, as it skims along, towers with boxes, chests,
bales!'

SD 11 167 **Chorus** The three mighty men, speaking in unison.

11 169 **Glückan!** Like *Glückauf!,* a formula of greeting, presumably
among sailors, to mean 'Hello,' or 'Greetings.' This is the only
occurrence of *Glückan!* of which we have any record.

11 175 **Was große Dinge** = *Was für große Dinge* 'What great things!'

11 178 **Besinnen** 'Reflection, consideration, stopping to think.'

11 185 The form of this line forces a comparison with line 6992 and emphasizes the difference between this pirate (Mephistopheles) and
the philosopher (Homunculus).

11 186 **müßte** An unreal condition is implied: 'I should have to be
quite ignorant of maritime matters, if I were to infer . . .'

11 188 An incidental jibe by Mephistopheles at the doctrine of the Holy
Trinity.

11 193–11 194 Faust's facial expression shows his revulsion at this account of the piracy of Mephistopheles and his crew. — **widerlich**
'nauseated.'

11 201–11 204 These three mighty men demand that all booty be shared
equally. What they have already taken in the course of their
piracy was merely to keep them interested.

11 217 There has been a good deal of speculation as to the meaning of
these 'gay birds.' Perhaps Mephistopheles means the rest of the
fleet with colors flying. Perhaps this is a sarcastic allusion to the
ribbons of decorations to be awarded for meritorious service.
Possibly Mephistopheles refers to the ladies of easy virtue who will
rally round the returning sailors, or possibly he means the sailors
themselves.

11 225 **sprich** Mephistopheles asks Faust to acknowledge that he now
can reach round the world from his own palace. The great work
is done and the planner ought to be satisfied. Mephistopheles
hopes Faust may even admit that he is content at last; this admission would free Mephistopheles from his obligation to service
and Faust would have lost the wager, according to their contract
(1699–1706).

11 228 **Bretterhaus** A temporary hut made of boards.

11 234   **'s** = *das Hier.*

11 241   **wenig**   The uninflected form, where one should expect *wenigen.*

11 242   **Weltbesitz** = *Hochbesitz* (11 156) 'realm.'

11 262   **Geklingel**   Mephistopheles hates the bell, because it represents the church, which concerns itself with every aspect and every event of men's lives. The classic exposition of the relation of the bell to the life of man is Schiller's *Lied von der Glocke,* which every German schoolboy used to memorize.

11 266   **vom ersten Bad**   A scurrilous reference to baptism.

11 268   **verschollner Traum**   The church and its followers appear to Mephistopheles to regard any portion of life which occurs without the accompaniment of the church's blessing and control (represented by the notes of the bell) as a meaningless, quickly forgotten dream.

11 269   The obstinacy of Baucis, particularly.

11 274   Faust's whole project has involved moving people to new places of residence. Mephistopheles sees no reason why Philemon and Baucis should not be moved also, even though they are unwilling. It is indeed an act of violence (11 280), but their new home will soon reconcile them to the loss of the old place.

11 285   A pun on the two meanings of the syllable *flott* in *Flottenfest,* 'festival of the fleet,' and *flottes Fest,* 'a gay, unrestrained celebration.'

11 287   Naboth's vineyard was coveted by Ahab, King of Samaria (I Kings 21). Ahab offered Naboth a large sum of money or a much better vineyard in exchange, but Naboth declined. Thereupon Ahab became nervously upset and could not eat. Ahab's wife, Jezebel, then plotted the ruin of Naboth, causing him to be falsely accused of treason, convicted, and executed. Ahab had to bear the responsibility for this evil deed.

49. TIEFE NACHT

11 290   **geschworen**   Bound by oath to the duties of tower watchman.

11 297   It may be that in his use of *Zier* in this line Goethe intended to suggest the double meaning of the Greek word *kosmos,* which means both 'order' and 'ornament.' (Cf. *cosmic; cosmetic.*)

SD 11 303   **Pause**   This marks the end of Lynceus' hymn in praise of the power of sight. Lines 11 304–11 335 are spoken, not sung; but following the long pause after line 11 335, Lynceus begins to sing again.

11 309   **Doppelnacht**   It is night, and the shade of the linden grove makes the darkness doubly deep.

11 321   **schwarze Moosgestelle**   Standing out black amidst the red flames of the moss-covered cottage of Philemon and Baucis is the framework or skeleton of their home.

11 337   **mit Jahrhunderten**   That which in the past had commended itself to the eyes of men is gone, along with the centuries through which

it had delighted them. These words are sung by Lynceus to a dirgelike melody.

11 339 spat The now obsolete adverbial form beside *spät* (see note to line 3112). — The report of the tower watchman has come too late to permit Faust to make any attempt to rescue the old people.

11 341 ungeduld'ge Tat The burning of the property of the old couple. Faust calls this an impatient act, but it is not clear who he thinks has been impatient.

11 342 sei Concessive: 'even though the linden grove is destroyed.'

11 373 es = *das Fluchen*, Faust's curse.

11 374 Wort The inevitably-to-be-expected word of dismissal and disapproval which comes eventually to persons who permit themselves to serve as instruments in the hands of ruthless despots. — The chorus of the three mighty men says that the man who serves such masters should do so willingly, ready, if he proves to be reliable, to risk his possessions and even his life without reluctance.

50. MITTERNACHT

Four ghostly figures approach Faust's palace door, oblivious of Faust himself, who observes them from the balcony. They are allegorical representations of four great tormentors of the human soul — for our interest here is in the heart and mind of Faust, not in his appetites — Want, Debt, Distress, and Care. Of these only Care can gain access to Faust's palace. No Want, no Debt, no Distress can trouble him, for he is a very rich man. The figure of *Schuld* is subject to a different interpretation from that just given (= Debt). Many regard this as a representation of a 'sense of guilt' or 'remorse.' However, 'a sense of guilt' is a proper component of Care and has in fact (line 11 238) entered Faust's heart.

SD 11 398 im Palast No change of scene was described at line 11 384, but there must be a setting which provides space for the Four Gray Women outside Faust's palace, or his apartment in the palace, and which also permits us to see Faust in the palace. This can be managed in several ways, most simply with a drop curtain, before which lines 11 384–11 397 are spoken, and which is raised to reveal Faust in his palace.

11 403–11 407 Here Faust confronts his last major problem. Magic, supernatural aids, whether by incantation or through Mephistopheles, have provided him everything he has asked, but he remains bound by his obligation to these forces which have helped him. Concretely, he is obliged to deal with Mephistopheles and the three mighty men very soon, to provide them their great celebration. Spiritually, he is not a free man, so long as he depends upon supernatural, extra-human forces to gain his ends. Spiritual independence in the face of an unknown and perhaps hostile world is the basic condition of any worth-while living. It is on this point that the critics of our day refer to modern man as "Faustian";

our science and technology seem to have put us into something like the position in which Faust here finds himself. The problem is by no means a new one.

11 408 **sonst** Before he turned to magic, and before he allied himself with Mephistopheles.

11 409 **verfluchte** The curse referred to is that of lines 1583–1606.

11 410–11 418 Dealings with the supernatural forces of darkness make a man hypersensitive to creatures of his imagination. For example, when he returns happy from a day outdoors, in the Spring perhaps, he hears a bird (a raven) croak, and at once he has a foreboding of evil. Superstitions hem him in day and night. Everything that happens is ominous for him and so he becomes self-conscious and solitary.

11 419 **Die Pforte** Perhaps the door of the upstairs room to which Faust has returned from the balcony.

11 423 Faust, in accordance with his wish (11 404) to be free from the black art, resolutely cautions himself not to use his powers in this instance.

11 425–11 426 What this ghostly 'Care' has to say can be said with the inner voice, directly to the heart, without the intermediation of the ear or of the spoken word. 'Care' appears in many different forms and in every place, on land and on the sea.

11 429 **ängstlicher** = *Angst einflößender* 'terrifying.'

11 434 **jed** = *jedes.* — **bei den Haaren** 'eagerly, as if it were a piece of good fortune.' See note to line 228.

11 442–11 452 **drüben** The 'beyond' to which Faust once (702–719) sought entrance. Here he deprecates the too great devotion of men's thinking to this beyond, which cannot be discerned by human eyes, and to the fiction that beyond the clouds there are men such as are on earth. It is better, says Faust, for men to look closely at the world about them.

This doctrine does not deny the existence of a *Jenseits;* but it deprecates the too great preoccupation of men's minds with the unknowable. Faust's conviction is that men should seek to know this world in which we live, to go through life continually progressing in this knowledge and never satisfied with what they know.

11 457–11 458 Even though he has all his physical (*äußern*) senses, the man possessed by Care sees no light; he is filled with darkness, day and night.

11 469 **Litanei** The feminine rimes of Care's lines (11 453–11 466 and 11 471–11 486) produce a rhythmic flow which we must think of as being chanted monotonously, so as to suggest the monotonous rendition of the formal prayers and responses (which repeat the prayers) characteristic of the litany of some church services. The hypnotic effect of the lines, regardless of their intellectual content, tends to delude even *den klügsten Mann*, says Faust (11 470).

11 481–11 486 These lines depict the final stages of the degradation of man through Care. When his will is wholly destroyed, when he ceases to struggle, he is finished.

11 487 Gespenster These 'spectres' may include with Care the others
who came with her but did not gain admission to Faust's palace,
namely Want, Debt, and Distress. These are deterrent and confusing forces quite different from the *Dämonen* (11 491), which
are positive forces driving men to do good or evil, as the case may
be. Goethe believed that everyone has his own *Dämon*, the innate
strength and bent of nature (*Eigenheit*) which more than any other
factor determines the course of his life. (Cf. Goethe's poem of
1817, *Urworte. Orphisch* I.)

11 492 das geistig-strenge Band The tie which binds us to these dae-
monic driving forces. This is a bond of the spirit and it is relentless in its severity. The *Dämon* is an inborn personality trait.

11 497–11 498 If her words are to be construed strictly, Care here ex-
cludes Faust from the class 'human beings.' However, Goethe
certainly meant that Faust was an exceptional human being,
rather than that he was not human. Even so, the kind of blindness
that can be ascribed to most men throughout their lives is not the
kind of blindness which befalls Faust now, when Care breathes her
blinding breath upon the old man alone in his palace.

51. Grosser Vorhof des Palasts

11 512 Lemuren Goethe stressed this word on the second syllable. The
Latin form is *lemures*, with the accent on the first syllable. — The
Lemurs of antiquity were minor evil spirits, who flitted about,
mere skin and bones, distressing good people without any particular reason or purpose. They were represented on a bas-relief
found in a grave near Cumae in southern Italy, which Goethe
discussed in an essay: "Der Tänzerin Grab" (1812). As he de-
picts them here, they are not skeletons such as one sees in the
"Dance of Death," but they suggest these macabre figures.

11 516 halb The Lemurs are not intellectual giants, but they seem to
remember having half-heard someone talk about Faust's reclamation project. Possibly Faust himself had once addressed the
assembled workmen who were to carry out the project, and these
Lemurs would then have been part of Faust's audience.

11 523 künstlerisch No civil engineer is needed for the job in hand.
The Lemurs had come equipped with stakes and chain (11 519–
11 520).

11 527 unsre Väter Mephistopheles identifies himself momentarily
with the Lemurs, who are spoken of as the shriveled figures of dead
human beings.

11 531–11 538 Wie jung ich war = *Als ich jung war* This song of the
Lemurs appears to have been suggested by the gravedigger's song
in Hamlet (V, 1). The first two lines in each stanza are indeed
free adaptations of Shakespeare, or of his source, a poem by Lord
Vaux, which is included in Percy's Reliques of Ancient English
Poetry (1765). Goethe almost certainly knew both versions.

11 544–11 550 Mephistopheles defiantly tells the audience that the
devilish destruction of orderliness and of constructive evolution
is built into the nature of the physical universe. Whatever "life"

and "mind" can achieve, Mephistopheles says, will ultimately be undone, bit by bit, by the operation of inexorable natural laws: the modern reader may be reminded of the second law of thermodynamics and entropy.

11 545 **Dämmen, Buhnen** 'dams, levees.' The dam is usually of earth, the levee faced with boards, woven branches, or stones.

11 563–11 564 These lines define *das Höchsterrungene*, 'the greatest achievement.' The 'many millions' need not be thought of as all dwelling at one time on this land, but may represent rather the countless generations of descendants of the present new settlers.

11 567 **Hügel** The man-made dike which protects the land from the sea.

11 571 **es** No antecedent is expressed. One may think of *das Wasser* = *die Flut* (11 570), which nibbles at the dikes, trying to find a point at which it can force its way through.

11 575–11 576 Faust is no longer satisfied with the ambition he voiced at 10 187 for power and possessions, but has achieved the point of view of the servant of mankind. Security and possessions, of themselves, are not good for people, and Faust reiterates even more forcefully the thought of lines 682–685. His greatest satisfaction would come from establishing a state of such free men as would fulfill his ideal of daily winning liberty by effort. Only that man wins freedom who, along with the others with whom he is living, successfully defends his existence against the daily threatening forces of his environment. It is in this eternal activity that the good life is found. Hence, *der Herr* (340–343) provides the constant irritant of evil to drive men onward.

11 577 **umrungen** = *umringt* 'surrounded by.'

11 582 This word-for-word repetition of line 1700 is not a fulfillment of the terms of Faust's bargain with Mephistopheles. Faust merely says that he might feel this way if he achieved his goal. The anticipation of the achievement of this great result fills him with the highest joy he has yet known.

11 585 **Vorgefühl** Faust has not achieved 'his highest moment,' nor is he looking back upon it. He is looking forward to the possibility of attaining this high satisfaction. He sees the vision of freedom through human effort, without the help of supernatural forces.

11 589 **leeren** Mephistopheles can see nothing in the life of this hundred-year-old man which would make time of any use to him.

11 594 **Der Zeiger fällt** See lines 1703–1706 and note to line 1705. — **Es ist vollbracht** An allusion to the words of Christ on the cross, John 19.30.

11 597 For Mephistopheles there is no difference between 'not-being' and 'being past.' He finds that since all creation in this world ends in death or destruction, the procedure is senseless. He would prefer a world in which time and space are irrelevant, although he has to accept this world as it is and operate in it.

11 600 **zu lesen** = *zu lernen* 'What can be learned from that?'

52. Grablegung

11 604–11 611 This song of the Lemurs is reminiscent of the third stanza of the gravedigger's song in Hamlet (V, 1), but the resemblance is slight. The solo Lemur may be thought of as the one who has lain flat on the ground to be measured for the grave (11 525) and who now criticizes the labors of his fellows. Faust's body is lying on the ground nearby (SD 11 586, 11 612). The reply of the chorus seems to be directed at the first Lemur. All of the Lemurs are spirits of evil-doers and ne'er-do-wells, for whom a burlap shroud would be appropriate. Indeed, they may even be wearing such shrouds as they dig. — **Es** The empty grave is compared with a house which has been stripped of its furnishings. — These lines are usually understood to mean that man's earthly possessions are borrowed, not owned, and that the lenders (creditors) have claimed their property at the end of the short term of the loan. More generally, the lines have been understood to emphasize the transitory nature of all human affairs in the face of the powers of destruction and disintegration. Goethe deprecated this kind of pessimism. He says specifically: "Ich bedaure die Menschen, welche von der Vergänglichkeit der Dinge viel Wesens machen und sich in Betrachtung irdischer Nichtigkeit verlieren. Sind wir ja eben deshalb da, um das Vergängliche unvergänglich zu machen; das kann ja nur dadurch geschehen, wenn man beides zu schätzen weiß" (Maximen und Reflexionen, No. 155).

11 613 Titel The document of lines 1736–1737.

11 614–11 615 These lines are a jibe at a proposal by contemporaries of Goethe to effect the cure of persons "possessed of evil spirits." This plan rested on the rationalistic postulate that the Devil could claim only such persons as believed in him, since for others the Devil did not exist.

11 616–11 617 Both the old way and the new way cause Mephistopheles trouble. The old way is described in lines 11 623–11 625. When the victim died the soul left his body with his last breath. That is, it emerged from his mouth or nose and was easily caught there by the waiting devil. But to sit beside a dying person, waiting for this to occur, gives offense. The new way is one which makes things very difficult indeed for devils. They are not received kindly. The soul now no longer leaves the body at a definite time, but only when the elements of which the body is composed break up and force the unifying principle, the soul, to depart. It can never be predicted when, or how, or where it will escape, since the fact of death is no longer as easy to ascertain as it once seemed to be. Sometimes the apparently dead have been revived.

SD 11 636 flügelmännische 'like those of a fugleman,' a soldier placed before a regiment or company at drill to indicate by arm signals the maneuvers and the cadence for the troops. There is no indication anywhere that Mephistopheles is to be thought of as a winged figure.

11 639 den Höllenrachen The jaws of hell were standard equipment on the stages of the Passion Plays and an essential item in the old Faust stories and puppet plays. The reference to the many jaws of hell, in line 11 640, is probably to be taken as a jibe at Swedenborg's ARCANA COELESTIA ('celestial mysteries'), where one is told that "there are innumerable hells, each distinct according to the kinds of evils and deceits." It is suggested that the trend is toward less insistence upon differentiations of this sort.

11 644   The gaping maw of hell, like that of a great dragon, has tusks. Inside it Mephistopheles sees and describes for us a part of the infernal scene.

11 647   **die Flammenstadt**   The fiery city of the underworld god Dis, described in Dante's *Inferno* 8, 69–75.

11 654   **Ihr**   The devils with straight horns and those with curved horns, who have set up the jaws of hell as instructed. Mephistopheles says it is a good thing to frighten sinners with such displays, because they normally do not believe in such things and so are inaccessible to the Devil, who can only influence them if they believe in him.   (See note to lines 11 614–11 615.)

11 659   **lauert**   Mephistopheles is posting his forces. The fat devils are to watch the lower part of Faust's body. The sign of decomposition, and hence of the impending departure of Faust's soul, is phosphorescence of the putrefying flesh.

11 660   **Psyche**   From the Greek word *psyche*, which meant primarily 'breath of life, vital force, life,' and thence 'soul.' Sometimes the psyche is visualized as a butterfly.

11 661   A warning to the devils not to tear the wings from this Psyche, lest it become a hideous worm.

11 662–11 663   Perhaps this 'mark' of Mephistopheles and the fiery tornado are allusions to the "mark of the beast" (Revelation 14.9; 16.2; 19.20) and the "lake of fire that burneth with brimstone" (Revelation 19.20).

11 667   **akkurat**   Accurate knowledge of the precise seat of the soul is not available and in Goethe's day this problem was frequently discussed.

11 669   **es**   'What I have said.'

11 670–11 671   The long-horned devils are instructed to comb the air above Faust's body, so that they may catch his soul if it takes flight.

11 675   **Genie**   Here in the sense of *Genius, Geist* 'spirit.'

SD 11 676   **Glorie von oben**   'emanation of great light from the opened Heaven.'

11 676   **Gesandte**   A translation of Greek *angeloi* 'angels.' The song is sung by members of the Heavenly Host to each other.

11 679   **vergeben**   An infinitive to express purpose, parallel to *beleben*, and like it, dependent upon the imperative *Folget!* 'Follow, oh fellow angels, in effortless flight, to forgive sinners and bring life to the dead (dust); make friendly traces for all natures in the hovering movement of our slow-moving procession.' They are asked to move in such a way that all natures will feel impelled to follow them.

11 685   **Geklimper** 'jingling.' Bad performance of instrumental or vocal music.

11 686   **Tag** The light from the aureole and nimbus which emanate from the angels.

11 687   **bübisch-mädchenhaft** As this qualifies *Gestümper* it means 'adolescent, immature.' The angelic music of the Heavenly Host, with its integral relationships of melody and harmony, is intolerable to the ears of the *Geist, der stets verneint.* Some see in *bübisch-mädchenhaft* a reference to the belief that angels are sexless.

11 689–11 692   These lines appear to refer to the use of choirs of eunuchs in the services of worship of the Roman church. Another interpretation sees in them a reference to the persecutions of the saints. Still another interpretation regards *das Schändlichste* as the crucifixion of Christ.

11 695   **Waffen** As Mephistopheles sees it, the means of winning a soul are essentially the same, whether they be used by angel or by devil. These means, therefore, are probably promises of bliss and reward, which Mephistopheles knows to be hypocritical on the part of devils and which he regards as hypocritical when made by angels.

11 697   The loss of Faust's soul would be an everlasting disgrace to the devils, for Mephistopheles would have to stand in the presence of God and confess his failure (327–329).

11 699   The angels have obtained these roses from penitent women in Heaven. The roses are symbols of Divine Love and they also contain an essence of this love which emanates from the opening rosebuds (11 702–11 704) and overpowers the devils.

11 703   **zweigleinbeflügelte (Rosen)** Roses which float on the 'wings' of the leaves attached to their stems.

11 706   **Frühling** Subject of *entsprieße:* 'May Spring burst into bud.'

11 708   **Paradiese** The plural form, by metonymy meaning 'blessed joys of all kinds.'

11 715   **das** The snowfall of roses.

11 722   **schwebt's** The snowfall of roses, which has been changed to a sea of sharp clear flames, is approaching.

11 730   This line appears to mean: *wie es das Herz wünscht,* 'to the heart's desire.'

11 731–11 734   These lines have been variously interpreted. The simplest solution appears to be had by taking a verb for this clause from what has just been said, and reading: *Die wahren Worte bereiten im klaren Äther ewigen Scharen überall Tag.* 'The words of truth prepare everywhere in the clear ethereal spaces the light of day for eternal hosts.' Or, if *Klaren* is a noun, as it is sometimes understood to be, then: 'in the clear spaces of Heaven, in the Ether.'

11 739   **Gesegn'** Used ironically: 'may the hot bath agree with you and do you good.'

11 741   Mephistopheles singles out one individual rose for his attentions and addresses it with: *"Du."*

11 745–11 752   This angelic chorus is not yet visible. Their song comes down from above. Therefore *herein* (11 752) means 'into Heaven.

where we are.' Probably *euch* and *ihr* refer to the retreating devils, who have just left the scene heels over head. 'You can't have Faust's soul, for it does not belong to you; and you can't tolerate love, spread by the falling roses (11 728), since it distresses your hearts.' Then more generally: 'Whenever there is an attempt at violence against us, we must be valiant. Love leads only the loving into Heaven.'

11 747   **euch das Innere** 'your innermost being.'

11 754   **Element** The symptoms cited in line 11 753 point to love as the diabolical force in question, but in the case of Mephistopheles love is perverted sexual longing only. He understands now how scorned lovers feel when they gape at their haughty sweethearts.

11 759   **Auch mir** (*geschieht es so*) 'I too — of all people! — am put into the position of the scorned lover.'

11 760   **mit ihr** = *mit jener Seite.*

11 765–11 766   If Mephistopheles can be beguiled in this way, he cannot call anyone else a fool for becoming the dupe of love.

11 770   Lucifer (Isaiah 14.12) was the name of the angel who fell, or was cast down, from Heaven. The implication seems to be that others of his family may have remained among the angels.

11 775   See line 3655 for the same metaphor. A verbal base for the clause can be had from lines 11 773: *Es ist mir . . .*

11 776   A verb for this clause can be taken from 11 771: *mit jedem Blick seid ihr . . .*

11 782   **ihr** The angels, who are called *Jungen* 'boys' (11 763) and *Kinder* 'children' (11 769). They are really accomplished seducers, since their charms are equally effective upon male and female, as a perverted Mephistopheles sees things. Mephistopheles is so inflamed with lust that he scarcely feels the burning roses with which he has been pelted by these angels.

11 801–11 802   **Klarheit** According to one view, the flaming roses of Divine Love are bidden to return to the light of Heaven. According to another view, the flames of love are bidden to apply themselves (*wendet euch*) to the service of clarity, so that truth (= clarity) may heal those who condemn themselves.

11 803   **die** Demonstrative and relative combined, 'those who,' object of *heile.*

11 809   The allusion is to Job 2.7: "So Satan went forth from the presence of Jehovah and smote Job with sore boils from the sole of his feet unto his crown."

11 810   **der ganze Kerl** 'all over me.' 'Boil after boil, like Job, all over me, so that I shudder at myself; and yet at the same time I triumph when I quite see through the whole business and put my trust in myself and my family tree.'

11 812   **Stamm** May be taken to be equivalent to *Abstammung* 'descent,' or it may be equivalent to *Geschlecht* 'tribe, kin.'

11 816   **euch** The angels, after whom he so recently lusted.

11 818   **Wen** 'Whomever' and 'him who.' Specific reference to the soul of Faust is certainly included in this general relative pronoun.

11 823   **gereinigt**   Since the air had been cleansed of the exhalations of
the devils, who were driven off at line 11 738, the spirit of Faust
can live (breathe).

11 832   Goethe once thought of a scene in Heaven in which Satan would
appeal the judgment of the Lord concerning his contract.   Some
critics believe these lines are a reflex of that unfulfilled intention.
Yet Mephistopheles judges himself.   He has lost any right he
might have had to Faust's soul by his own mismanagement
(11 836).

11 837   **Aufwand**   The trouble and expenditure of resources which
Mephistopheles has had to make in his attempt to 'satisfy' Faust.
Mephistopheles, the spirit of negation, never learns to understand
the affirmative, positive drive of Faust, which makes it possible
for divine grace to save him from the fate Mephistopheles prepared
for him (see lines 11 934–11 941).

53. BERGSCHLUCHTEN

This scene begins on a mountainside cut with ravines, perhaps
suggested to Goethe by what he had read of Montserrat, near Barcelona.   From a Benedictine monastery on Montserrat individual
monks withdrew to solitary cells, where they lived in complete isolation, often inaccessible except by means of ladders or of bridges thrown
across otherwise impassable ravines.   It is also possible that Goethe
was here recalling etchings based upon the fresco "Anchorites in the
Thebaid" in the Campo Santo in Pisa.   These depicted early Christian
hermits in the desert of the Nile country around Thebes.   Attempts
have also been made to relate the details of this scene with descriptions
of Heaven in the writings of Swedenborg.

At the summit of the mountain dwells Doctor Marianus (11 989),
from whose lofty cell the interior of Heaven is visible.   The *Anachoreten*, anchorites, were hermits, saints of the first centuries of the
Christian era, who dwelt in the wilderness and by denying the flesh
sought to achieve a mystic union with God.   Here they are hermit
monks like those of Montserrat. — This whole scene is operatic in its
conception and effect.

SD 11 844   **Chor**   A chorus of anchorites, which might well be much
larger than a group composed only of those who are subsequently
named.   The stage director has a problem with this antiphonal
echo, but very impressive effects can be achieved.

11 850   **Löwen**   Isaiah 65.25 says: "The wolf and the lamb shall feed
together and the lion shall eat straw like the ox."   (Similarly:
Isaiah 11.6–9.)   This is to take place in the new heavens and the
new earth which are there prophesied.   A graphic representation
of the lion with the saint is Dürer's etching of St. Jerome in his
study. — The lions, symbols of warlike ferocity, honor this sacred
retreat made holy by divine love and the love of God in the hearts
of the anchorites.

SD 11 854   We have here the first of four "fathers," *patres*, each with a particular attribute. *Pater ecstaticus*, the ecstatic father, is able to float in the air, because he has so far put away the flesh that it no longer weighs him down to earth. — The fathers of the Roman church bore such names. St. Anthony, Johann Ruysbroek, Father Dionysius, all were called "*ecstaticus*." In his account of his Italian Journey (under date of May 26, 1787, Naples) Goethe recorded the story of Philippus Neri, who was a singularly ecstatic cleric with "the highest gifts of religious enthusiasm; the gift of involuntary prayer, of profound wordless adoration, the gift of tears, of ecstasy, and finally even the gift of rising from the ground and hovering above it, which is regarded by all as the ultimate." The figure interested Goethe so much that he later added quite an essay about this saintly man. — The four fathers of this scene are located on different levels according to their relative perfection in divine knowledge. This feature of the scene may have been derived from the writings of Emanuel Swedenborg (1688–1772).

11 862   **das Nichtige**   His material body, which he wishes would dissolve into nothingness.

11 864   **glänze**   Optative, like *verflüchtige*, expressing purpose.

SD 11 866   **profundus**   The profound, the mystic, a name applied to Bernard of Clairvaux (Saint Bernard, 1091–1153).

11 874   **Ist**   Supply the subject *es* 'there is.'

11 882   As subject of *sind* one may supply *es*, meaning the lightning, the rain, the wind, and the waterfall.

11 885–11 887   The body is spoken of as the prison of the spirit; it sets confining limits to the soul by its senses, which hurt, as tight-fitting chains hurt a captive.

SD 11 890   **Pater seraphicus**   A name given St. Francis of Assisi (1182–1226), founder of the Franciscan order of monks. He sees a host of angel boys which looks like a rosy cloud at dawn, as it hovers among the tops of the fir trees.

11 892   **Innern**   The reference is to *Morgenwölkchen*, 11 890.

SD 11 894   The blessed boys are children who have died unbaptized, immediately after birth. They have committed no sin. Yet, as sons of Adam, they are tainted with the sin of their human origin. Hence they are young spirits who have to hover between Heaven and earth until they become mature enough to enter Heaven. — The immediate source of the ideas represented by these boys and by subsequent groups in this scene is the ARCANA COELESTIA of Swedenborg.

11 898   **Mitternachts-Geborne**   An allusion to the popular belief that a child born at midnight is not likely to survive long.

11 901   **Gewinn**   These children, who die immediately after their birth, eventually arrive in Heaven to delight the angels. This they achieve only after an educative process which extends through several stages of increasing perfection.

11 902   This clause is the predicate of *fühlt* in 11 903. One may understand *ist* with *zugegen*. The 'loving one' is the *Pater seraphicus* himself.

11 906   The boys are invited to enter the body of the seraphic father and
to look at the things of this earth through his eyes, since their
own eyes are unacquainted with earthly scenes. This idea comes
from Swedenborg and appears occasionally in Goethe's letters
from 1781 to 1824.

11 929   **drein**   Either *in den Ringverein,* or *in das Sich-regen.*

11 932   **den**   God. See Matthew 5.8: "Blessed are the pure in heart; for
they shall see God."

11 934–11 941   In a conversation with Eckermann, June 6, 1831, Goethe
is reported to have said: "In diesen Versen ist der Schlüssel zu
Fausts Rettung enthalten: in Faust selber eine immer höhere und
reinere Tätigkeit bis ans Ende, und von oben die ihm zu Hülfe
kommende ewige Liebe. Es steht dieses mit unserer religiösen
Vorstellung durchaus in Harmonie, nach welcher wir nicht
bloß durch eigene Kraft selig werden, sondern durch die hinzu-
kommende göttliche Gnade." — In the main manuscript of this
scene there are penciled quotation marks before 11 936 and at the
end of 11 937 which may have been inserted by Goethe himself.
Many editions print the lines with these quotation marks, though
clearly nothing in FAUST is being quoted.

11 938   **teilgenommen**   'taken an interest in,' 'showed concern for.'

SD 11 942   The angels who soar in the upper reaches of the atmosphere
bearing Faust's soul to Heaven are divided into two choruses. One
is the chorus of the younger angels, who have been the shock
troops in the fight against Mephistopheles and his cohorts. The
other is the chorus of the more perfect angels, who appear to be
actually carrying the immortal remains of Faust. They complain
at 11 954–11 957 that this task is unpleasant, and the younger
angels suggest (11 978–11 980) that Faust's soul be turned over
to the 'blessed boys' who have obeyed *Pater seraphicus* and
risen to this higher circle.

11 956   **Asbest**   Typically resistant to the typical cleanser, fire. This
earthly remnant would be unclean from an angelic point of view,
even if it had passed through fire and flame.

11 958–11 965   When a strong spirit has appropriated the physical elements which give it form and temporal identity, not even an angel
(the highest created being) can separate the intimate unified duality
of spirit and physical elements; this can be separated only by
God, through his eternal love.

11 967   The use of the singular pronoun *ich* by the whole chorus of younger
angels is irregular and disturbing. Perhaps one should add the
stage direction *Solo*, in order to get a logically acceptable form.
Or perhaps one may think of the younger angels as so much of a
unity that they may all together speak of themselves as "*ich.*"

11 978   **er**   Faust or Faust's immortal parts are turned over to the 'blessed
boys,' so that he may in due course enter with them into Heaven,
when he shall have been freed of his last earthly imperfection.

11 979   **Vollgewinn**   Dative with *zu,* to be repeated from line 11 978.

11 984   **Unterpfand**   'A pledge' from the angels that the boys too shall
enter into Heaven along with Faust.

11 985 Flocken If this has to do with the chrysalis (11 982) it probably means little tufts of cotton-like fibres, which would be plucked from the cocoon as the boys free Faust's soul from its case.

SD 11 989 Doctor Marianus The fourth anchorite, and the one among them especially devoted to the worship of the Virgin Mary. Goethe first called this one *Pater Marianus*, but changed the title to *Doctor*, without important significance, but still to mark some difference between Marianus and the others. These strive for purification; Doctor Marianus longs for the revelation of the mystery of Maria (12 000). His cell is on the highest level and from it he can look directly into Heaven. This hymn of Doctor Marianus has been very effectively set to music by Robert Schumann. — The adjective *reinlichsten* suggests degrees of cleanliness (or purity?) in the abodes of the preceding hermits and rests, probably, upon the observation of Wilhelm von Humboldt concerning the hermits on Montserrat (near Barcelona). Humboldt was impressed by the cleanliness of these hermit-cells.

12 001–12 004 Brust Either the object of both *beweget* and *entgegenträget:* 'Approve the force (*was*) which moves the heart of man seriously and tenderly, and which with the holy joy of love bears that heart to you,' or the subject of *entgegenträget:* 'Approve the feelings (*was*) which the heart of man, being seriously and tenderly moved, and with the sacred joy of love, offers you.' In this case the phrase *ernst und zart beweget* is parenthetical and should be enclosed in commas.

12 009–12 012 The apostrophes to the Virgin are ecstatic adorations, not statements; hence there is no verb.

SD 12 032 Mater gloriosa The Virgin in Glory, the counterpart of the *Mater dolorosa* of SD 3587.

SD 12 037 Magna peccatrix The sinful woman, who in the house of Simon, the Pharisee, bathed Christ's feet with her tears, anointed them with precious ointment from an alabaster cruse, and then wiped his feet with the hair of her head. — **St. Lucae** = *sancti Lucae* (Latin genitive singular forms) 'of St. Luke.' The reference is to Luke 7.37–50.

12 040 Simon, the Pharisee, when Jesus received the ministrations of the sinful woman, remarked that if Jesus were really a prophet he would have known what sort of vile person he was permitting to touch him.

SD 12 045 The woman of Samaria (John 4.7–30), whom Jesus met at Jacob's well and asked for a drink of water from her pail, was living with her sixth "husband," who was not really her wedded husband. Whatever the writer of the Gospel may have believed this woman to represent, Goethe presents her as a representative of feminine frailty and sinful abandon.

12 045 Bronn This was Jacob's well. Jacob was the son of Isaac and the grandson of Abraham.

SD 12 053 Maria Aegyptiaca (Acta Sanctorum) The 'Acts of the Saints' is a collection of legends about the saints and martyrs of the Christian church. It was begun in the seventeenth century and continued until 1875, when the work had reached sixty-three

volumes. According to the story there, this 'Mary of Egypt' led
a life of sensual abandon for seventeen years. Finally, when she
tried on a festival day to enter the church in Jerusalem, an
invisible hand stopped her. She repented her sin, prayed to the
Virgin, and was miraculously picked up and set down in the church.
There she heard a voice which commanded her to go out into
the desert beyond the river Jordan to find peace. This she did,
living a life of penance in the desert for forty-eight years. When
she came to die, she wrote in the sand a request to the Monk So-
cinius that her body be buried and that he pray for her soul. The
reason for her presence here is that she, like the great sinner of
Luke 7 and the Samaritan woman of John 4, was a sinful woman of
carnal lusts.

12 053   **Orte**   The place where Christ's body was buried.

12 065   The three famous sinners pray for the soul of Gretchen, who appears here as a penitent woman.

12 069   This prayer bears a strong outward resemblance to the prayer
addressed to the Virgin by Gretchen in the *Zwinger* (3587–3619).
Its joyful content contrasts sharply with the agony of the earlier
petition.

12 076   The boys come bringing the immortal portion of Faust. In his
spiritual body, he is much larger than they, and the boys hope
he will repay in kind their careful attention. Indeed, they hope
that he will make this requital by teaching them what he has
learned.

12 090–12 091   'See how the fresh vigor of youth is evident under the
ethereal robe he now wears.'

SD 12 104   **mysticus**   Goethe first called this a *Chorus in excelsis*, 'a
chorus on high.' Later he substituted the present title. The
change relates the heading more closely to the content of the lines,
for here the mystery of Heaven is suggested.

12 105   **Gleichnis**   An image, an allegory, giving no direct access to
truth, but permitting man to learn about it.

12 107   **Ereignis**   What remains unrealized on earth, because of the insuf-
ficiency and inadequacy of all earthly endeavor, reaches its fulfillment in Heaven, in an event which is the realization of the soul's
striving.

12 110   **das Ewig-Weibliche**   'Eternal Love' leads man upward. This
final chorus says that human life is an allegory. In the everlasting realm where the *Chorus mysticus* dwells, all the inadequacies
of human strivings disappear, and the realization of the soul's
desires is achieved. Here the inexpressible perfection of man is
attained. Through all human endeavor, the leading, guiding force
is Love, which appears to man in its embodiment in woman, but
which is the everlasting driving force, and, in the end, 'saves' the
man who strives without ceasing.